沖縄島最北端、辺戸岬の「祖国復帰闘争碑」の背後を低空飛行で通過する米空軍MC130J特殊作戦機。サンフランシスコ講和条約（1952年）が発効し、沖縄が日本から切り離された「屈辱の日」の4月28日に撮影された

（2021年4月28日、沖縄写真連盟会長・大城信吉さん撮影）

沖縄防衛局が辺野古新基地埋め立て海域のサンゴ移植を県の作業中止を無視して強行。移植先の海中で作業を監視し、「サンゴを殺すな」と訴えるカヌーチームのメンバー（2021年8月）

生物多様性ホットスポット*

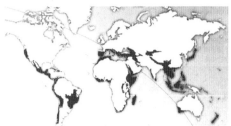

*生物多様性が高く、同時に人間活動による大きな絶滅圧力に
曝されている地域としてコンサベーション・インターナショナル
が指定した地域。2017年現在、36の地域が指定されている。

生物多様性ホットスポット

世界自然遺産登録に向けた課題

絶滅危惧種の保全（希少種保護、外来種対策）

オーバーツーリズムをどう避けるか？

米軍基地問題（北部訓練場、高江ヘリパッド、
辺野古新基地）

○ 世界遺産登録の際には、「コア・エリア」と呼ば
れる中心部分のまわりに、その価値を守るために
「バッファーゾーン」という地域を設定する。米
軍基地は国内法が適用されないのでバッファー
ゾーンに指定することは難しい。高江のヘリパッ
ドと辺野古新基地は自然保護に逆行。

18

世界自然遺産登録に向けた課題

生物多様性おきなわ戦略
（2013年3月策定）

生物多様性おきなわ戦略

つながりの障害物
となっているのが米軍基地
●北部訓練場
●辺野古新基地

平成25年3月
沖縄県

● この戦略は生物多様性基本法
に基づき沖縄県自らが策定し
た計画である。
● 北部圏域の目指すべき
将来像

『森と海のつながり
を大切にし、人々の
生活と自然の営みが
調和している地域』

21

生物多様性沖縄戦略

2019年10月 辺野古・大浦湾一帯の海
日本初のホープ・スポット（希望の海）に認定

日本初認定
HOPE SPOT

辺野古・大浦湾
#ホープスポット

希望の海のサポーターになろう!!

辺野古大浦湾 #ホープスポット

※桜井国俊氏講演

（本文142頁）参照

環境省ポスター

《花井正光氏講演
《本文162頁）参照

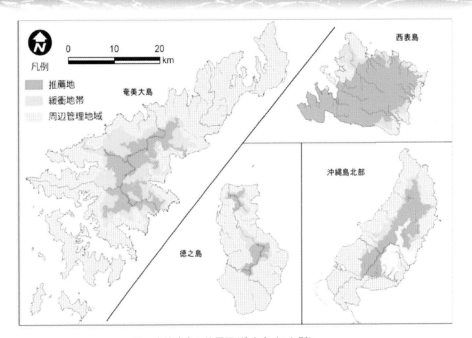

世界自然遺産の位置図（徳之島は2か所）

沖縄・韓国・台湾交流美術展オープンセレモニー
（那覇市民ギャラリー）

6月23日芸術祭オープン展示
（摩文仁平和祈念公園）

「沖縄の縮図　伊江島の記録と記憶
（東アジア国際平和芸術祭2020より）

※比嘉豊光氏報告
　（本文196頁）参照

「蛍の光」と領土拡張主義

東アジア共同体研究所琉球・沖縄センター長 緒方　修

　来年は沖縄復帰50周年だ。今回は前触れとして鼎談や対談で課題を浮かび上がらせた。新基地反対運動やメディアの最前線にいる人たちをお呼びし話を伺った。タイトルは、偽りの本土復帰、SACO 合意、基地返還アクションプログラム、国際都市形成構想再び、オール沖縄の針路、南西シフト・台湾有事 メディアは闘う。

　沖縄の自然が壊され海が埋め立てられようとしている。皮肉なことにそのすぐ近くの森が世界自然遺産に登録された。沖縄は文化と自然の二つの世界遺産を持つ県となった。これらの活用によっては豊かな文化・自然環境が創りだされる。しかし不都合な真実がある。登録されたやんばるの森には米軍の有害廃棄物が残されたままだ。

　日本の米軍基地の7割が依然として沖縄に居座っている。異例の事態も戦後76年もたつと、変えようがない条件のように受け止めてしまう。しかし米軍基地とは縁のなさそうな那覇に暮らしていても軍用機が低空を飛行する光景を目にし、轟音を聞く。何かが起きていると感じる。南西諸島にはミサイル戦争の危機が迫っている。基地に近い集落からの情報では夜中の訓練で銃声が響き、まるで戦争前夜だという。琉球・沖縄センターでは、馬毛島、奄美、宮古、石垣、与那国から送って頂いた写真をもとに全国で写真展を実施中だ。

　来年は琉球処分150年でもある。日本政府は琉球から台湾以南へ領土拡張を画策した。この時代の文部省唱歌を例にとってみよう。

　「蛍の光」の歌詞に沖縄が登場する。4番には「千島の奥も沖縄も　八洲の内の守りなり　至らん國に　勲しく　努めよわが兄恙無く」。日清戦争後は「千島のはても台湾も」、日露戦争後は「台湾のはても樺太も」と広がった。

　日本軍部の野望はさらにインドネシアのはても、アメリカも、とふくらみ続けた。実際にオーストラリアのダーウィンが空爆され、太平洋の向う岸まで風船爆弾が飛んで行った。

サンフランシスコの金門橋近くには日本海軍の襲来に備え大砲が設置された。高台に並んだ大砲がまだ残っている。それを見たときに、国家間の敵意が昂じると、ここまで行ってしまうのかと感じた。アメリカは日本軍の力を軽んじることなく、窮鼠猫を噛む場合をも想定していたのだ。

　昔話ではない。現在の日本はどうだ。アメリカに追従して中国を敵視し南西諸島にミサイルを並べようとしている。サンフランシスコの大砲群は幸い使われることはなかった。その前に、米軍が沖縄を、日本本土を殲滅してしまったからだ。オフショア・コントロールとは、太平洋の彼方の敵地内、あるいはその近くで敵をやっつけてしまう戦略なのだろう。

　大海原を超えてやってくるかもしれない艦船団を悠然と待ち受ける大砲は時代遅れだ。先にさっさとやっつけてしまえ、宇宙からコントロールするミサイルで。しかしここに掲載した UI チャンネル400回の鼎談では米軍にとって致命的な事実が指摘された。米中もし戦えば米軍の連戦連敗だというのだ。自衛隊の出番などありえない。東富士演習場で訓練するパラシュート部隊の「雄姿」を見た。3,000人が南西諸島の救出に向かうという。その前に、島民は全滅しているのではないか。島嶼防衛は不可能と防衛省も認めている。では何のための訓練か、何のための基地か。

　沖縄戦の最大の教訓は、軍隊は住民を守らない、ということだった。南西諸島の自衛隊配備計画の中に、住民の脱出計画はない。ミサイルが飛び交い、廃墟と化した島々に、パラシュート部隊が降り立つ光景を想像する。隊員は何をするのだ。島民の遺体処理か。

　沖縄にいると地獄図絵がすぐ浮かぶ。しかし希望が無いわけではないだろう。ワシントン・クォータリー掲載論文に基づいた鳩山レポート、高野孟氏司会の第一特集（鼎談シリーズ）、沖縄の文學の力やアートなどを論じた第二特集をお読み頂きたい。「沖縄を平和の要石に」は雑誌としては2号、紀要創刊以来数えれば7号を重ねる。

　沖縄は日本の矛盾の縮図だ。米軍基地の7割をわずかな島の中に抱えている。ここを見捨てて日本の将来図を描くことは出来ない。軍備増強などの考えとはおさらばしなければならない。螢の光の原曲はスコットランドの伝承歌で、旧友と再会し昔を偲びつつ杯をあげようという歌詞らしい。大昔からの旧友の中国と共に歌うのにふさわしい歌ではないか。

「台湾有事」戦争前夜の危機に抗う（沖縄を平和の要石に2） 目次

> ❖ 復帰49年　基地なき沖縄の展望

米中対立の制御と日本の役割

東アジア共同体研究所理事長 **鳩山友紀夫**

　バイデン政権が発足して半年以上が経過した。大統領がトランプからバイデンに代わった後も、米中対立は収まるどころか競争激化の兆しすら見える。

　米中対立の根本的な原因は、既存の大国と新興の大国の間では緊張が生じ、往々にして戦争に至ることもあるという、所謂「トゥキディデスの罠」にある。米国政府や日本政府が強調する「民主主義 対 権威主義」という側面は、ゼロではないにせよ、本質ではない。1970年代から90年代にかけ、米国経済が日本経済に抜かれるという米側の恐怖心の下で日米貿易摩擦が起きた。当時、日本が民主主義国家であったことは言うまでもない。頭の体操として中国が明日、民主主義国家になったとしても、米国は民主中国と競争するだろう。問題が「力の接近」であることに疑いはない。

　中国の台頭はめざましい。中国の GDP は実勢為替レートでも2028年までには米国の GDP を抜くと予想されている。特許件数も既に中国が世界一となった。しかし、中国の国力が米国の国力を完全に抜き去り、今後独走状態に入るとは考えにくい。2019年の軍事支出は米国の7,187億ドルに対し、中国は2,664億ドルであった。2020年1月時点で保有する核弾頭数は米国の5,800個に対して中国は320個である。米国には、世界中に広がる同盟のネットワークもある。また、今後、中国では米国よりも早く少子高齢化が進み、所謂「中所得国の罠」も働き始める。人民元が国際決済通貨として米ドルに取って代わる可能性も低い。今世紀半ばに向け、米中の「力の接近」状態は長期的に続く。米中対立も長期化する、と考えざるをえない。そして、この対立に勝者を見通すことはできない。もっと言えば、勝者が生まれるか否かも定かではない。

　こうした時代認識の下、本稿では、米中に対する私の注文を述べる。併せて、日本政府が米中間で「触媒」としての役割を果たすべきことも主張する。

米国への注文 〜 ①民主主義外交の罠を避けよ

　バイデン政権に対し、私は三つの注文を提示する。その第一は、外交に民主主義を含めた価値観を持ち込みすぎるべきではない、ということである。

　断っておくが、私はバイデン大統領が米国の民主主義を再建することを心から願っている。バイデンが「自由社会は腐敗、不平等、二極化、ポピュリズム、法の支配に対する非自由主義的な脅威によって内側から挑戦を受けてきた」と述べる状況は、多かれ少なかれ日本にも当てはまる。米国で起きている事態は対岸の火事などではない。だが、そのうえで言う。バイデン政権は〈国内における民主主義の再建〉と〈地球規模で見られる民主主義と権威主義の戦い〉を意図的に結び付けることに対し、極めて慎重であらねばならない。

　民主主義や人権を含め、価値観に忠実であろうとすれば、その価値観を奉じない者を異端視し、排除することになりやすい。相手も同じ対応を取るため、米国が価値観外交を強調すればするほど、米中対立は尖鋭化する。例えば、QUAD（日米豪印）や FOIP（自由で開かれたインド太平洋）のような、価値観を基準にして中国を囲い込むような政策ばかりを強調すれば、中国はそれを「威圧的」と受けとめる。面子を重んじる彼らがそれに屈することはなく、反発を強めるだけだ。

　バイデン政権が今年3月に発表した『国家安全保障戦略暫定指針』は、世界を「我々が直面するすべての挑戦に対処するうえで専制主義が最も有効だと考える国々」と「変化しつつある世界ですべての挑戦に立ち向かうには民主主義が不可欠であると理解する国々」とに二分してみせた。しかし、民主主義や人権などの価値観を強調しすぎれば、中国やロシア以外の非民主主義国家群を米国から遠ざける可能性が高い。スウェーデンのヨーテボリ大学に本部を置く V-Dem 研究グループによれば、2019年時点で〈完全な独裁主義国家〉と〈選挙を通じた独裁主義国家〉の合計は92ヵ国であった。世界の51％を占め、人口比では54％に達する。これらの国々が中国やロシアとの繋がりを強めれば、バイデン政権が意図する外交目的の達成はむずかしくなるだろう。既に兆しはある。2021年3月27日、中国とイランは経済・安全保障分野で25年間にわたる包括的戦略パートナーシップ協定を締結した。中国の王毅外相は続けてサウジアラビア、トルコ、アラブ首長国連邦なども訪れている。

私は、価値観の異なる国家同士がいかにうまく付きあっていくかを追求するのが真の外交だと信じる。バイデン政権が中国と競争すると言うのならそれは構わない。中国の抱える様々な問題について、批判するなと言うつもりもない。しかし、米国政府は、米中の平和共存が競争の大前提であり、米国政府の唯一にして対等なカウンターパートは中国共産党である、という明確なメッセージを中国に送るべきだ。最低でも、米国政府は伝統的な解釈に基づいた「一つの中国」政策を堅持することを誤解のない形で表明した方がよい。2021年4月16日の日米首脳共同声明は1969年以来はじめて「台湾」に言及した。「台湾」という言葉が文書に現れたという事実自体が北京政府に非生産的なメッセージを送っていることを過小評価してはならない。

米国への注文　〜②同盟国のジレンマをもっと理解せよ

　第二に、バイデン政権は対中戦略で同盟国やパートナー国に自己の都合を押し付けようとすべきではない。

　バイデン政権は、中国やロシアといった権威主義国家に対抗するために同盟国やパートナー国を動員すると公言し、アメリカ・ファーストを標榜したトランプ政権との差別化を図ろうとしている。米国の同盟国が強大化した中国との間で少なからぬ問題を抱えていることは事実である。米国と共に行動することで中国に対する発言力を強化することは、同盟国にとって基本的にはメリットが大きい。だが同時に、同盟国やパートナー国は「米国か中国のどちらかを選び、他方を捨てる」という選択は、国家を存立させるうえで取れないこともまた、現実である。

　米ソ冷戦の時とは事情が大きく異なる。日本の場合、1985年に対米貿易が貿易総額に占める割合は29.8％だった一方で、対ソ連・中東欧貿易は全体のわずか1.6％だった。2020年には、日本の対米貿易は貿易総額の14.7％を占め、対中貿易（香港を含む）は貿易総額の26.5％に達した。コロナ禍が表面化する前の2019年に日本を訪れた中国人（香港を含む）は1,189万人だったのに対して、米国からは172万人だった。日米の共通利益が当然視されることの多い安全保障分野においても、日米の利害が単純に一致することはない。米中が軍事衝突することがあるとすれば、台湾有事に関連したケースが最も可能性が高い。しかし、一部の軽薄な政治家たちを除けば、ほとんどの日本人は、台湾独立のために在日米軍基地が使われたり、

日本が中国と戦ったりすることを良しとしていない。近年、米国には台湾が独立の方向に向かうのを奨励するかのごとき言動が折に触れて見られる。同じ民主主義国だからと言っても、日本はこのような動きには乗れない。

2020年11月15日、東アジア・西太平洋の15カ国は地域的包括経済連携（RCEP）協定に署名し、同年12月30日に EU と中国は包括的投資協定の締結に基本合意した。こうした動きについて、関係国が「中国を選び、米国を捨てる」兆候と解釈することは米中双方にとって決定的な誤りだ。しかし、それらは紛れもなく、多くの国々が「中国と共存共栄したい」と考えている証左である。米中対立の狭間で複雑な利害関係の調整に悩む同盟国・パートナー国の声に米中両国が耳を傾ければ、米中対立の制御にもプラスに作用する。日本政府も自らの立場と意見を米国にもっとはっきり伝えるべきである。

米国への注文 〜③中国に対して「再関与」政策を行え

第三に、米国は中国に対して協調を呼びかける分野をもっと増やすべきである。

ブリンケン国務長官はアラスカでの米中外交責任者会合で「米中関係は、そうあるべき分野では競争的であり、それが可能な分野では協調的であり、そうでなければならない分野では対立的となるであろう」と述べた。この発言自体は、当たり前のことを言っているようにも思える。だが問題は今、米国政府が中国と協調できる分野を狭く限定する一方で、中国との競争をことさらに強調しようとしていることだ。協調可能な分野としては、地球温暖化やパンデミック対策などが念頭にあるのだろう。しかし、米国政府の高官たちの発言を聞いていると、片手に棍棒を握りながらもう片方の手で握手を求めているような印象を禁じ得ない。全体の雰囲気が悪い中で特定分野だけ切り離して協力を実現することは簡単ではない。米中対立を適切に制御しようと思えば、米国政府はより広範な分野で中国に協力を呼び掛けるべきだ。中国が応じなければ、はじめて競争の局面に移ることを宣言すればよい。その方が同盟国も米国と共に行動しやすいであろう。

トランプ政権は歴代米政権の対中関与政策をこっぴどく批判した。そのことも手伝って、関与を口にすることは中国に弱腰であることと同じであるという風潮が世界中で生まれた。確かに、過去の関与政策は期待したような変化を期待したような速度で中国にもたらさなかったかもしれない。

だが、中国が国際秩序の行動様式を全く受け入れず、逆方向に向かったという主張もまた極端であり、正しくない。最もわかりやすい証拠の一つは、気候変動問題に関する中国の姿勢の変化である。米国政府は関与政策を捨て去るのではなく、それを改良することに注力すべきだ。

バイデン政権の対中政策が「協調」あるいは「関与」を控えめに見せ、「競争」を見せびらかそうとすることには、中国に追いつかれ、追い越されつつあることに対する米国の焦燥感の裏返しという側面もある。だが、米国は少し冷静になるべきだ。既に述べたように、中国には強みもあれば、弱みもある。米国も多くの強みを持っている。米国には、中国に対して「改革された関与」政策をもう一度試し、協力の可能性をもっと探るだけの時間と余裕が残っているはずである。関与政策一辺倒、という戦略は非現実的だとしても、米国には競争と関与のバランスをとる意識をもっと持ってもらいたい。

対中関与政策にもっと関心を寄せるべきことは、日本政府も同様である。米中対立の時代だから米国と組んで中国に対抗する、という単純な戦略では芸がなさすぎる。持つべきは逆転の発想だ。米中対立が激化している今、日本が対中関与政策を展開すれば、中国が乗ってくる可能性は多少なりとも高まっている。

中国への注文 〜大国としての責任を果たせ

今年2月10日の電話会談で習近平主席は「米中が対立すれば双方が傷つく」と述べ、バイデン大統領に協調を呼び掛けた。習主席の述べたことはまったく正しい。だが、米国で習の言葉を額面通りに受けとる人は少ない。その責任は半分以上、中国にある。米中対立を適切に制御するためには、中国も変わらなければならない。

中国は過去30〜40年間で驚異的な成長をとげ、世界で1位、2位を争う大国になった。だが、身の丈が巨大になったことを一番理解していないのは中国自身である。中国は米国の不安とフラストレーションを理解していないし、理解しようともしていない。中国がここまでの大国になれたのは、米国が第二次世界大戦以降に作り上げた世界システムの恩恵によるところが大きい。中国はそれを当たり前のことと見なし、今後もその恩恵をタダで受け続けられるべきだと要求しているように見える。これではうまくいかない。中国は今果たしているよりもずっと大きな責任を、もっと目に見

える形で引き受けるべきである。最も効果的なアピールの一つは、中国が世界貿易機関（WTO）における「特別かつ異なる待遇（S&D）」を自発的に返上することだ。中国は既に世界第二位の経済大国であり、習近平主席の下で貧困撲滅に力を入れ、成果を出してきた。一人当たり GDP が中国よりも低いブラジルも既に S&D の返上を進めている。中国が自らハンディを減らす姿勢を見せることの意義は極めて大きい。

　米国が「大国となった中国と同じ条件下で競争したい」と求めるのは正当な要求である。中国政府がこれまで知的所有権の保護やサイバー攻撃の取り締まりなどに努力してきたことを評価しつつ、対策のさらなる強化と加速を求めたい。また、米国が中国との協調を志向する分野では、中国も駆け引きに走るのではなく、米国とディールを結ぶことを優先すべきだ。米中間の失われた相互信頼を回復させ、二国間関係の基調を競争や対立から協調に転じさせるためには、両国が協調の実績を一つずつ積み上げるしかない。

　昨年注目を浴びた「戦狼外交」も国際社会で中国のソフトパワーを大きく損なった。中国側にも言い分はあったにせよ、人間性を疑わせるような言葉遣いやツィートは見るに堪えなかった。中国国内で国威を発揚した面と、世界の多くの場所で中国が敵を増やしたことを天秤にかければ、中国は失ったものの方が遥かに大きかった。大国になったことを笠に着て傲慢なパブリック・ディプロマシーを続ければ、米国等の世論は簡単に反中国に傾斜する。その結果、米国を含む多くの国々との間で不必要な衝突を繰り返し、自らの立場を悪化させることになる。

　日本の指導者は、中国の指導者に対して率直にアドバイスできるような関係を構築すべきである。その第一歩として、日本政府高官は米国政府要人と会談するのと同じくらいの頻度で中国政府要人と会談するよう努力すべきだ。

米中関与の優先課題～気候変動とパンデミックを超えて

　気候変動やパンデミックのようなグローバルな課題における米中協力の可能性は様々に議論されている。米中両国はそのようなテーマにとどまることなく、「情報通信テクノロジーにおけるデカップリングの制御」と「東アジアにおける新しい軍拡競争の管理」という戦略的に重要な二つの分野で相互に関与を進めるべきである。

・情報通信の国際標準と監視機関をつくれ

　今日、先端技術が国家間競争の死命を制することはもはや常識となった。情報通信分野における中国との競争において、トランプ政権が安全保障上の理由を持ち出して中国企業を市場から締め出すという新しい手法を導入したのも、同分野で米国が後れをとったという危機感に駆られたためである。バイデン政権もまた、米国と同様の考えを持つ民主主義国家との連携を通じて中国企業の手足を事実上縛ろうとしている。日本政府もなし崩し的に米国と組もうとしているようだ。しかし、この道を行くのは危うい。日本は米国と中国が情報通信分野で共存する道をめざすべきである。

　米国政府のやり方がうまくいけば、中国は短期的には苦境に陥るかもしれない。しかし、中長期的にみれば、情報通信分野における競争の勝者が米国連合である保証はない。2020年5月、習近平指導部は「双循環」という経済戦略を打ち出した。米国がデカップリングをさらに進めた場合に備え、ハイテク産業の内製化を進める構えだ。約14億人の人口を擁する中国経済は十分に大きい。アフリカや東南アジア、東欧や中南米の一部でも中国が市場をほぼ押さえている。将来的には、情報通信の分野で中国製と米国製の技術標準が並び立ち、中国企業が国内と親中国圏のサプライチェーンから部品を調達できるようにならないとも限らない。もしも中国ブロックの方が価格・性能面で優れた製品を提供するような事態になれば、日本企業と日本の消費者は経済的敗者となり、我が国の安全保障も大打撃を受ける。このようなリスクと不透明さを甘受することは、私にはできない。

　中国企業はデータ経済分野で価格面のみならず性能面でも強い競争力を持っている。それを排除し、同盟国にも同調を強いると言うのであれば、米国政府は明確な説明責任を果たさなければならない。だが、米国の説明は曖昧模糊としており、不十分と言わざるを得ない。また、情報通信機器にセキュリティ・ホールなど安全保障上の問題が伴うのであれば、それは中国の製品のみに当てはまるものではない。ハイテク通信機器の技術標準やサイバー・セキュリティに関して統一的な世界基準を作り、その基準を満たす限りにおいてはいかなる国の製品やサービスでもその利用を妨げない仕組みをつくる方がフェアである。合意した基準が守られているかどうかを監視する国際的な制度を作ることも不可欠だ。このような枠組みができれば、サイバー・セキュリティに投じる十分な予算や技術を持たない途上国も安心してデジタル化の恩恵を受けることができるようになろう。

昨年9月8日、中国は「データ・セキュリティに関する世界戦略」を発表し、ハイテク経済における各国の共存共栄を訴えた。そこに示されていたのはあくまでも中国の考える抽象的な原則であり、そのまま国際的な規範とはならないだろう。しかし、王毅外相が「国際的なデータ・セキュリティ規則について、あらゆる関係当事者の参加に基づき合意すべき」と呼びかけたことは注目に値する。バイデン政権は民主主義国家間でのルール作りを先行させたい意向のようだ。しかし、日本政府は最先端技術に関する共通の規範や基準を作る作業に中国を初期段階から加えるよう、米国等に要求すべきである。そうなった場合でも、国際標準を作るための交渉は難航が予想される。情報通信分野で相応の技術力と生産力を持つ日韓欧などのミドル・パワーは一種の「連合」を組み、国際合意の達成に向けて米中双方の背中を押すべきだ。

・東アジアでミサイル軍縮を追求せよ

　1987年12月、米ソは射程500〜5,500kmの地上発射式ミサイルの保有を禁じる中距離核戦力全廃条約（INF 条約）を締結した。その後、東アジア・西太平洋地域では INF 条約に拘束されない中国が同種ミサイルの開発・配備を進め、今日では米国を圧倒することになった。この事態を受けて米国は2019年8月に同条約から離脱し、中国との間のミサイル・ギャップを埋めるべく、2020年代中葉頃から東アジア・西太平洋地域に地上発射式の中距離ミサイルを配備しようとしている。中国のみが圧倒的な数のミサイルで日本を含む近隣諸国を射程に収めている状況は決して正当化できない。だが、米国が東アジア・西太平洋へ中距離ミサイルを多数配備すれば、中国も米国と同等かそれ以上の数のミサイルを追加配備して対米優位を維持しようとするだろう。ロシアも米国のミサイル配備に対抗する構えを見せている。「安全保障のジレンマ」が玉突きのように作用する結果、独自の理由でミサイル開発を続ける北朝鮮はもちろん、日本や韓国も含めた東アジア全域でミサイル軍拡が進展するものと危惧される。

　第一次世界大戦を思い起こすまでもなく、通常兵器の分野では量の均衡が戦略的安定につながるとは限らない。むしろ、逆のケースも少なくない。今日の東アジア・西太平洋地域で少なくとも米国、中国、ロシアが INF 条約に類似したミサイル制限条約を締結することは、まさに急務である。しかし、米国が今日、1979年12月に NATO 理事会が下した「二重決定」

と同様の政策——当時、NATO は中距離ミサイルの欧州配備を決めるのと同時に中距離ミサイル廃棄の交渉を行うようソ連に提案した——を採用したとしても、アジア版 INF 条約が締結される可能性は、率直に言って極めて低い。現在の中国は冷戦末期の疲弊したソ連ではない。一方で、米ソ間には軍事面でパリティが成立していたのに対し、中国は少なくとも戦略核の分野で米国に圧倒されている。台湾をめぐる情勢が不透明さを増している中で、自らの持つ中距離ミサイルを（一方的に）削減することは中国共産党指導部にとって簡単に呑める話ではあるまい。

　ここで死活的に重要な鍵を握るのが日本の動きだ。米国は地上発射式中距離ミサイルを開発することはできても、中国の海軍力や内陸部のミサイル部隊に有効に対処しようと思えば、当該ミサイルを第一列島線上に配備する必要がある。米国はそこに領土を持たないため、同盟国・パートナー国の領土へミサイルを展開するしかない。だが、東アジアで中国との関係悪化を厭わずに米国のミサイルを受け入れる国はほとんどない。地理的に台湾に近接し、政府が同盟強化をマントラのように唱える日本に対する米国政府の期待は高まっている。とくに米軍基地の7割が集中している沖縄を中心とする南西諸島への配備が米国の最も期待するところである。在日米軍への非核弾頭ミサイルの配備は「岸＝ハーター交換公文」に基づく事前協議の対象ではない。対米従属に徹している現政権は沖縄県民の声を無視して普天間基地の辺野古移設を強行しているので、南西諸島へのミサイル配備をあっさり認めてしまうのではないかとの懸念を持つ。しかし、日本政府が米軍によるミサイル持ち込みに対して明確な形で反対の意思を表明し、米国に協議を申し入れれば、米国はそれを無視できない。そのためには沖縄がこれ以上沖縄に過重な負担を負わせるなと、米軍のミサイル配備に強く反対する姿勢を示すことが必要であることは言うまでもない。政治的には米軍のミサイル配備を拒否できるという前述の立場を利用して、日本はアジア版 INF 条約を締結するよう米中に迫るべきである。すなわち、日本政府は米中間で交渉が行われるべき一定の期間、在日米軍基地への地上発射式中距離ミサイルの配備に関して判断を保留するのだ。中国がいつまでも交渉に応じなければ、中国の目と鼻の先にミサイルが配備される可能性は高まることになる。

　日本が「交渉のきっかけを作るだけで、あとは米中に任せる」姿勢に終始したのでは、合意達成の目はまだ見えてこない。日本政府には、かつて

西ドイツのヘルムート・シュミット首相が行った「したたかな外交」を参考にしながら、米中やロシアに対して積極的な軍備管理外交を展開することが求められる。その際、韓国や ASEAN 諸国と連携できれば、米中に対するレバレッジは格段に大きくなる。そのためにも日本は、過去の侵略と植民地支配に対して謙虚に向き合う姿勢を持ち続けなければならない。また、東アジアでのミサイル軍拡はロシアの動向を通じて欧州方面にも悪影響を与える。欧州のミドル・パワーと日本が連携する意義も非常に大きい。

日中は尖閣周辺を相互立ち入り禁止区域とせよ

最後に、領土問題を管理するために日本政府と中国政府が新次元の協定を締結することを提案する。

尖閣諸島については、米国政府は近年、日本政府の要請に応じる形で日米安保条約第5条が尖閣諸島をカバーすることを繰り返し表明してきた。だがそれは、尖閣有事において米軍がいかなる場合でも自衛隊と共に中国軍と戦う、ことを意味していない。また、2014年4月にオバマ大統領が尖閣諸島は「日米安保条約の適用対象になる」と明言して以降も、中国海警局による尖閣諸島周辺への領海侵犯は減少する気配が見えない。偶発的な理由を含め、海上保安庁と海警が衝突する可能性は毎日、目の前にある。一方で、日本国内では、バイデン政権が中国との対決姿勢を鮮明化させるのに力を得て、尖閣諸島に建造物をつくるべきだという声が徐々に大きくなっている。仮に日本が尖閣で建造物をつくろうとすれば、中国が妨害しようとして日中の衝突を招く可能性が極めて高い。それがエスカレートすれば、日中戦争以外の何ものでもない。

尖閣有事を予防し、その結果として米中が軍事衝突する可能性をなくすためには、日本と中国の間で衝突の原因を除去するという根本的な解決が不可欠である。私はまず、尖閣諸島について日中間に領土問題が存在することを日本政府が公式に認め、日中双方が領土問題を棚上げしたうえで、両国が尖閣諸島周辺の領海及び接続水域に相互に入らないことを取り決めるべきだと考える。現在まで、日本政府は「尖閣諸島をめぐって解決しなければならない領有権の問題はそもそも存在しない」という立場を堅持している。しかし、そう思っているのは世界中で日本政府だけだ。また、実効支配していると言っても、日本政府は過去何年もの間、尖閣に上陸する

ことさえできない。領土問題の存在を認めても、日本が実質的に失うものは何もない。尖閣が係争区域であることを認めたうえで、日中は相互に係争区域への「不入」を取り決めるべきである。日本政府は現在、日本漁船の領海立ち入りを限定的に認めているが、これも例外なく不許可とする。一方、中国の海警は多くの場合、日本漁船の立ち入りを理由に尖閣周辺の海域へ入ってくる。日本側が入らなければ、中国側も入ってならないのは当然である。

　汎ヨーロッパ主義を提唱し、のちの欧州統合運動の先駆者となったリヒャルト・クーデンホフ＝カレルギー（1894〜1972年）は「すべての偉大な歴史的出来事は、ユートピアとして始まり、現実として終わった」と述べている。米中対立の激化は誰にも止められない巨大な潮流のように見える。しかし、誰かが諦めることなく理想を語り、行動を起こせば、歴史を動かすことは不可能ではない。

※　本稿は『The Washington Quarterly, Summer 2021』に掲載された「US-China Rivalry and Japan's Strategic Role」(Yukio Hatoyama, "US-China Rivalry and Japan's Strategic Role"？2021 The Elliott School of International Affairs, *The Washington Quarterly* 44-2 pp. 7-19)をベースにして書き下ろしたものである。

台湾有事と日本
戦争シナリオから見えてくるもの

東アジア共同体研究所上級研究員　須川　清司

　今年1月20日にジョー・バイデンが米国大統領に就任し、8か月近くが経過した。だが、ドナルド・トランプの下で顕在化した米中対立の構図は基本的には何も変わらずに続いている。トランプは「アメリカ・ファースト」を掲げていたため、実際には情報通信分野におけるファーウェイ排除等で同調を求められたりしたものの、日本は米中の間でバランスをとることにも配慮していた。ところが、「同盟国と肩を組む」と強調するバイデン政権の登場に伴って、日本国内では「日本も米国側につくべく、旗幟を鮮明にすべきだ」という声が急速に高まっている。米中対立の焦点の一つである台湾を巡っても、「日本は台湾防衛に明確にコミットすべきだ」という勇ましい意見をやたら耳にするようになった。しかし、強気に響く日本側の議論の根底にあるのは「ボヤボヤしていたらバイデン政権に見限られてしまう」という焦りでしかない。今こそ、「どうすれば日本の国益に資するか？」という基本的な物差しを持って冷静に議論することが必要だ。

　本稿では、台湾有事が起きた場合の戦争シナリオを検討する。この作業が「米中対立の狭間にあって日本はいかに生きるべきか？」について考えるための一助となることを期待したい。

相次ぐ「台湾防衛」発言

　まず、バイデン政権が発足してから日米政府間の共同文書や日本の閣僚等が台湾問題について触れた発言を以下に概観する＊1。

　2021年3月16日、日米安全保障協議委員会（2＋2）は共同文書を発出し、「閣僚は、台湾海峡の平和と安定の重要性を強調した」と述べた。この字句の意味を文字通りに読めば、誰にも文句のつけられない内容である。しかし、日米両国が中国と国交を正常化させて以来、同盟関係にある日米の共同文書で「台湾」に触れることはタブーだった。敢えてそれを書き込ん

だこと自体が中国に対する強いメッセージであったことは言うまでもない。

3月27日、安倍晋三前総理大臣は講演で「(対中国政策を巡って)インド太平洋地域がフロントラインになってきたとの認識と覚悟を持ち、外交・安全保障政策に取り組む必要がある」と述べたうえで、「日米安全保障条約が本当に重要になってきた」と意味深に語った。

4月16日、菅義偉総理が訪米して日米首脳会談を行った。会談後に発表された日米首脳共同声明は「日米両国は、台湾海峡の平和と安定の重要性を強調するとともに、両岸問題の平和的解決を促す」と言及した。

6月24日、中山泰秀防衛副大臣が米シンクタンクの主催した講演で「我々は民主主義国家としての台湾を守る必要がある」と述べた。日本政府の一員が台湾を「国家」と認め、しかも台湾防衛の意志を明言したと言ってよい*2。

7月5日、麻生太郎副総理(財務大臣)は東京都内で講演し、「(台湾に関連して)大きな問題が起き、日本にとって『次は』となれば、存立危機事態に関係してくると言ってもおかしくない。日米で一緒に台湾の防衛をやらないといけない」と述べた*3。

7月13日、2021年版の防衛白書が閣議決定され、「台湾をめぐる情勢の安定は、わが国の安全保障にとってはもとより、国際社会の安定にとっても重要であり、わが国としても一層緊張感を持って注視していく必要がある」という今までにない記述が盛り込まれた。

8月13日、日本のメディアは「菅首相は、米中対立で台湾有事が発生した場合、中国や台湾に近い沖縄を『守らなければならない』との考えを示した」と一斉に報じた。元ネタは菅が受けたニューズウィーク誌のインタビューだった。「台湾をめぐり米中が対立した場合、沖縄の潜在的な脆弱性をどう考えるか?」と問われ、菅は「沖縄の人々は日本国民であり、従って沖縄を防衛するのは当然のことだ。沖縄には多くの米軍基地がある。日米同盟に基づいて、沖縄が確実に守られる。これは日本政府の非常に重要な目標だ」と答えたのである*4。最初の一文は当たり前のことである。しかし、その後の部分は、〈米軍基地の存在ゆえに沖縄は台湾有事の際に攻撃される可能性が高い〉という認識を示したのか、〈米軍基地によって沖縄が守られていることを私は理解しています〉と米国にアピールしたかったのか、はっきりしない。

8月27日、自民党の佐藤正久外交部会長と大塚拓国防部会長は台湾の与

党である民進党の立法委員とオンラインで「安全保障対話」を初めて行い、日台間の防衛協力も話題になった模様である*5。

　このように、菅内閣では政府文書や閣僚等の自主的発言を通じて、ジワジワと台湾寄りの姿勢が対外的に発信されてきた。近年、米国政府が台湾を巡って従来よりも対中牽制色を格段に強めてきたのに歩調を合わせた——より正確には「米国政府の威を借りて反中感情を吐露した」——動きと捉えてよかろう。

　その一方で、日本政府は公式には台湾問題に関する従来の立場を維持している。それは1972年の日中共同声明のライン、すなわち、「日本国政府は、中華人民共和国政府が中国の唯一の合法政府であることを承認する」「中華人民共和国政府は、台湾が中華人民共和国の領土の不可分の一部であることを重ねて表明する。日本国政府は、この中華人民共和国政府の立場を十分理解し、尊重し、ポツダム宣言第八項に基づく立場を堅持する」というものである。勇ましい掛け声とは裏腹に、日本政府の中には「中国と決定的に対立することはできない」という現実的判断もあるに違いない*6。

　「一つの中国」という大原則を建前上は維持しながら、じわりじわりとそれを空洞化させて台湾よりの姿勢を見せつつある——。これが現在の日米の対中外交スタンスである。そして、台湾への肩入れ姿勢は軍事面にも及び始めている。

台湾有事のシナリオ分析

　今年の4月4日、菅はテレビのインタビューで台湾有事が集団的自衛権行使を可能にする『存立危機事態』に該当する可能性について問われ、「仮定のことに私の立場で今答えることは控えたい」と答えた*7。しかし、報道によれば、その後行われた日米首脳会談を受けて台湾有事における日米間の連携を擦り合わせることとなり、その前提として日本政府は「台湾有事が発生した際の自衛隊活動に関わる法運用の本格的検討に入った」模様である*8。本稿では、台湾有事が日本にどのような影響を及ぼすかを予め考えることを目的として、台湾有事で日本が現行法及び自衛隊の能力面からどのような対応をとることが可能なのかについて、政府とは別に「頭の体操」をしておきたい。

・議論の大前提

　議論の大前提として二点断っておくことがある。第一は、筆者自身は台湾有事が近い将来に起きる可能性は非常に低いと考えていることである。その理由については紙幅の都合で本稿では立ち入らない。しかし、安全保障や危機管理に「絶対」はないため、台湾有事を想定した議論が不要ということにはならない。第二は、中台間で有事が起きたとしても米国が軍事介入しなければ日本が単独で軍事介入する可能性はない、ということである。その場合、日本は警戒態勢を強める程度で終わるだろう。日本の政治家や官僚で勇ましい発言をしている人たちは例外なく米国頼みであり、日本が前面に出て台湾の民主主義を守ろうなどとは考えていない。

・武力行使の引き金＝台湾独立

　2021年7月1日に行われた中国共産党創立100周年記念式典で習近平国家主席（党総書記）は「祖国統一が党の歴史的任務である」と述べた。しかし、その期限が明示的に示されたことはこれまでない。一方で、台湾の人々の間では自らのことを「中国人」ではなく、「台湾人」と見る意識が高まっている。近年の香港情勢はそうした意識の変化を不可逆的なものにした。平和的統一シナリオが実現するとは考えにくい。

　では、中国（大陸）側から武力統一の挙に出るかと言うと、それもあまり現実味がない。そもそも、台湾を一方的に破壊したうえで統一を果たしても中国の人々が共産党指導部を称えるとは思えない。何よりも、中国が一方的に武力侵攻するケースでは米国の軍事介入を招く可能性が高まる。最近は「米軍の行った War Game で中国側が勝った」というニュースが拡散しているようだが、それは実戦における中国の勝利を保証するものではないし、中国側の被害が軽微という意味でもない。米国と戦って勝てなければ、中国共産党指導部の威信には大きな傷がつく。このようなリスクを自ら冒して戦争シナリオを断行するほど、習近平たちは愚かではない。

　それよりも戦争の危機が大きいのは、台湾側が将来、独立を宣言するか、中国側から見て台湾独立と同一視されるような行動をとった場合である。台湾独立を黙認すれば、中国共産党指導部による統治の正当性は土台から揺らぐ。中国としては、米軍と軍事衝突することを含め、いかなるコストを払ってでも台湾独立は阻止しなければならない。つまり、台湾が独立の動きを見せれば、中国側には武力行使以外の選択肢がないということなの

である。

・台湾「封鎖」と米中の軍事動向

　中国が台湾独立を阻止するために武力を行使する方法は一つではない。本稿では、ブルッキングス研究所のマイク・オハンロンが最もありそうな武力行使の形態だと主張する「封鎖（blockade）」シナリオが実行されたと仮定し、台湾有事が日本の安全保障にどのような影響が出るか、考察していきたい。オハンロンの分析を参考にしながら台湾封鎖シナリオの検討を試みれば、以下のようになる*9。

〔中国による「封鎖」措置〕

　台湾が独立への動きを強めたことに対し、中国は台湾に対する封鎖を断行する。具体的には、中国は軍艦船──最も脅威となるのは潜水艦である──を展開し、台湾の港湾を塞ぐ形で機雷を敷設する。その過程で海と空で台湾軍との衝突は当然起こり得るが、中国軍が圧倒的に優勢であろう。なお、中国軍は緒戦段階から台湾の軍司令系統や警戒監視情報拠点に対してサイバー攻撃やミサイル攻撃を行う可能性もある。中国側が勝利を最優先すれば、台湾の軍事拠点を精密誘導ミサイルで叩くことも選択肢となろう。台湾も大陸に届くミサイルを保有しているため、まったく反撃できないわけではない。しかし、数と射程距離で中国側が圧倒的に勝っている。

〔米軍の対抗措置〕

　中国側の封鎖措置に対し、米国は西太平洋地域に兵力を終結し、台湾の東側から封鎖を突破するための海上レーンの設置を試みる。その場合、台湾周辺の制空権を確保することが極めて重要となる。そのためには、嘉手納はもちろん、距離はあるが三沢を含む在日米空軍基地からの出撃が不可欠である。さらに、米側は艦船（潜水艦を含む）と航空機によって船団を護衛し、中国軍の潜水艦と対決することになる。ここに至るまでの段階で、米中双方は相手の軍事衛星に対する攻撃や海底ケーブル等への破壊活動を行う可能性が高い。

〔エスカレーション〕

　台湾が独立を断念する等の政治的妥協が行われないまま、米中の軍に被害が生じれば、米中間の戦闘はエスカレーションに向かう可能性が高い。軍事的合理性に立てば、中国軍は戦端が開かれるのとほぼ同時に嘉手納飛行場をはじめとする在日米軍基地や弾薬庫等をミサイル攻撃するのが当然

である。ただし、米中双方がエスカレーションは望んでいないため、当初は探り合いのような状態が続くことも考えられる。いずれにしても、中国側が苦戦に陥れば、在日米軍基地への攻撃は当然に覚悟しておかなければならない。逆に、米軍の苦境が続けば、中国本土のミサイル基地をミサイルで叩くこともオプションとなりえる。

本稿では米中の戦争の帰結を検討することを目的としていないのでここまでとする。しかし、米中が戦う場合は、どちらかまたは双方が敗北または劣勢を受け入れるまで、エスカレーションは終わらない。オハンロンはエスカレーションが嵩じた場合には、中国側が上空で核爆発を起こす電磁パルス攻撃や米本土及び日本の電力網等を狙ったサイバー攻撃を仕掛けることも排除されないと述べている。

・日本の対応〜法的側面

では、台湾有事において日本の対応はどうなる可能性が高いのだろうか？　前節で見た麻生発言やマスコミの質問などを見ていると、台湾方面で中国と米台が戦っている一方で日本は攻撃されていない状況を「武力攻撃事態等及び存立危機事態における我が国の平和と独立並びに国及び国民の安全の確保に関する法律（以下、事態対処法）」に基づいて「我が国と密接な関係にある他国（＝米国）に対する武力攻撃が発生し（＝台湾有事）、これにより我が国の存立が脅かされ、国民の生命、自由及び幸福追求の権利が根底から覆される明白な危険がある」とみなし、「存立危機事態」（集団的自衛権の行使）を認定するシナリオを想定しているように見える*10。しかし、台湾を巡って米中が戦う場合には、①台湾と日本との地理的近接性、②在日米軍基地の存在、③中国軍が持つ中距離ミサイル兵力、という3条件が合わさった状況となるため、「存立危機事態」と「武力攻撃事態」（個別的自衛権の行使）を区分する理由はあまりない。

〔重要影響事態〕

日本が攻撃されていない状況で米軍に対する自衛隊や地方自治体等による対米後方支援を可能にするための法律に「重要影響事態安全確保法」がある。それに基づいて「重要影響事態」を認定すれば、「非戦闘地域」で米軍に後方支援を行うことが可能となる。「重要影響事態」の前身である「周辺事態」を規定した法律（周辺事態安全確保法）が成立したのは1999年だった。当時想定されていたのは朝鮮半島有事である。周辺事態安全確保

法は「米軍が圧倒的な戦力差を持って北朝鮮軍と朝鮮半島で戦い、制海権も制空権も完全に確保している」ことを前提に出来上がっていた。だが、台湾有事では米軍が制海権・制空権を確保できる可能性は必ずしも高くない。しかも、米軍や米軍に後方支援しようとする自衛隊は何処にいても中国の精密誘導ミサイルに狙われうる。台湾有事で重要影響事態が意味を持つとすれば、台湾を巡って米中が戦う前段階か、台湾有事の初期に日本国内で米軍支援を行う場合等に限られよう。

〔存立危機事態＝武力攻撃事態〕

　米軍と中国軍が戦闘に入った後、すなわち戦闘地域においても自衛隊が米軍（及び台湾軍）に後方支援等を行おうと思えば、法律上は武力攻撃事態または存立危機事態を認定するしかない。台湾有事においては、米中が一触即発の事態になれば米国は日本政府に対して事態対処法に基づいて武力攻撃事態か存立危機事態（またはその両方）を認定するよう迫ってくる可能性が高い。何ともおかしな話ではあるが、日本の安全保障状況を見て日本政府自身が法律の適用を決めると言うよりも、米軍のリクエストに応えるために日本政府は法律の適用に四苦八苦するというのが日米安保体制の現実なのである。

　米国とすれば、中国が封鎖作戦を開始する段階から「米軍の柔軟な運用＝在日米軍基地からの自由な出撃」を確保しておきたいはずだ。台湾有事が差し迫ってくれば、比較的早い段階から日本に在日米軍基地の使用許可を求めてくるだろう*11。日本がこれに応じれば、在日米軍基地は中国軍の標的となり、いつミサイル等で攻撃されても不思議ではなくなる。言うまでもなく、在日米軍基地に対する攻撃は日本の領土に対する攻撃であり、法律上は「武力攻撃事態」となり得る。この場合、在日米軍基地等に対する武力攻撃がまだ発生していなくても、通信傍受や衛星情報など——その多くは米軍からもたらされるであろう——によって中国軍による攻撃が切迫していると認められれば、武力攻撃事態を認定することも不可能ではない*12。筆者は、米軍に在日米軍基地からの直接戦闘行動を認めた時点かそれに近いタイミングで存立危機事態と武力攻撃事態を同時認定することになる可能性が高いと考えている*13。

・自衛隊の活動内容と日本の被害予測

　次に、台湾有事で自衛隊はどう動くのか？　中国軍が敢えて在日米軍基

地や日本の領土を攻撃しなければ、時の日本政府は自衛隊を前線に出して
中国軍と直接戦わせることを嫌がり、米軍への補給活動（兵站）や監視警
戒活動等を中心にしたいと言うかもしれない。しかし、日本の領土が攻撃
されれば、日本政府（及び日本の世論）は自衛隊が前線で中国軍と戦うべ
きだと考えるであろう*14。

　これに対して米側は、より広範な貢献を日本に求めてくる可能性が高い。
例えば、運用可能な戦闘機の数で劣る米軍としては、航空自衛隊が制空活
動に携わることを望むだろう。海上自衛隊に対しては、米艦護衛はもとよ
り、「潜水艦狩り」や機雷掃海といったニーズもある。筆者が聞いたとこ
ろでは、米国のあるシンクタンクで War　Game を行ったところ、戦局が
米軍に不利になった際に米国は（陸上及び海上）自衛隊が中距離ミサイル
で中国艦船を攻撃するよう要請したとのことであった。

　台湾有事に日本が参戦すれば、中国軍の攻撃によって民間人に被害が生
じることも当然想定しておかなければならない。嘉手納や普天間をはじめ
とした在日米軍基地や自衛隊基地が攻撃されれば、周囲に被害で出てもお
かしくはない*15。海兵隊や陸自のミサイル部隊が展開する地域では、島
ごと中国軍のミサイル攻撃を受けることも覚悟しておく必要がある。また、
台湾有事では沖縄を含む南西諸島が最前線になるが、それは被害が沖縄県
に限定されることを意味しない。米軍も自衛隊も沖縄の基地だけでは十分
に戦えず、本州の基地も使うことになると考えられるためだ。特に、戦況
が中国側に不利に推移すれば、絶望に駆られた中国軍が日本側の動揺を狙
って日本全土の標的にミサイル攻撃を仕掛ける可能性もないとは言えない。

　また、既に述べたとおり、オハンロンはその著書の中で、中国側が追い
込まれた時に電磁パルス攻撃や米本土及び日本の電力網等を狙ったサイバ
ー攻撃を仕掛ける可能性に懸念を示した。さらに、オハンロンは米中が
「核の交換」に及ぶという最悪のシナリオが起きる可能性もゼロではない
と述べ、台湾有事が核保有国同士の戦争であることの重みを訴えている。

　最後に、「台湾封鎖の形で台湾有事が起きれば、米中のいずれが勝者と
なるのか？」についても簡単に触れておこう。2019年段階でオハンロンは、
確実な見通しは持てないとしながらも、米軍がやや有利と見ていた。しか
し、最近では違う見方も増えてきた。例えば、豪グリフィス大学で講師を
務めたサイモン・リーチは、中国側が中距離精密誘導ミサイルによって在

沖米軍基地を破壊する結果、戦場に近い中国軍の方が米軍よりも多く出撃できるうえ、航空機や船舶・ドローンの数も中国側が優位に立つため、封鎖シナリオでも米側に勝ち目はない、という見解を表明している＊16。

おわりに～日本は曖昧戦略を進化させよ

　軍人はＷar　Ｇame から、実戦において自軍の勝利に必要な教訓を得ようとする。だが、本稿の台湾封鎖シナリオの検討を通じて我々が得るべきは、「台湾有事で日本の選択はいかにあるべきか？」を考えるための材料であろう。米中対立の長期化が誰の目にも明らかになった今日、我が国では「日本は台湾有事で米側につくことを明確にすべきだ」「中立はあり得ない」というわかりやすい意見が幅を利かせ始めている＊17。しかし、「台湾有事で米側につくことを明確化すれば、日本の将来に与えるメリット・デメリットはどうなるのか？」を碌に検討もせずに好戦論に飛びつくのは愚の骨頂である。

　本稿のシナリオ検討の結果、台湾有事が起きれば、誰が勝者となるかにかかわらず、日米中台のすべてが甚大な人的・物的・財政的被害を受ける可能性が非常に高いことがはっきりした。筆者の考えでは、「台湾の独立を支援するために少なからぬ自衛隊員や一般国民の命を差し出し、多額の税金を溝に捨てるという選択」は到底、正当化できない。だからと言って、「平和的に話せば中国はわかってくれる」と中国に対してノー・ガードで臨んだり、「米軍との協働は一切やめるべきだ」と反米論を振りかざしたりしてみたところで、日本の平和と安全が確保されるとはまったく思えない。

　日本の国益を考慮した時、我々がなすべきは「米中台に緊張緩和と信頼醸成を働きかける」ことでなければならない。その際、経済規模が世界全体の5％台にまで落ちた日本が米中台に対する影響力を極大化したければ、日本自身が曖昧戦略をとって台湾有事における変数となることが肝要である。

　アフガニスタンからの米軍撤退の顛末は、バイデン政権が世界を引っ張るのに十分な政治手腕を有していないことを明らかにした。日本が米国の駒となり、米国に手綱を任せても日本と東アジア地域の平和は実現しない。

註
＊1　菅義偉総理は2021年9月3日に退陣を表明した。本稿における日本の政治家の

肩書はすべて同日時点のものである。

＊2 ロイター、2021年6月29日 「台湾防衛に向け「目を覚ますべき」、中ロけん制＝中山防衛副大臣」

（https://jp.reuters.com/article/japan-usa-taiwan-idJPKCN2E42J2）

＊3 朝日新聞デジタル、2021年7月5日 「台湾情勢で麻生氏『次はとなれば存立危機事態に関係も』」

（https://www.asahi.com/articles/ASP7574X3P75UTFK016.html）

＊4 ニューズウィーク日本版 2021年8月14日 【独占インタビュー】菅首相「五輪で若者や子供に夢を与える機会を提供したかった」

（https://www.newsweekjapan.jp/stories/world/2021/08/post-96904.php）

＊5 ロイター 2021年8月27日 「日本と台湾、与党間で初の安保対話 防衛協力の可能性も議論」

（https://jp.reuters.com/article/taiwan-japan-idJPKBN2FS0GT）

＊6 米国では昨年あたりから「一つの中国」を巡る戦略的曖昧性を見直すべきか否かについて議論が行われているが、今のところ戦略的明確性への転換には踏み込めないでいる。日本外交の対米後追い体質を考えると、日本が米国よりも先に方針転換することはあり得ない。

＊7 時事ドットコムニュース 2021年4月4日 「菅首相、台湾問題は日米で連携 有事『存立危機』明言せず」

（https://www.jiji.com/jc/article?k=2021040400169&g=pol）

なお、日本の場合は憲法9条の制約があるため、集団的自衛権として行使可能な武力の範囲は他国よりも制限されている。

＊8 共同通信 2021年4月24日 「台湾海峡有事の法運用を本格検討」

（https://nordot.app/758622769145233408?c=39546741839462401）

＊9 Michael O'Hanlon, "*The Senkaku Paradox: Risking Great Power War Over Small Stakes*," pp.42-47. Brookings Institution Press, 2019.

＊10 「我が国と密接な関係にある他国」に台湾が該当するか否かは定かでない。日本政府は台湾を国家と認めていないが、筆者は「国に準じる組織」として法文上読み込む可能性もあると考えている。

＊11 岸・ハーター交換公文（1960年）によれば、日本国内（在日米軍基地）から米軍が直接作戦行動を行う場合は日米両国政府で協議することになっている。この件を巡っては密約の存在を指摘して有名無実化しているという指摘もあるが、今日の時代状況を考えると米国政府は日本政府の了承をはっきりした形で得るべきだと考える可能性が高い。

＊12 正確を期して説明すると、「事態対処法」には、「武力攻撃事態には至っていないが、事態が緊迫し、武力攻撃が予測されるに至った事態」として「武力攻

撃予測事態」という規定がある。実際には「武力攻撃予測事態」を経て「武力攻撃事態」が認定される可能性もあるが、武力攻撃予測事態では自衛隊による武力行使は認められないこともあり、本稿では議論の単純化のためにこれを捨象した。

＊13　先に岸・ハーター交換公文では「日本国内（在日米軍基地）から米軍が直接作戦行動を行う場合は日米両国政府で協議することになっている」と述べたが、この規定は安保条約の5条事態においては適用されない。つまり、台湾有事が武力攻撃事態と認定された後であれば、少なくとも条約上、米国は在日米軍基地を日本政府の許可なしに自由に使えるものと考えられる。

＊14　日本が米台側に立って戦うことを決めれば、自衛隊の指揮命令系統に対して中国軍がサイバー攻撃を仕掛けたり、日本の情報衛星等を破壊してきたりする可能性が高い。この分野で自衛隊は脆弱性が高いものと懸念される。

＊15　この記述は中国軍が民間人を標的にすることは避けると想定したものである。実際にどうなるかはその時になってみないとわからない。

＊16　Simon Leitch, "The Coming Blockade of Taiwan by China?" April 26, 2021, The National Interest
（https://nationalinterest.org/blog/buzz/coming-blockade-taiwan-china-183715）

＊17　例えば秋田浩之「日本、板挟みではない　米中両にらみは危険な幻想」　日本経済新聞　2021年4月26日
（https://www.nikkei.com/article/DGXZQOCD208140Q1A420C2000000/）

❖ 復帰49年　基地なき沖縄の展望

自衛隊の南西諸島シフトとともに米軍も列島線へのミサイル網配備を計画する中、４月の日米首脳会談で「台湾有事」対処の方向性が示され、沖縄、本土を巻き込む戦争の危機が高まっている。沖縄は「台湾有事に日米が関与すれば中国軍の最初の標的になる」と軍事専門家は指摘している。沖縄は「ミサイル戦争の危機」にどう抗い、来年の「本土復帰50年」の節目に向けどのような県づくりを目指すか。「基地なき沖縄の展望」をメインテーマに５月から８月に連続開催した特別鼎談①〜④の議論を紹介する。

偽りの本土復帰、SACO合意
基地なき沖縄の展望

2021年5月16日

ジャーナリスト・東アジア共同体研究所理事 **高野　孟**

沖縄平和運動センター議長 **山城博治**

沖縄国際大学教授 **前泊博盛**

　高野孟　鼎談のテーマ「基地なき沖縄の展望」のキーパーソン2人に参加いただいた。沖縄は復帰から49年、来年は復帰50年を迎える。来年は県知事選挙があり玉城デニー知事が再選を果たせるか。年明けの名護市長選に始まり、石垣、沖縄、那覇市長選と重要な選挙の年だ。本土復帰を振り返り、新たな50年をどう迎えるかが問われている。「基地なき沖縄」を目指した本土復帰が、現実は米軍基地の強化とともに自衛隊の南西シフトが進んでいる。米国が中国脅威論をあおり、4月の日米首脳会談は「台湾有事」に踏み込んだ。これをどう考えるか。山城さんは49年前の本土復帰をどう迎えましたか。

山城博治　私は二十歳で東京にいたが、復帰の日だけはと沖縄に帰った。72年5月15日、雨の降りしきる与儀公園でくるぶしまでぬかるみに浸かり、集会に参加した。

　高野　それから基地のない沖縄のために捧げたような人生ですね。前泊さんは。

　前泊博盛　小学6年でした。ドルから代わった円を初めて手にし、カラフルで「子供銀行のお金か」と感じた。シャープペンを買いに行き、1ドルだったのが「500円」と言われ、ドルに対する信頼感と円に対する不信感を子供心に抱いた。ニクソンショック、オイルショック、ドル固定相場から変動相場制への大きな変動期だったんですね。

　高野　私は49年前は27歳。前年にジャーナリストとして最初の本、『君の沖縄』を合作で出した。沖縄の本土復帰への問題意識から、本土の若い人たちに「君のなかの沖縄って何だ」と問いかけた。若輩ながら第一章「沖縄を忘れていないか」を書き、掲載した防衛白書の地図で明らかなように、「米軍基地はほとんど残るのと同時に自衛隊が南進する」という問題を提起した。米軍は残る、自衛隊は基地の番人のように沖縄に来る。それが復帰の現実だと。いま、自衛隊の南西シフト、米軍の辺野古新基地に自衛隊の水陸機動団の常駐も報道され、「米軍プラス自衛隊」の沖縄の現実が進んでいる。山城さんはこの50年をどう振り返るか。

　＊ **B52爆発炎上**

　山城　高校入学の1968年にB52米軍爆撃機が嘉手納基地で爆発炎上した。米軍支配の最終局面の動乱の時代だった。中学時代はベトナム戦争真っ盛りでB52が爆撃に行く。学校の先生と黄色いリボンを着けてB52撤去のデモに参加し、機動隊に追われた。高校に入りB52が爆発炎上、翌年に佐藤訪米で「両3年以内に沖縄返還合意」。いよいよ沖縄返還というが、「核抜き本土並み」は幻想、「核付き」で「本土並み」は真っ赤な嘘、基地は現状のまま残る。高校生ながら佐藤訪米に反対し学内で集会、ストライキをした。70年安保反対、沖縄返還反対と運動を続け放校処分になり東京に出たが、本土復帰の日はこの目で見ようと沖縄に帰った、という経緯だ。沖縄は日米両政府の都合のいいように切ったり（施政権分離）、くっつけたり（施政権返還）、沖縄戦の時もそうだったし、戦後もそう。日米政府にとっ

山城博治

て軍事基地として使い勝手のいい地域でしかない。沖縄に住む100万の民にとっては、たまらない、どうしようもない、と感じる。

　先日の新聞に1971年の国頭村安波住民の米軍演習阻止の記事が載った。なぜかは記憶にないが、私はそこに居た。米軍が演習のため木を伐採した場所で膝まで泥に浸かり米軍と押し合い、警察が来て大混乱になりながら演習を止めた。高校時代はそんな状態。中学の頃から嘉手納のデモに参加し、60年代後半から72年復帰まですごい時代だった。高校も追放され年中、全軍労のデモやらに参加した。コザ暴動（71年12月20日）の頃はコザ（現在の沖縄市）に住んでいたが、その日に限って実家（うるま市）に戻り、参加できなかったのが残念だ。

　60年代後半、ベトナム戦が終盤に差し掛かり、コザの街は胡屋十字路周辺は白人街、コザ十字路は黒人街で、境界で出会った白人、黒人が乱闘になる。差別、抑圧された黒人、戦場で死んでいく米兵たち。そんなせつなさ、殺気が街に漂っていた。72年返還に向かう騒然とした時代、どうしようもない世界をどうにか落ち着かせなければならなかった。それを施政権返還という生活レベルで落ち着かせようというのが72年返還だった。世相は落ち着いたが基地問題はあの頃よりもっと悪くなった。そういうことだ。

　高野　前泊さんは復帰後の49年をどう振り返るか。

　前泊　復帰時の琉球政府の屋良朝苗主席は「基地のない平和な沖縄」を目指す復帰、あまりに多い米兵犯罪について「日本国憲法の庇護の下への復帰」を語られたが、残念ながら帰ってきた日本の「憲法」は風前の灯。「基地のない平和な沖縄」の目標も、基地の比率はそう変わらず、むしろ基地負担は増した。在日米軍基地、主要施設の70％が沖縄にある。沖縄返還後に本土の米軍基地は減ったのに、なぜ沖縄だけ基地負担が増えたのかが問われ続けている。

　基地被害についても、米軍犯罪は復帰前に比べると減ったけれども、49年間で6,000件を超し、うち580件、1割くらいが殺人、強盗、レイプ、放火の凶悪事件だ。ウチナーンチュはそれほど打たれ強いのか、よく辛抱を続けた49年間だったと感じる。

　高野　米軍が朝鮮戦争に出て行き空き家になった米軍基地を警備することを最初の任務として発足したのが自衛隊で、その本質が沖縄にも持ち込

まれた。復帰後に自衛隊が沖縄に配備されたのは住民の暴動から米軍基地を守るためだったということも復帰の一面だと思う。日本国憲法の下へ帰る、だから基地のない島を目指すというのが沖縄の希望だった側面と、現実は過酷でしかなく米軍基地を守るための復帰であったという面もあったということですね。

✴ 牛（施政権）を返しミルク（基地）を残す

　前泊　復帰20周年のときに東京報道部の国会詰めの記者をしていて、復帰当時、駐日米大使館沖縄担当公使のリチャード・L・スナイダー氏と駐日大使だったU・アレクシス・ジョンソン氏に話を聞いた。スナイダー氏が話したのは、「沖縄の基地反対運動は非常に激しく10万、20万の民衆が基地を取り囲むことになる。5メートル、10メートル間隔で銃剣の米兵

前泊博盛

が守っても、人々が襲ってきたら俺たちはもう終わりだ」と。それでワシントンに打電し、「早く沖縄を日本に返せ」と訴えた。沖縄の基地を維持するにはベトナムに送り込んだ兵士を全員呼び戻さねばならない。そうすると「基地を維持するためだけの基地」になる。「琉球警察は千数百人しかいない。沖縄を日本に返して日本の警察力で米軍基地を守らせろ」とジョンソン大使にも、ワシントンにも訴えたとスナイダー氏は振り返った。軍部は「血を流して取った沖縄を返せとはどういうことだ」と抵抗したが、スナイダー氏は「ミルクが欲しいからといって牛を飼う馬鹿はいない。牛の餌代だけでも大変だ。お前たちが欲しいミルク（基地）は取ってやるから、牛は持ち主に返してやれ。そうしたら餌代は日本政府が払う」と軍部を説得した。「牛を返しミルク（基地）を残した」というスナイダー氏の話に衝撃を受けた。

　高野　そうした流れの中で中間点の25年前に日米の SACO 合意がなされ、結局のところ米軍基地返還は進まない。何が何でも辺野古新基地は造る考えが権力（日米）の側にあり、抵抗する沖縄とのせめぎ合いが今日の状況ということだろうか。

　山城　基地問題に対し県民は無力か考え続けながら、辺野古などの現場にいる。72年の施政権返還は前泊さんが言うように、このままでは米軍基

地を維持できない。だから施政権は日本に帰してアメリカはミルク（基地）を飲んだ方がいい、まさにそういうことだったろう。SACO合意も95年の少女暴行事件を受けて沸騰する県民の反基地感情のエネルギーを分散させる日米の思惑だろう。72年返還もそうだった。本土復帰、SACO合意のまやかしの負担軽減で県民をガス抜きしながら、日米はしっかりと沖縄統治を続けている。我々がこの沖縄から逃げられないなら、時代を達観し、地域の情勢を透徹して見据えながら、沖縄はどこへ流れどこへ向かうか、私たちはどうすべきかを考えねばならない。

　復帰もSACO合意もまやかしで、一貫して日米政府は沖縄を軍事支配し利用してきた。そして今、日米が一番の脅威とする中国問題が我々に押し付けられ、基地の強化がどんどん進んでいる。米ソ対立の冷戦下に米軍は沖縄に大量の核ミサイルを持ち込んだ。報道では1,300発の核弾頭がメースBを中心に持ち込まれた。在沖米軍は朝鮮戦争、台湾海峡危機に出動し、ベトナムにも出撃した。アメリカという国は、やるんだな、と思う。今、中国包囲、中国敵視論が盛んに言われ、防衛ラインが沖縄に敷かれている。こけおどしでなく、もしかしたら一触即発で有事が勃発するかもしれない。朝鮮、ベトナム、イラク、アフガン戦争とすべて沖縄から米軍が出て行った。台湾有事があれば沖縄で似たような状況（戦争）が起こりえる。ただ事ではない、と私は考えている。

　そして自衛隊の在り方をどう認識し対応すべきか。県民、県政、県議会、国会議員はどう向き合うべきか、しっかり議論すべきだ。

　❋ 自衛隊の失業対策

　高野　自衛隊の南西シフトは滑稽な部分があると私は思っている。民主党時代の森本防衛大臣、いまは拓大の総長で、朝まで生テレビなどで長年のけんか相手であり、仲がいい間柄だが、ある時、「北朝鮮が国家崩壊すると一部の武装難民が日本の離島に押し寄せる」と喧伝され、内閣官房にも対策室ができた。私と森本さんが対談する企画があり、「北朝鮮の難民の話はどうなんだ」と問いかけた。北朝鮮の国家崩壊が起きても難民は鴨緑江を歩いて渡り中国側に逃げるだろう、何も鬼畜の資本主義と恐れる日本に逃げることはないだろう。何しろ船もないんだから、と。そしたら森本さん、頭をかきながら「あれは北海道にソ連軍が上陸することはなくな

ったから、陸上自衛隊がやることがなくなっちゃっ
たんだよ」とぺらぺら喋った。「それじゃ陸上自衛
隊の失業対策ですか」と問うと、「私の口からは言
えないが、やることがなくなった」。そのために北
朝鮮の武装難民の離島占拠という物語が作られたと
いうことだ。北朝鮮武装難民の話はやがて消えて、
野田政権の尖閣国有化以降は、中国が島伝いに攻め

高野 孟

てくる話に変わった。北海道でソ連軍を迎え撃つはずだった自衛隊の1,000
台の戦車の持って行き場、併せてミサイル部隊も近代化させるというのが
自衛隊南西シフトに至る経緯だ。中国脅威論が続かねば意味がなくなる逆
さまの論理で、産経、読売、日経が中国脅威論を言い立てている。

　中国脅威論は異なる要因、解決策の問題を一緒くたにしている。新疆ウ
イグルの問題は人権抑圧の問題ではあるが国内のテロ問題であり、香港は
一国二制度の問題。尖閣の問題も中国公船の動きが激しくなりつつはある
が、基本的に日本側に通告がなされて管理されており、軍隊が出ていく問
題ではない。南シナ海の問題は中国のミサイル原潜の海洋進出の問題で、
最終的に米中の核軍縮対話でしか解決できない。台湾有事の問題は、台湾
が独立しようとすれば中国は武力で阻止すると宣言している。しかし建前
論でしかなく、独立状態の台湾があえて独立宣言する気はなく、中国もあ
えて台湾を武力統一する考えはない。そうしたさまざまな問題をひっくる
めて中国脅威論が喧伝されている。

　前泊　菅政権は中台危機が明日にも起こりそうにアピールしている。な
ぜか。選挙対策なのか。米国はベトナム戦時に大統領選挙が近づくと、例
えばジョンソン大統領のときのトンキン湾事件―あったかどうかも疑わし
い事件で空爆を開始した。弱腰では大統領選挙を勝てないから、という事
情が歴史の中で今も出てくる。今ではトンキン湾事件はなかったことが分
かっている。中台危機も米国が危機を煽り、国内ではコロナの対応が後手
に回る政府に国民の批判が高まる中で、外敵を作り政権の求心力を取り戻
そうという印象もある。メディアはうかつに乗せられずに多様な見方を示
さねばならない。

　最近のアーミテージ氏（元米国務副長官）の発言―「台湾蔡英文総統は
独立宣言をするつもりはなく、必要もないと思っている」「中国が軍事行
動に出ることはない」「米軍幹部の6年以内に中国の台湾侵攻が起きる、

とする発言は根拠に基づかない予測にすぎない」──は、喧伝される中台危機に否定的だ。それでは誰が危機を煽っているのか。アメリカでは統合参謀本部。冷戦構造が崩壊し、新たな危機がなければ軍隊を維持できないとアメリカ政治学会の会長だったサミュエル・ハンチントンを使い「文明の衝突」という新しい敵を作り出した。国防総省から金が出てハンチントンがそのようなことを書いたという話もある。新しい敵を常に作り出さなければならないということなのか。

高野 国家は一般にそうだが、特に米国はそういうところがある。

前泊 軍部が肥大化し、それを維持するために敵を作り続けている印象がある。

高野 世界の軍事費の中で米国は世界全体の48％のダントツの１位と自家中毒状態にある。ほかの国全部と戦争をしても勝つくらいの武器を持っている。持ってしまうと維持していかねばならなくなる。

☀ 軍産複合体の危険性

前泊 アイゼンハワー大統領が軍産複合体の危険性を指摘したが、克服されていない。最近の額で85兆円もの軍事費を使っている。軍事費を削られると喰いっぱぐれる人たちがたくさん出てしまう。それで新たな危機を作り続ける国際政治の在り方には疑問がある。

高野 バイデン政権の一つの特徴はイスラムとの対決からは引いていく。ハンチントン的な文明の衝突からは引くが、今度の敵は中国だということになっている。

前泊 沖縄にとっては非常に迷惑な話だ。こういう話をすると日本では「あの人は中国の回し者だ」みたいな言われ方をされる。私も大学で生徒から「沖縄の新聞には中国の資本が入っているんですか」などと真顔で聞かれたりする。新聞社にいたので「そんなことはない」と否定し、「どこで聞いたの」と聞き返す。フェイクニュースがあまりに広がりすぎている。

中国の脅威論ばかりが強調されるが、経済でいうと日本の輸出入を合わせた貿易取引額が一番多いのは2019年の統計では中国が33兆円、アメリカは24兆円。１番の中国と２番アメリカの貿易相手国に対し、安倍さんの時代によく言われたのが「アメリカを取るか中国を取るか」の二者択一の問題としての議論だ。二択の問題に日本人は、どちらかを選ばねばという意

識に駆られて「安保もあるしアメリカ」と答えがちだが、33兆円も取り引きのある最大の貿易相手国の中国を無しにして25兆円のアメリカを取るという選択で大丈夫か。「どっちか」でなく「どっちも」でなければ経済は成り立たない。軍事論に走りすぎて経済的な議論が欠落しがちだ。冷静な議論が必要だ。

　高野　台湾の問題も同じだ。台湾の最大の貿易相手国、投資先は中国であって、100万人の台湾人ビジネスマンが中国に滞在している。

　前泊　「IT」はインド（I）と台湾（T）が支えていると言われるが、最近は「ICT」を支えるのはインド（I）と中国（C）と台湾（T）だ、というキーワードにもなっている。中国が IT に力を付けてきて、それを米国が脅威に思うのも分かるが、世界が相互依存経済となっているにも関わらず軍事的な対立ばかりがことさらに強調されている。

　高野　国家で半導体を囲い込まねばならないかのようだ。

　山城　米国がソ連と対峙した冷戦の時代には共産主義の脅威という構図で激しく向き合ったのだろうが、どこよりも自由貿易を求め非関税障壁を取り除こうというのが中国で、そのような中国をかつてのソ連のように警戒し封じ込めることに意味があるのか。自由貿易で非関税障壁を無くそうというのであれば米国も日本も一緒じゃないのか。経済の競争を軍事論に置き換えてはいないか、という疑問を抱かざるをえない。日本の立ち位置は、共通の利益、共通の経済価値観のなかで摩擦なく地域を回すことに介在することではないのか。米国が中国は脅威だ、日米安保だ軍事同盟だと軍事論ばかりを煽りたてるのを止めるのが日本の役割ではないか。日本の経済人、学者のネットワークを使って、平和と地域の発展につながる発信を日本は担うべきではないか。

　世界一の経済大国、第二、第三の経済大国が三つ巴となって戦争する。そのようなことがあれば世界は潰れる。この三者が核兵器も持ち出して、いがみ合うような話なのか、と思う。体制の選択であれば譲れないこともあろうが、中国が体制の選択を日本に迫っているわけではない。中国も世界と自由貿易をしていく保護措置として海軍力、空軍力を持つという立場かもしれない。そう見るとなぜ世界の大国同士がこれほどまでにいがみ合うのか、不思議に思えてならない。米中の間に立つ日本に求められる発言の仕方があるはずだ。そうでなければ、沖縄の地位は変わらない。軍事論でいがみ合う限りは沖縄の地位は変わらず、ますます政府が考える危うい

方向に行ってしまう。

✳ 日本軍がやって来る

　山城　高野さんが冒頭でおっしゃった自衛隊が米軍を守る、ということに沖縄側の認識は若干違うと思う。米軍と自衛隊の違いは何かというと、米軍は沖縄を植民地にしたいわけではない。19世紀、20世紀型の経済的な植民地ではなく、軍隊として沖縄に駐留したい、その限りで便宜を日本政府に求めた。ところが72年の復帰で自衛隊が沖縄に来た。そのことを県民が恐れたのは、戦前の日本軍がやって来る、軍隊が来る。日本軍が来ると同時に市民生活にまでかぶさり、監視し、市民生活を軍事の方向に領導する、そういう仕掛け仕組みが行われていく。76年前の戦争の悲劇を骨身に染みて感じる県民にとって、自衛隊が来ることは、もう一度あの日本軍が来るということです。県民にとって自衛隊が米軍を守りに来る、という認識ではなかった。でも実際はそうだった。3.11テロで、警察が全部の米軍基地の前に立った。状況がひどくなれば自衛隊も立っただろう。確かにこの国の自衛隊も警察も米軍を守る要素があろうけれども、それが全てではない。
　49年前に懸念をしたことが現実に起きようとしている。2年前に基地に寄せ付けないドローン規制法ができた。そして土地規制法ができようとしている。土地規制法の怖さは基地周辺1キロ範囲の土地取り引きを規制するだけでなく1キロ範囲に住む人の財産状況、思想調査までしてしまう。それを自衛隊がやる。調査で得た資料が、内閣調査室なり警察なり情報を持つ部署間でやりとりされる。それを国民は恐れ、思想調査や戦前の戦争動員法ではないかと危惧している。政府は否定しているが、きっとそうなるだろう。自衛隊が来るということは米軍のように軍事力だけではなく、戦争そのもの＝戦争をする軍事力と同時に、戦争に協力させ戦争に動員する社会的な条件整備が進められるということだ。ここに怖さがある。日本軍に警戒するところです。
　3月に日米の2プラス2（防衛・外務トップ）協議、4月は日米首脳会談があった。両方とも中国脅威論で一致し、台湾有事へ日米の軍事同盟強化で一致した。日本政府は国内では市民生活を規制する憲法改悪を含め、さまざまな有事法整備をしようとしている。いよいよではないか。49年前に恐

れた事態が今、大きく動き出そうとしている。

　そこで私たちの運動の一つは、部隊としての基地建設に反対をしていく、もう一つは世界的情勢、とりわけ東アジアの軍事的な状況を考えながら問題解決のテーマを整然と発信していく。そうでないと向こうが言い立てる中国脅威論に全て絡めとられてしまう。憲法記念日の調査（県議、市町村長）で「憲法を変えたほうがいい」が57％もいた。49年前には考えられない状況が起きている。私たちの側の平和を構想する発信、どうすれば現実の日米の政府が言うような「戦争で戦争を制する」「武器で武器を制する」、非和解、非妥協の軍事の世界ではなく、どうにかして平和構想ができるはずだという発信をしていく。そのことで国内政治を多少なりとも変えていく。そうしていかねば、我々の地域（沖縄・南西諸島）の軍事化は止まらないだろうと思う。

✳ 沖縄は「日本のカナリア」

　前泊　土地規制法の1キロ四方というのは人権侵害、あるいは個人情報の保護にも背く話だ。米国ですら基地周辺の制限水域は50メートルに過ぎない。その50メートルを返してもらったおかげで浦添市の西海岸通りができ、パルコ（大型ショッピングモール）ができて、北谷町の美浜やハンビーの開発ができた。アメリカが50メートルを制限区域としているのに、なぜ20倍の1,000メートルも取るのか。しかもこれだけ住宅地のど真ん中に基地がある状態で、どれだけの人たちが個人情報を取られることになるのか。そして脅されることになるのか、そういう怖さがある。沖縄に限らず横田や岩国や佐世保、横須賀も含めて国内の基地すべてで言えることなのに、国民全体が情報を取られる怖さにアバウトすぎる。たまたま昨日、韓国の「タクシー運転手〜約束は海を越えて〜」という2017年に作られた光州事件の映画を観た。情報が制限され、外に出ることができず、個人情報を取られると身動きできなくなる。学生にもよく言うが、警察がやろうと思えば、アメリカの映画のように警察官がやってきて白い包みをぽっと落として「覚せい剤だ」と言えば、えん罪を叫んでも犯罪者にされてしまう。家の中に警察が入ることを許すとそんな冤罪さえ起こせる権力の怖さをあまりに知らなさすぎる。光州事件のように軍隊が情報を握って外に出さないようすれば、人が殺されてもなかったことにされてしまう。ミャンマーの

ような軍事国家の事態が起きる。そのように日本がならない保証がどこに
あるのか。権力、銃、武力を持つ部隊に対し国民はもっと慎重になってい
いと思う。

　土地規制法を「沖縄がターゲットでしょう」とよそ事に見ていると、い
つかは我が身ということになる。その意味で沖縄は「日本のカナリア」だ。
沖縄が口封じされてしまえば、日本の民主主義は終わってしまう気さえする。

　山城　日本の立ち位置を逆にうまく使い、米中の激しいせめぎ合いを我
が国から止めることはできないかという思いがある。米中、日中、東アジ
アの対立という構図をひも解いて、対立に値する原因があるわけではない、
沖縄に軍備を集中する必要もないという議論を県民、国民世論に訴えてい
くことはできないか。でなければ中国脅威論に煽られる一方だ。私が思う
脅威は辺野古新基地だけでない。日本軍（自衛隊）が沖縄の島々に駐留し、
土地規制法に始まり思想統制が進んで軍隊に協力しない者は非国民だとい
う思想がまん延し、全てが戦前のような軍事統制下に置かれる事態が現出
しないか。

　コロナ感染を奇貨として、政府による市民生活の規制を当然視する情勢
は政府の追い風になっている。ドローン規制法、土地規制法、さらにコロ
ナの緊急事態を理由として憲法に緊急事態条項を持ち込む議論すらある。
「考え方は一つだ」などと言われるが冗談ではない。コロナの脅威と戦争
の脅威をごっちゃにして政府に権限を集中するのはあり得ない話だ。しか
し政府はそのような方向に押し込もうとし、先の憲法調査での非常事態宣
言と似た緊急事態条項も必要という世論の広がりを見ると、うまい具合に
戦争に向かわせる政府の構図が透けて見える。沖縄の島々、南西諸島地域、
馬毛島から与那国島の自衛隊のミサイル軍事網、そして米軍も独自に
INF（中距離核戦力全廃）条約廃止に基づきミサイル網を配備するという。
持ち込まれるのは核弾頭付きミサイルと見なければならない。有事に核を
沖縄に持ち込む密約が72年になされ、持ち込むはずだ。恐ろしい状況下で
私たちは、トータルに沖縄社会、地域を見据える平和の思想、平和を発想
する構想が求められている。

　辺野古反対は重要だが全てではない。馬毛島から与那国のミサイル防衛、
さらに長崎佐世保、九州から始まり日本が盾となる中国包囲網の戦線の問
題だ。そこに着眼する運動と発信を進めねばならない。日米の権力者が仕
向ける「日本を防衛の盾としなければ世界の安全は守られない」という議

論に、テーマを逆設定して発信を強める必要がある。沖縄側にとって、普天間基地の辺野古移設反対、オスプレイ配備反対、地位協定改正を三点セットとする（オール沖縄）建白書の問題解決も重要だが、その枠組に縛られず、情勢に応じて、建白書を越える新たな発想、発信をしていくことが大事だ。

＊ 第二「建白書」を

　高野　第二「建白書」が出るべきだ。例えば自衛隊の南西シフトに明確に反対する文言を入れる。翁長前知事の「建白書」を玉城デニー知事はそのまま引き継ぎ、一歩も出ようとしない現実がある。その図式の中で来年の知事選挙をオール沖縄は戦えるのかという問題がある。

　玉城知事が那覇軍港の移転に反対しないのも翁長前知事がそうだったから、と踏み出せない。しかし、「辺野古に新基地を作れば危険な普天間は返してやる」というロジックと那覇軍港の「新しい港を作れば古い港は返す」ロジックは同じだ。それに乗ってはいけない。

　山城　日本全体をみても辺野古反対の声はあるが自衛隊沖縄配備反対の声はあまり聞こえない。日米の「中国脅威論」に乗せられている。憲法九条に戦争はしない、よって軍隊は持たないという明文がある。最小限の武力は軍隊にあたらない、非核三原則、専守防衛、だから自衛隊は軍隊ではない、とやってきた。しかし今、沖縄の周辺で米軍、仏、独を巻き込み自衛隊14万を総動員して中国を仮想敵とし、米軍も入る軍事訓練が始まろうとしている。東南アジアの地域を巻き込みアメリカ仕様の中国包囲網の戦争をしようという。これまで言ってきた専守防衛は一体何だったのか、国民に問いたい。

　それでいいのか。核兵器も持ち込む。アメリカだけでなくオーストラリア、周辺の国を含め中国包囲網を築き、いざとなれば有事も構える。アメリカが台湾・中国の問題に介入するのはともかく、なぜ日本が台湾・中国の核戦争も辞さないような戦争に手を突っ込むのか。沖縄が核で玉砕するのは構わないが、東京が巻き込まれるのは困る―。そういう話ではないか。76年前の沖縄戦と理屈は何も変わっていない。沖縄がヤバイのは仕方ないよね、それで東アジアが安定すればそれでいい。そんな発想に思えてならない。そこを私たちは乗り越えていかねばならない。沖縄が犠牲になるの

は構わない、米中や日中の戦争はやむを得ない、力で封じるしかない—という理屈を変えていく。大きな殻を突き破る努力をしなければ、今の状況は変えられない。知事選挙うんぬん言っても始まらない。

我々自身も沖縄全体を包んでいる「建白書」という殻を突き破る。オスプレイはもう来ている。辺野古が完成すれば200機配備の態勢になる。沖縄だけでなく佐世保、東京、千葉にも配備されている。変わっていく情勢に合わせた発想、運動を作っていかねばならない。オール沖縄を時代遅れと言う必要はない。辺野古反対を核とする運動として機能すればいい。しかし建白書に縛られた辺野古反対だけでは先島の軍事問題に対応できない。

嘉手納基地だけでは中国のミサイルが怖いから、馬毛島で米軍が常時訓練し台湾有事にはそこから第七艦隊の戦闘機が出ていく。嘉手納、豪、グアムからも出る。高野さんの資料によると台湾から500キロ以内に米軍の航空基地は嘉手納とフィリピンのクラークの二つしかない。ところが中国は35の基地と圧倒的な差がある。馬毛島だけでなく日本の航空自衛隊基地全部が使われるだろう。このようなことを日本人は問い直すべきだ。前泊先生、高野さんほか学者、政治家ら100人、10人委員会を立ち上げ、しっかりした考えを全国に発信してほしい。

高野 大賛成です。来年の一連の選挙にどう絡ませるか。県知事選でこのようなテーマをクローズアップできれば全国から注目される絶好のチャンスになる。

✳ AU＝アジアユニオン

前泊 来年の前に年内の衆院選挙にどう臨むか全国的な議論が必要だ。鳩山さん（東アジア共同体研究所理事長）が一生懸命、アジア共同体の話をしているが、アジア One、アジアが一つになることが大事だ。私はAU、アジアユニオンを提起している。EU は同じ経済圏となりヨーロッパが戦争をしなくなった。アジアも一つの経済圏になり、アジアの中で戦争をしない、「アジア人によってアジア人の血を一滴たりとも流させない」という〝血の誓い〟をする。そのような新しい政治、政治家を選び育てねばなりません。

安倍さんも菅さんも地方議員で、地方議員が集まる国政の場に、アジアを視野に語り外交もできる政治家が果たして何人いるか。米国に追随する

ばかりでなく米国にものを言える政治家を育ててきたか。今年の国政選挙は今後に大きな影響を与える。沖縄からどういう人を国政に送り出すか。辺野古新基地建設を強行し沖縄の民意を無視する中央の政治に、どうものが言えるか。

　民主主義の劣化が言われているが、沖縄を見れば日本の民主主義が崩壊していることが分かる。先島への自衛隊配備問題。憲法で武器を持たず外交問題を平和解決する道を選んだはずが、なぜ憲法を守れないのか。立憲主義はどこに行き、護憲はどこに消えたのか。現実に合わせ憲法を変えるか、行き過ぎた現実を憲法に戻すか。それを国政でちゃんと問おう。次の選挙でちゃんと決めよう、ということだ。

　高野　ご指摘の通りだ。沖縄は日本を映し出す鏡だ。沖縄を見れば日本の姿が見える。

　前泊　日米安保も沖縄を見れば分かる。親しかった岡本行夫さん（元総理大臣沖縄担当補佐官）の講演録に「尖閣で米国が中立的立場を取るのはおかしい」とある。米軍は日本を守ってくれる、だから米軍に従えばいい、と日本人は一般的に思っているが「何かあった時に米国は守ってくれるのか」が疑わしい。尖閣に対する米国の中立的な態度、その一事が万事というのだ。

　米国の列島防衛線構想、第一列島線は九州から琉球列島、台湾、ベトナム辺りまで。米国の軍事学者が描き、第二列島線（防衛線）はグアム、サイパン、テニアン、第三がハワイのライン。この防衛線を日本が守るのは、いったい誰から何を守るのか。民放のニュース番組でご一緒した森本敏元防衛相が「第一列島線を突破されたら日本はどうする」と訴えたので、「日本の防衛ラインを突破されたあとのことを日本が議論するのはおかしい」と返した。米国の防衛線に惑わされず、日本は何から何を守るかの国益の議論がなされていないという問題だ。守屋武昌防衛事務次官に「自衛隊は何から何を守るのか」と聞いたら「日本は国益が定まっていないんだよ」と。米国は国益委員会で死活的、重要、など４段階で国益を考えている。日本が守るべき国益は国民の生命、安全、財産を第一にしてほしいが、米国を第一に守ってはいまいか。次の国政選挙は国民を守る政治家を選ぶことからだ。

　山城　知事選挙の話が出ているが、翁長さん（前知事）を継ぐ玉城さんも基本的に安保を是認し米軍駐留を認めている。基地政策をどう進めるか

だが、辺野古埋立の遺骨土砂の問題など少し弱い気がする。考えを整理しメッセージを毅然と発信してほしい。

前泊　理念と哲学をしっかり準備しないと次の知事選で議論ができない。那覇軍港の浦添移設問題も那覇市長、知事、浦添市長が一体となって認めている恰好だ。遊休化している軍港をなぜ新しく造るのか。米軍に聞いたら「別に浦添は要らない」と言っている。正しい議論に修正していく必要がある。

山城　県民の悲願はこの島が再び戦場にならないこと。それを理解できない知事は要らない。県民のリーダーたる県知事には何よりも「けっして沖縄を戦場にしない」という決意が求められている。宮古、石垣住民の脅威。政府が言う離島奪還作戦。中国軍が攻めてきて自衛隊が反撃し、取ったり取られたりの戦になり、小さな島をミサイルが飛び交うのか。玉城県政は島を戦場にすることは絶対に反対と主張すべきだ。県政、県議会が戦争を止める、反対を訴えるために新たな建白書が必要だ。

✳ 琉球は日本の「Expendable＝消耗品」

前泊　1971年11月に屋良朝苗行政主席は「復帰措置に関する建議書」を政府、国会に届けようと上京したが、寸前に沖縄返還協定が衆院特別委で自民党により強行採決され読んでももらえなかった。その時の屋良さんの日記に「沖縄県民はへいり（弊履）のようにふみにじられる」とある。破れた草履のごとく捨てられた、ということだ。米国の著名な歴史家 G・H・カー（Kerr）は米軍に頼まれて1958年に書いた著書『OKINAWA ～島人の歴史』で、琉球は日本にとって「Expendable」な存在だとストレートに書いている。「消耗品、代替品」という意味だ。沖縄は何かあれば切り捨てられ、本土の代替品として差し出すものと位置付けている（編注＝軍事用語では「戦略のため犠牲に供される消耗品」）。そのように沖縄を見る米国、日本は何なのか。沖縄は自らの命を守る県益をしっかり考えねばならない。

山城　鳩山由紀夫さんが仰る東アジア共同体の具体的な概念をよく知らないが、私の認識では中国は社会主義でも共産主義国家でもない。ずぶずぶの資本主義国家だ。共産主義を名乗る国家が変わった経済政策をしている。国家独占資本のようなものだ。かつてソ連と向き合った時と状況は違

う。どこかで手を握って一緒にやろうということは、歴史的にいがみ合ってきたドイツとフランスがヨーロッパの EU でがっちり手を組んで中心になっているように、中国と日本が、体制の選択ではなく利益の調整をすれば、アジアに平和の思想を持ち込むことは可能だと思う。ぜひ進めるべきで、そのための努力を私もしたい。

　米国はソ連、中国を口にしながら日本を脅威と見て日本の政治体制を注視してきた。政治の表舞台から田中角栄など対米自立、親中国の政治家が姿を消し、安倍、菅ら米国になびく政治家グループが生き残っている。日本全体が米国の植民地を引きずっているのではないか。政治の裏側で米国が糸を引く、そのような国であり続けていいのか。私たち自身のアジア観を持ち考えるべきだ。方向を間違えると核戦争にすら陥りかねない。49年前に私の住むうるま市勝連半島のメースB（核弾頭搭載可能な中距離弾道ミサイル）が撤去されたという。でもまた（沖縄に）持ち込まれるでしょう。米国は（中距離ミサイルを）持ち込むと表明しているわけだから。

　前泊　辺野古に弾薬庫を造っている。

　山城　この国を意のままに扱おうとし、破滅にすら追い込みかねない米国との向き合い方を考えるべきだ。

　前泊　日米両国を手玉に取る政治家が育ってほしい。

　高野　96年「SACO 合意」当時に大田県政は「国際都市形成構想」と「基地返還アクションプログラム」を策定し、沖縄の全基地を段階的になくす外交交渉の意気込みを見せた。普天間などの基地跡地を活用しアジアの中の沖縄をどう確立していくか。第二の国際都市構想、アクションプログラム、それを担う県知事が必要だ。

　前泊　SACO 合意も負担軽減の第2、第3が想定されていたはずだ。基地返還アクションプログラムは新しいカードとして切っていくべきだ。オール沖縄「建白書」も「屋良建議書」も作り直し、沖縄の戦後百年に向けた新しい戦略書、戦術書を作る必要がある。それを来年の知事選の最大のテーマ、課題とすべきだ。

基地返還アクションプログラム
経済自立の展望

2021年6月26日

ジャーナリスト・東アジア共同体研究所理事 **高野 孟**

沖縄国際大学教授 **前泊博盛**

沖縄県議会議員 **仲村未央**

　高野孟　来年は復帰50年。9月の県知事選を頂点に1月から辺野古基地建設の地元名護市、自衛隊配備で揺れる石垣市、4月に沖縄市、ほか南城市など重要選挙が続き、4月には新たな沖縄振興計画がスタートする新たなステップの年となる。本日のテーマは「基地のない沖縄をどう実現していくか」。かつて大田昌秀県政は段階的に米軍基地をなくす「基地返還アクションプログラム」その表裏となる「国際都市形成構想」を打ち出した。日本、アジア、ASEAN、中国のクロスロードの地の利を生かし、米軍基地の返還跡地を活用し、世界・アジアの広がりの中で沖縄の発展を目指した。前泊さん、大田県政下の構想・プランの評価、もう一度やり直せるか、可能性を聞きたい。

✻ 幻の「国際都市構想」ビジョン

前泊博盛　大学で学生、院生たちと県が策定中の新たな沖縄振興計画を検証している。大事なのは沖縄の将来をどうするかのビジョンを描き、夢を実現するアクションプログラムを作ることだ。しかし県が作業中の振興計画（案）にどのような夢が描かれているか、学生、院生たち含めいくら読んでも見えてこない。なぜか。

　実は大田県政の国際都市形成構想は主要パーツを描くイラストまで作成していた。例えば那覇空港の未来図には、その後実現した滑走路の沖合展開を描いていた。那覇港湾の未来図には、いまだ実現しない那覇軍港の返還後跡地にポスト香港の国際ハブ港の壮大なプランが描かれている。那覇の新都心のプランには、今は当たり前の幹線道路が描かれている。私は1998年にイラストを入手したが、新都心のこの辺りの土地を買っていれば大金持ちになって、今この場にいなかったかもしれない（笑）。

　沖縄をこのようにしていくというイラストが全県的に描かれていた。しかし98年に大田県政が崩壊し稲嶺県政に変わって、ビジョンイラストは印刷されながら使われることなく全て廃棄処分になった。

高野　幻のビジョンになったわけだ。

前泊　私は5冊を引き抜き、1冊は大田昌秀知事に、2冊を両副知事（東門美津子氏、吉本政矩氏）に差し上げて手元に2冊残っている。大田県政のビジョンと夢が描かれ、それを元に新聞記者だった私は「21世紀夢工房」を新聞連載し、米軍基地返還後の沖縄の未来の姿を記事にした。大田県政がビジョンを練る中で「少女暴行事件」が起こり、政府とのやり取りに入っていく。その際に県が政府に出したのが国際都市形成構想だ。もう基地は要らない。基地がなくても沖縄は生きていく方向性を大田県政は考えてい

技術協力・国際交流拠点

米軍普天間飛行場の返還跡利用イメージ図。大田県政下で国際都市形成構想のイラストとして出版されたが、県政が変わり廃棄され、幻の未来予想図となった。（写真提供／前泊博盛）

前泊博盛

た。その考えに沿って何を仕掛けたかというと、沖縄を国際都市にするための用地として米軍基地を返還させる。そのための段階的な全基地返還を求める「基地返還アクションプログラム」を作った。基地が返還されたらどう使うか。タイムスケジュールを作り1995年から2015年までの20年間で全ての基地を返還させる。20年の間に準備を進めつつ、段階的返還により実現していく計画だ。

　もう一つ忘れてならないのは「産業創造アクションプログラム」だ。併せて3点セットになる。基地が返還され、1万人くらいの基地従業員が喰いっぱぐれることがないように産業を作ろうというのが「産業—プログラム」だ。コールセンターを中心とする IT 企業の誘致戦略、ハブ港湾・ハブ空港を造り国際物流拠点にする、情報特区、観光特区を設ける。特区構想はこの時からだ。合計88の一国二制度のアクションプランの大仕掛けで沖縄の産業の地殻変動、パラダイムシフトを起こそうと考えた。こうした計画をぜひ、来年度スタートを目指す新しい振興計画の中で構想してほしいと思う。

　高野　これだけの構想を描いたことは沖縄にとって大きな資産、ストックですね。これを今日的にバージョンアップするのはそう難しくないのでは。

　前泊　沖縄にとって大事な資産です。この時、88のプランを作ったが、「特区構想」は小泉政権時代に全国に広がった。沖縄が特許を取っておけば良かったと思うくらいだ。沖縄が知恵を出し、大田県政が発想した「地方再生の手段としての特別特区」構想が全国にばら撒かれた。沖縄が作った産業アクションプログラムが全国に貢献した。次の振興計画も、全国で47番目、最低レベルの所得の沖縄を振興させることができるプランとなれば、全国の限界集落や過疎地域のすべてで発展が可能という「発展モデル」になりうる。新たな振興計画はそのような発想で新しい構想を進めてほしい。

　高野　仲村さんはどのように見ているか。

　仲村未央　96年は前泊さんも一緒に県庁記者クラブで取材していた。「基地返還アクションプログラム」と国際都市構想のすごさ、何が画期的だったかというと、米軍基地の段階的返還、計画的返還を目指したことだ。

米軍の都合による細切れ返還など沖縄側にとっては
使い勝手の悪い不用意な返還ではなく、沖縄県が主
体性を持ち、2001年には那覇市街に隣接し需要が高
い那覇軍港ほかこれらの基地を、その次はここを、
またその次はこちらをと、3段階に分けて計画的な
返還プログラムを打ち出した。国際都市形成構想が
タイアップする形で段階的な返還と、その跡地をど
う活用するかというグランドデザインを示した。非
常に具体的、画期的な手法で基地返還と跡利用の方
向性を描いた。

仲村未央

　昨日の県議会で基地の跡利用をただした。県の説明はあたかも96年の少
女暴行事件をきっかけとする政治環境の中で国際都市構想と返還プログラ
ムが浮上した（作られた）かのような整理をしていたが、（事件以前から）
大田県政がベース（基本政策）として準備を進めた構想とプログラムであ
ったと認識すべきだ。それまでに大田県政は市町村の基地跡利用計画の熟
度を点検し、市町村の総合計画の中で基地跡利用が望まれているのはどの
地域かの積み上げをしっかり進めていた。そのように練り上げたプランが、
少女事件も相まって政治的に大きなインパクトを与えたということだ。
　復帰から四半世紀、25年の節目を迎えた中で基地返還を望む県民の大き
な意思と展望を集約する形で大田県政が構想・プログラムを打ち出したこ
とは非常に大きな流れを作った。復帰50年を来年に迎えようというときに、
きちんと再評価しこれからの振興計画に生かしていくべきだ。

☀「常時駐留なき安保」の発想に

高野　95年から96年は旧民主党が鳩山由紀夫、菅直人らを中心に結成さ
れるプロセスの時期だった。私も政策論議に加わる中で少女暴行事件が起
こり、衝撃を受けたが、そうした中で大田県政の国際都市構想、基地返還
プログラムを知った。少女事件で沖縄が注目され、大田県政が準備してき
た構想・プログラムを我々も知ることになった経緯だ。政府が沖縄に対し
何もやらない中で沖縄が主導権を持ち、米国政府と直接交渉も辞さない勢
いで、基地をなくす覚悟と段取りを示したことに大変、感激した。私はす
っ飛ぶように沖縄に行き吉元政矩副知事に面会した。

そこで学んだのは安保条約がある中でも米軍基地をなくす発想があるんだということ。それまで革新勢力は安保廃棄、基地全面返還と身もふたもなく、いつ実現するんだとしか思われない呪文を唱えていた。旧民主党を作ろうというとき、昔の革新ではなく新しい社会に適合するリベラルな勢力を作り出す発想が基本にあり、いきなり安保をなくせと呪文のように言うのでなく、安保は仮にあっても基地はなくせるという沖縄の発想はすごい、ということになった。そこから旧民主党の「常時駐留なき安保」が生まれ、沖縄の発想を日本全国に適用しようということになった。

　目の前の基地を一個、一個、「これはいらないでしょう」と点検する。それが「常時駐留なき安保」の発想につながり、基本政策の第一項に入れることになった。旧民主党そのものが基地返還アクションプログラム計画の思想的、政策的発想の影響を受けた。人ごとではない思いで基地返還プログラムを受け止めていた。

　前泊　鳩山さんを那覇市のハーバービューホテルでインタビューした。「常時駐留なき安保」とは何か、具体的な実現方法はあるのか、と質問した。同じようなことが、基地返還プログラムとして沖縄県から当時の村山富市政権に提案されたが、村山さんは、それはできない、として政権から転げ落ちていった。それを引き取ったのが後継首相の橋本龍太郎さん。橋本首相は、沖縄のプランが「2015年までに基地を段階的になくす」ことであることに注目していた。即時全面返還、安保廃棄を言っていた沖縄が何と「2015年までは基地を認めてくれた」と驚きをもって受けとめていた。吉元副知事が仕掛けたのは、ここらへんのウィンウィン（Win-Win ＝共勝ち）の関係を作りながら、沖縄の夢（基地返還跡利用）を実現していく。双方が取り分を取っていく。そういう仕掛け方だった。

❋ 梶山官房長官との裏交渉

　前泊　実はその裏側で、梶山清六官房長官（橋本内閣＝当時）と吉元副知事が交渉をしていたことが分かった。吉元副知事は「沖縄は次の振興計画は要らない。現在の三次振計まででいい」「ついては2兆円の基金をくれ」と梶山官房長官に交渉していた。一次から三次振計までに7兆3000億円（沖縄開発庁予算＝補正後総額）のお金が使われてきた。「そうであれば、この後2兆円頂ければ、沖縄は自前でやっていきます」と仕掛けた。梶山

さんは「1兆円くらいだろう」と見ていたが、2兆円
と出てきたので、「吉元は吹っ掛けてきた。2兆円だ
と本当に沖縄が自立しかねない」と蹴った。そのこ
とを吉元さんに聞くと「誰から聞いたんだ」と言っ
たので、本当だったんだなと分かった。そうした仕
掛けを含め、沖縄の「本気度」が政府に伝わってい
た。

高野 孟

　橋本首相は、そこまで沖縄が本気で仕掛けてくる
のは危険だと察し、クリントン米大統領との交渉に入った。橋本首相は
「沖縄が大変な事になっている。このままではオールオアナッシングとな
り、全ての米軍基地を失う可能性もある」との危機感を持って交渉に臨ん
だと話していた。日米首脳会談の席でクリントン大統領に「普天間基地を
返してくれ」と交渉したときの話を橋本元首相から直接、赤坂での飲み会
で聞いた。大統領との会談の際、本当は言えずに帰ろうとしたが「不満そ
うな顔をしていたんだろう。クリントン大統領から『何か言い残したこと
があるのか』と呼び止められた。その時に沖縄の皆さんの顔が浮かんだ。
沖縄の皆さんに背中を押されて『普天間基地を返してくれないか』と伝え
ることができた」と橋本さんは言っていた。「思いのほかクリントン大統
領から二つ返事が返ってきたので、驚いた」と述懐していた。普天間返還
交渉は11施設の返還実現という SACO 合意を生んだ。まさに県民の怒り
と県の返還計画の本気度が生んだ成果だった。

　高野　非常にダイナミックな動き、表だけでなく裏側、そしてその裏も
あるという仕掛けが物事を動かしたわけだ。

　前泊　そうした吉元さんはじめ軍師、策士ぞろいの人たちが裏で動き、
たくさんの仕掛け人が当時の県庁にいた。国際都市形成構想に関わる新し
い部署（国際都市形成推進室）が県庁にできて、そこに各部各課からエース
級が集まり、政府との大掛かりな交渉と基地返還や産業振興の仕掛けを作
っていった。あの時が最大のチャンスと大田知事、吉元副知事が交渉に挑
んだのは、沖縄が一つの政府を担った琉球政府時代の経験を持つ職員が県
庁に残っていたことも大きい。一国（琉球政府）を運営した経験のある職
員が県庁にいて、その人たちを使い国際都市・沖縄を形成するアジアにお
ける新しい沖縄像を描いた。

　そして制度的にも「沖縄特別県制構想」を打ち出した。沖縄は47都道府

県の一県だが、政令指定都市が市だが県の機能を持つように、県ではあるが国の機能を持つ、いわばアメリカの準州的なプエルトリコのような権能を沖縄が持とうという構想だ。産業面では基地とサトウキビと観光の島嶼州ハワイ、あるいは沖縄本島の半分の面積で3倍の人口を養う島嶼国家シンガポールのようなモデルを作ろうというのが特別県政構想だった。

琉球政府時代の政治、行政の経験者がそろっていたことが、あの時代の「惑星直列」の要素の一つだ。アメリカにクリントン、キャンベル、ローレスなど沖縄問題に関心を持つメンバーがいて、日本の政治の中枢には橋本、小渕（恵三）、野中（広務）さんら沖縄に思いのある人が揃い、本土復帰以来、沖縄に関わってきた国土審議会会長の下河辺淳さんらが橋渡しを務める人がいて、メディアも大田県政の「仕掛け」をきちんと報道した。そういう「直列」で人が揃っていた。アメリカも新しい防衛政策をどうするか、日米ガイドラインの見直しを含めどうするか動いているタイミングだった。そこで起こった「少女暴行事件」が大きな刺激となり、沖縄問題が大きく弾けていった。

高野 日米安保があっても基地をなくせる。リアルポリティックスの発想だ。日本国憲法の下でも特別県という踏み出し方があるという考え方。これもリアルポリティックスだ。大田知事は理想を語る方だったか、吉元副知事という存在が大きかったのではないか。県庁の経験ある職員の代表格が吉元さんだった。そこがキーポイントとなって、なおかつ懐の深さがあって、梶山さんらと裏の裏までやり合う政治力もキーポイントであったろう。仲村さん、いまニューバージョンを作り直す要素はあるのか。

✳ 「21世紀ビジョン」につながる

仲村 玉城知事が5月に基地の50％削減を政府に要請した。この発想がどこから出たのかを含め、いま県が進める「21世紀ビジョン」について語りたい。さきほどの国際都市形成構想、基地アクションプログラムは20年構想だったが、現在県が進める「21世紀ビジョン」も20年構想だ。ここにも琉球政府を経験した県職員の執念や片鱗を見ることができる。平成22年3月に仲井眞弘多県政が策定したが、その財源を確保したのが一括交付金で、民主党政権が進めた地方自治拡大の方向性と噛み合ってできた。21世紀ビジョン構想推進の裏付け、地方が主体的に使える財源として目論んだ

のが一括交付金だった。ビジョンは、「沖縄の方向性として地方主権型自立モデルの実現を基本方向に、新しい国の形を先導する沖縄単独州のあり方を検討する」と打ち出している。また沖縄の戦中、戦後の歩みは本土と異なる部分も多く、沖縄は日本がアジアと友好信頼関係を構築していく一翼を担う役割を果たせる、としている。琉球政府時代の経験を生かした国際都市形成構想が21世紀ビジョンにつながった。

　こうした経緯の中で玉城県政は5月に「本土復帰50年に向けた米軍基地の整理縮小」を政府に要求した。国際都市構想や基地返還プログラム、21世紀ビジョンに引き継がれた理念、方向性がどう反映されているか。つながらない部分もあると私は違和感があり、県議会でも取り上げた。端的に一つの違和感は、21世紀ビジョンでは米軍基地の整理縮小について「在日米軍の基地提供は著しい不均衡がある。沖縄の発展に重大な阻害要因である」「不均衡の公平を図るのは国が責任を持ち対応すべきであること。軍用地として提供された土地の跡地利用は日米安保と対をなす国の責務である」とし、だからこそ「国が責任を持つ負担の公平、跡利用への国の責任の一切を全うせよ」と明確に打ち出している。

　一方、今回の政府要請で私が抱く違和感は、沖縄県のこれまでの主張を肯定したものではなく、「軍事的合理性も重視しつつ、それが米軍基地の整理縮小と両立しうる道筋を探る」ものとし、「日米安保体制の維持を前提としている」とことさらに強調していることだ。沖縄の基地はベトナム戦争が終わり日本に復帰しても、冷戦構造が終わっても、あれこれの理由で固定化されてきた。従来の県要求は日米安保がどうあれ、安全保障環境がどうあれ、安保体制の維持ではなく、むしろ沖縄の主体的ビジョン、何をしたいかという意思をはっきり打ち出した。それが沖縄県のスタイルではなかったか。そのことに何らかの変更があったのか。そのことを県議会でただしたが、県当局の歯切れは悪く、「軍事的合理性を重視し、ただ返してくれの主張を突きだすのでなく軍事的合理性を入れたほうが返還の実現性は高まる」などとする答弁だった。

　今回の基地縮小の県要請は、県が基地問題について諮問した万国津梁会議（柳澤協二委員長）の提言に乗っかったものだ。これまでの県要請は県庁内部の琉球政府以来の下積みや、21世紀ビジョンは県民アンケートに沿っていた。今回の要請は県民共有の議論に沿ったものなのか。そのことに県民の違和感、気持ちがフィットしない部分が正直あると思う。

高野　万国津梁会議の評価が問題になる。玉城県政が採用した重要なステップのはずが、私も津梁会議の提言には強い違和感を持っている。その中の「抑止力論」、基地の存在が抑止力であるとする考え方が、「日米安保体制の維持」、「日米安保の必要性を理解する」と何度も強調することに繋がっている。いかがなものか。

　前泊　まさに保守県政の限界が浮き彫りになっている。本土と同じスタンスで日米安保を共有することになると、この一、二カ月で新聞が報道する「台湾有事」などの事態の時に、前回の鼎談で紹介した G・H・カーの「琉球の歴史」にある「琉球は日本のイクスペンダブル（代替品、軍事的消耗品）」、つまり日本本土に被害が及ぶ場合には「代替品として提供できる消耗品」として沖縄が利用されかねない。

　先日、岡本行夫さん（元内閣総理大臣補佐官）の追悼一周年シンポで秋葉剛男外務省事務次官（その後、国家安全保障局長）らに「沖縄は日本にとってイクスペンダブル（消耗品）なのか」と問いただしたが、「そうであってほしくないし、そうではないと信じている」という言葉で逃げられた。アメリカが中台危機を叫び自衛隊が先島（宮古、石垣、与那国）へのミサイル部隊配備を進めているが、実は1950年代の中台紛争では、最近開示された米機密文書によると、アメリカは中国に対し核攻撃も辞さない戦略だった。その報復として沖縄が核攻撃を受ける可能性について「沖縄が消えても仕方がない」と書かれている。県民はのどかで、このことを新聞が書いても「やっぱりね」で終わってしまう。それではいけない。

＊ 核シェルターを埋めよ

　前泊　50年代の米軍の中国核攻撃計画の報道時に、前米国総領事と議論した。「在沖米軍基地の各シェルターを全て埋めよ」と。「なぜ沖縄が核攻撃を受けて死滅しようという時に、米軍だけ生き残ろうとするのか。ずるい。日米安保が共同体というなら、その時は一緒に死ねよ」と。「自分たちだけ生き残れるから沖縄県民を犠牲にする核戦略が出てくる。せめて攻撃されたら一緒に死ぬ覚悟で、県民を犠牲にしない軍事戦略を立ててほしい」と前総領事に提起したら、「困った提案ばかりで困ります」と苦笑いしていた。私が「渋滞対策に国道330号と58号を結ぶトンネル道路を普天間基地の下に造れ」とか困った提案ばかりしているからだ。

核シェルターの存在は隠され検証されていない。普天間基地の地下には100本の鍾乳洞がある。私の大学（普天間基地に隣接する沖縄国際大学）の関係者から「先生、時々、基地の中の穴から兵隊がぞろぞろと湧いてくる。あれ何ですか」と聞かれる。普天間基地はあと20年は返らず、迂回する道路渋滞も解消できない。「ならば基地の下にトンネル道路を二つ掘ってくれ」と前総領事に提案し、フェイスブックに張った途端、関係者からたくさんのメールや電話が来た。「先生あそこは無理です。核シェルターがあるからトンネルは掘れません」と言われた。本当にあるのか、と聞いたら「はい。みんな知っていますよ」と。本当に核シェルターはあるのか。検証し、あると分かれば埋めさせ、核戦争で沖縄を犠牲にする「エクスペンダブル（消耗品）」の存在から沖縄を解き放たねばならない。

G・H・カーの沖縄の歴史を語り継ぐ聖書のような本（『OKINAWA 島人の歴史』）に、「沖縄は日本にとっていざという時には差し出すエクスペンダブル（消耗品）」と書かれている。それをしっかり押さえた上で今回、沖縄県は政府に（安保体制の維持を前提とする）基地問題解決の要請をしたのか。まさに玉城知事の認識が問われる。知事の理念と哲学が見えてこないようでは危うい。何があっても「オキナワ ファースト」。県民を守るスタンスに知事は立ってほしい。日本なんかどうでもいい、とにかく沖縄を守るという姿勢を知事は示すべきだが、それが見えてこない。

高野 米軍が核攻撃をした場合に沖縄が真っ先にやられると1950年代から言われたが、核だけでなく通常兵器、通常弾頭もある。中台紛争に米軍が出撃すれば中国のミサイルが沖縄、グアム、ハワイに雨あられと降り注ぐ。それを明示したのが米シンクタンク、ランドコーポレーションの「米中軍事紛争もしあらば」の報告だ。中国の中、短距離ミサイルが充実し米軍は圧倒的にやられる。嘉手納基地滑走路にミサイル一発の攻撃で70日あまり基地が使えなくなる図も付いている。それを防ぐために自衛隊が南西諸島に防人で出ていく日米の戦略だ。自衛隊の防人がまずやられる。最終的には核戦争の心配になる。その前に自衛隊、米軍がミサイル網を整える、というが、中国に「ここを撃ってくれ」と言うようなものだ。

前泊 最悪を想定して政策は作られるべきだが、最悪の状況はどうだということが考えられていない。万国津梁会議のメンバーの野添文彬・沖縄国際大学法学部准教授も言っていることだが、米軍基地の存在と自衛隊配備を含め台湾有事が起きた場合に「一番最初に攻撃されるのは沖縄だ」と

いうのが共通認識としてある。そのような発言に知事はまず怒るべきだ。何なんだ、と。沖縄はエクスペンダブル、消耗品ではないんだと。日本を守るための犠牲、提供品ではない、「そういうことから脱却する」と言うべきだ。

大田昌秀（元知事・故人）さんが何度も言っていた。基地の押し付けに「何なんですか。沖縄は日本なんですか」と。大田さんには「日本人は醜い」（『醜い日本人―日本の沖縄意識』岩波現代文庫）で始まる本すらある。日本と沖縄を分断する形で日米安保が維持されている。いつになれば沖縄は日本になれるのかを、復帰50年の節目に問い直す必要がある。

沖縄サミットの時に、沖縄でサミットを開く理由について、「沖縄で開催することで沖縄が日本であることを世界に知らしめることになる」と島田晴雄さん（慶応大学教授＝当時）が話していた。それを小渕さん（首相）に伝え、沖縄サミットが実現した経緯があると。岡本行夫さんも同じことを言っていた。

そのような覚悟を決めて2000年を一つの節目にしたことも検証してほしい。沖縄サミットを一つのゴールとして沖縄問題の解決に挑んだということがあった。今、沖縄問題解決に挑むということは政治生命を失いかねない、と皆逃げ腰になってなっている。覚悟を決めた政治家がいないことが沖縄問題含め日本の安全保障政策の弱点だ。

高野　沖縄の基地を無くしていく取り組みはフィリピンが参考になるのではないか。また玉城知事が安保の必要性に理解を示すのは、基地で働く労働者組合の発言権―基地がなくなれば雇用がなくなるという切迫感も背景にあるのか。

☀ 求められる知事の行動力

仲村　基地跡利用は国の責任であるのと同時に、雇用も国が責任を持ち、計画的に失業者を出さない雇用の将来確保を手当てするべきだ。これは国際都市形成構想でも強調されていた。米軍基地の計画的、段階的返還を進める中で雇用問題も国の責任で当然取り組まれるべきだと。基地の雇用の問題があるから基地の返還には触れられないというのは本末転倒だ。沖縄にとって広大な基地の存在は財政、経済活動に大きな支障がある。経済発展を阻害している。県民にとって（南北の）鉄軌道の背骨を通す夢もある。

基地をなくす県民要求、雇用の問題を正面から受け止め全駐労（基地従業員労組）と一緒に考える知事の行動力が求められている。

高野 本土の原発問題とそっくりだ。電力労連が原発を続けろと経営陣より労働者が先に立って言い、その影響で連合会長が陰に陽に立憲民主党が（原発廃止に）傾かないようにし、そのことで国民民主党は折り合えないから立憲とは一緒にならないと展開している。原発をなくせば雇用がなくなるという問題に尽きる。ドイツは原発メーカーや原発労組が先に立って原発廃止を言い出した。経営者は目先の利益しか考えないが、労働組合は社会の先々まで考えアジェンダを立てる、と。福島を見ろ、原発にしがみついている場合ではない。「新エネルギーに転換し企業の再生を図れ」と労組が提起し経営がそれを進め、メルケル首相がリードする構図があったが、日本は逆だ。

　昔、金属労連という同盟系の労組があり兵器メーカーの組合が入っていた。その組合の大会で「武器輸出を解禁し賃上げを」と打ち出し、腰が抜けるほど驚いた。軍需産業の賃上げは平和産業に転換して、世界平和にも労働者にもプラスの世の中を作ることを労働組合は提起すべきだと物議をかもした。

仲村 私が生まれる前、コザ暴動（1970年）のころ基地従業員の大量解雇問題もあった当時の全軍労の方々が語るのは、自分たちの職場を失うような闘いでもフェンスの内外の労働者、県民が連帯し、非人道的な米軍の問題、本来の県民の土地を取り戻し平和産業への転換を目指しともに闘ったということ。自らの解雇につながろうとも激しい闘いをリードした。その先頭に上原康助さん（元全軍労委員長、衆院議員）がいた。基地労働者の雇用の不安は大きいと思う。だからこそ基地返還プログラムのように段階的、計画的な方向性を示し基地労働者も一緒に考えることが大事だ。

＊ フィリピンの挑戦

高野 フィリピンのクラーク空軍、スービック海軍基地は返還後、すぐに政府の開発庁が特区を作り雇用を集中し、企業誘致を進める機敏な取り組みだったそうですね。

前泊 1995年に両基地跡地を取材に訪れた。スービック開発庁のゴードン会長に会い話を聞いた。基地返還で2億ドルの米国からの援助を失い、

両基地前のゲート通りはシャッター街となり、5万人の雇用を失い、関連して50万人が影響を受けた。しかしわずか5年でそれを超える雇用を実現した。スービック海軍基地には発電所、深い港湾、飛行場もあった。この飛行場をフェデックス（物流サービス世界最大手の米企業）がアジアの貨物輸送ハブ空港に利用しようと進出を決めた。

基地跡利用計画で基地の施設を綿密に調べ、兵器の整備工場はリーボックの靴工場に、格納庫は台湾のエイサーのコンピューター工場に変わり、基地内の施設をフル活用し輸出特区が作られた。整備された軍施設の利用がプラスに働いた。首都マニラですら電力不足で停電しがちだったが、基地が残した発電所が工業団地に活用され、兵士の宿舎がホテルに変わった。これが一気に雇用を回復する力になった。

その後のリポートで沖縄の全基地調査を提案した。基地の資源をどう活用するかが大事だと分かった。一番はあの嘉手納基地、4,000メートル級の2本の滑走路だ。成田を超える規模だ。しかし嘉手納基地はわずか2,600人ほどの従業員の雇用しかない。成田は2万人を雇用し関連業務を入れると5万人。2本ある滑走路の1本が軍民共用で返還利用されれば2万人の雇用を実現できる可能性がある。そうなれば在沖米軍基地の9,000人の全基地従業員数では足りない。

そのくらい大胆なパラダイムシフトを基地返還がもたらすことを知るべきだ。嘉手納基地内はたくさんの米軍将校住宅がある。赤瓦の家並は最も沖縄らしい風景かもしれない。日本が20億、30億出して作った嘉手納ハイスクールはすごい施設だ。返還すれば即、インターナショナルスクールになる。トレーニングジムはライザップがいくらでも活用できるほどある。ゴルフ場もある。PX、カミソリー（スーパーマーケット）はアメリカ商品を手に入れるパイロットショップとして活用できる。観光客を入れ米国商品を買える仕組みに変えるなど、返還を見越した施設の整備を図ればよい。しなやかでしたたかな基地政策をフィリピンから学ぶべきだ。

高野 フィリピンにも知恵者がいたわけだ。

前泊 スービック湾開発庁長官を務めたゴードン会長は米軍スービック基地を抱えるオロンガポ市の元市長で、ゴードン氏の開発庁長官就任を受け奥さんがオランガポ市の市長になり夫婦で地域を仕切っていた。将来の大統領候補とも言われ、沖縄の吉元副知事と重なる印象だった。

基地返還に対する恐れは95年段階で沖縄も持っていたが、その後、返還

跡地で失敗した所は一つもない。25年前と大きく異なるのは返還跡地の成功事例を重ねたことだ。浦添市のキャンプ・キンザー＝米軍牧港補給基地の素晴らしい跡利用計画の模型と動画を浦添市在住の建築士の福村俊司さんが作ったので、ぜひ見てほしい。（編注　牧港補給基地は政府が進める那覇軍港の浦添移設海域の陸側に位置する）米軍はこの場所への軍港移設は要らないと言っている。「欲しいのは中北部にであって、うるま市の米軍天願桟橋、ホワイトビーチを改良した方が使い勝手もいいのに、なぜ浦添移設にこだわるのか」と米軍関係者が言っている。補給基地は返還合意がなされ倉庫群も移設されるのになぜそこに軍港を造るのか、と。そういう話がなぜ知事、那覇、浦添市長の間に出てこないのか。全く使われていない那覇軍港をなぜ米軍が望んでいない場所に代替施設を造って米軍に提供するのかという疑問を拭えない。

　高野　辺野古の構図と似ている。むしろ日本側が代替施設を求めている。

　前泊　米軍関係者もそう言っている。日本政府が辺野古に造りたがっている、と。軍事政策でなく明らかに利権につながっているという話になっている。ぜひ牧港基地の跡利用計画の動画を見ていただき、どれだけ夢の世界が描かれているか知ってほしい。そしてこの返還跡利用は環境浄化ビジネスに始まり、クルーズ船バースや港湾施設整備、ロングビーチなど観光関連施設、国際コンベンションセンターなどの MICE 施設、高層ビジネス拠点、新たな数万人規模の居住空間の創設など莫大な規模の投資効果、経済波及効果を持つ可能性を秘めている。国場組など県内大手ゼネコンも注目している。基地を造るより、返還地を作り直す跡利用の方が大きな金がかかる。その分、投資効果が上がり、返還後の経済波及効果も大きい。10倍、100倍、200倍に膨らんでいく。沖縄経済の発展を考える人は基地の跡利用を考える。沖縄発展を望まない人は基地を置き続けようとする。単純消費に過ぎない基地経済を新しい富を生む基地返還跡利用にどう転換するかが、復帰50年の大きなテーマだ。

　高野　返還利用をどう進めるか。それとは別に膠着化している辺野古新基地についてご意見を聞きたい。

＊75%がゼネコンに還流

　前泊　辺野古基地建設の是非を問う県民投票の際に講演した小川和久さ

んは「軍事的に辺野古は小さすぎて使えない。普天間飛行場の代替機能を果たせない」と指摘した。日本を代表する軍事アナリストがそう言った。では何のためにと問うたら、「サンズイ（汚職、贈収賄）以外の何物でもない」とはっきり言った。「公共工事を巡る利権の構図としか考えられない」と指摘した。コロナ禍で有効需要を生む公共工事は大切だ。辺野古は当初の2,300億円から3,500億円に、それがさらに軟弱地盤対応で9,300億円に膨れている。沖縄県の試算ではこのままいけば2兆5,000億円となるが政府は建設を強行、推進している。公共工事は金がかかるほどいいからだ。

では沖縄にどれほど金が落ちるか。沖縄金融公庫のハンドブックを見ると、大型事業のゼネコンが関わる部分では残念ながら70〜77％が本土に還流している。沖縄防衛局予算の53％（2017年度）が本土に還流している。大型基地建設のお金は沖縄に落ちていない。沖縄振興でなく本土振興のための基地建設だ。こういうことで沖縄に（金を）やってると言われるのは、とても心外だ。利権の構図、建設に関わる企業名を全て洗い出して検証してほしい。政権に関わる人たちに直結する企業も名を連ね、怪文書として国会周辺に出回っている。まず「李下に冠をたださず」で政権に関わる企業を排除した上で、安全保障の問題として考え直すべきだ。

高野　これも原発にそっくり。以前、原発建設の企業、労働者を取材し塗装企業の話を聞いた。1平方メートル8,000円というので技術を生かそうと受注したら1,500円しか払われなかった。ゼネコンの下に地方ゼネコンがいて、その下に県議や市議の口利きの会社が幾つも入り、1,000円ずつ抜かれたら1,500円にしかならない。「ペンキ代にもならない。二度と原発はお断り」と社長は怒っていた。

前泊　ザル経済は沖縄だけでなく全国の地方経済が疲弊するのは、地域振興のカネが東京（中央）に還流する問題がある。沖縄公庫が出していた地元還元率・歩留まり率について新しいハンドブックを見たら、そのページが抜かれていた。

高野　あなたが追及したからじゃないの（笑）

前泊　何度も問題指摘してたらページが無くなった。基本の問題に関わるデータが資料から抜かれる。そのセンスを疑う。公庫理事長は県副知事出身。沖縄経済に一番明るい人が理事長をしていて、なぜ重要なデータのページが抜かれたのか検証してほしい。

高野　マスコミも徹底検証してほしい。

前泊　なかったことにするのがこの国の掟です。解決できない問題は先送りし、それでも解決できないときは、なかったことにする。ザル経済からの脱却を提起したら、この問題がなかったことにされてしまう状況だ。

高野　森友学園と同じ構図ですね。資料が消えてしまう。来年は復帰50年。基地返還などに玉城知事はどう取り組むか。仲村さんはどのように見ているか。

仲村　復帰50年の節目に沖縄県を代表する意思、姿勢として玉城知事がどう発信するかは非常に重要だ。沖縄県が死活的に守るべき価値、描くビジョンは何かをしっかり示してもらいたいと知事に働きかけている。国際都市形成構想も21世紀ビジョンも20年計画だった。来年は復帰50年から戦後100年へと20年スパンで沖縄の可能性を示すべき時だ。沖縄がこの地域、国際社会でどのような役割を担うか。この間の計画の延長線上にある沖縄の発信が問われる。復帰前に屋良朝苗行政主席が政府に出した「（復帰措置に関する）建議書」は時代を浮き彫りにする沖縄の意思が示された。沖縄県民の民意をしっかりと示してほしい。

高野　屋良建議書、翁長県政の建白書とオール沖縄の取り組みが今日につながっている。復帰50年に新たな意思表明がなされるべきだ。

＊霞ヶ関の犯罪

前泊　新しい沖縄振興計画の主役は誰かという議論をしっかり行ってほしい。これまで5次の振興計画の主役は官（政府）だったと言われている。官から民へ、民間主導で財政依存でなく民間がどう自力で資金を引っ張り出していくか。ゼロ金利時代であり魅力ある新しい事業に投資先はいくらでも見つけることができる。政府主導型の危険性は復帰のときに経験している。沖縄にエッソ、カルテックスなど世界の4代石油メジャーの外資が入ろうとしたときに政府に阻止された。このことを長銀の竹内宏さんが『THIS　IS　読売』で「霞ヶ関の犯罪」として書いた（『沖縄をダメにした霞ヶ関の犯罪』）。通産省が外資導入に反対し阻止した。アルミ精錬の米アルコア社が入ろうとしたときも通産省が国内のアルミ5社と一緒になって「我々が入るから入れないでくれ」との意向を受け、撤退させた。

最近、自民党の細田博之元官房長官が、沖縄県のコロナ対応に関し「国に頼るなんて沖縄らしくない」と発言した。それで調べてみると復帰当時

の通産省の沖縄担当係長が細田氏だった。近く琉球新報が記事にするだろうが、彼は「政府に頼るな」どころが政府の中心にいて沖縄の発展を阻害してきた中心人物である可能性が出てきた。本人にインタビューもしてもらったが、テキサス・インスツルメンツという米国の半導体大手の企業が沖縄に入ろうとしたときにも「国内企業保護のため私は断った」と証言している。細田氏に「政府に頼るな」と一喝された玉城知事は、きちんと反論してほしい。沖縄を発展させない政策を政府がやってきたとしたら、発展するための政策を官主導でなく民主導にしっかり転換していくことが新しい振興計画には求められている。邪魔されないようにしっかりと発展ビジョンを描いていくということです。

高野　半導体問題は米中がせめぎ合い、米国はサプライチェーンの囲い込みみたいなことをしている。沖縄はそうした縄張り争いに加わらずに、コロナ禍の中で先進医療のアジアの拠点など大きな目玉事業を自力で生み出していく構想を考えてほしい。

前泊　沖縄らしい政策として鉄軌道、LRT 含め沖縄の公共交通をタダ（無償化）にする交通特区を作る。財源も政府に頼らず観光客から1,000円、年間1,000万人で100億円。教育特区、人づくりに毎年100億円を出す。大学の授業料も無料にし、韓国のように大学進学率全国一となる85％を目指す。Wi-Fi を無料にする Wi-Fi 特区、情報特区、通信特区を作ることで離島での遠隔教育やコロナ禍に負けない遠隔授業にも対応し、最先端のICT 産業の振興発展の可能性を増やせる。

仲村　現在の沖縄振興計画の見直し、新たな計画の策定時期を迎えている。10年ごとに振り返っているが、50年を総括する視点がない。復帰時に掲げた目標は達成されたのかが政府の責任として見えてこない。沖縄の産業構造は8割が第三次産業で不安定雇用、低賃金で所得は上がらず貧困の連鎖が子どもたちの課題につながる構造が続いている。なぜ第一次、第二次産業が伸びず課題が解決できないのかは、やはり広大な米軍基地の存在が大きな制約になっているからだ。それを解決するアプローチが政府の責任としてなされるべきだ。米軍基地の返還という復帰時の課題に立ち戻ることで、教育、交通、格差などの解決につながるビジョンが導かれるはずだ。50年をトータルに見据え主体性を持って臨むべきところだ。県政挙げた取り組みに私もコミットしていく。

国際都市形成構想再び

2021年7月21日

ジャーナリスト・東アジア共同体研究所理事 **高野　孟**
琉球大学名誉教授 **江上能義**

　高野孟　大田県政の時の国際都市形成構想、その裏の基地返還プログラム、というような大きな絵図を描かなければいけないんじゃないか、放っておくとどうも今デニーさん（玉城デニー知事）はそういう方向に行きそうもない感じですが。国際都市形成構想は、どういう国のかたち、社会の姿を作らなくてはいけないか、という関わりで行われた実験であった、と内地から見えるんですが。

　江上能義　国際都市形成構想が取りざたされたのは1995年の少女暴行事件が起きた時期と重なっていますが、県で準備されたのは1992年、実質的に浮上したのは95年です。その時に私は琉球大学にいたんですけど、本当に沖縄に希望の光が見えた、と思いました。私は豊見城村に住んでたんですが、国際都市形成構想は全県でやるということでしたから、豊見城村もやっぱりアジア国際化の波に乗ろう、と海外視察に行くんですよ。私は当時、村の地域活性化の委員長をやってた。そうしたらみんなからフィリピンのスービックが米軍撤退後、フリーゾーンみたいになってるから江上さん行こうという話になった。

　高野　社会の雰囲気が分りますね。

　江上　旅費の半分は村が出して半分は自腹で行ったんですよ。スービックで実際にそこの所長さんに話を聞いた。そしたらとにかく雇用が増えた、と。物流の拠点になっててフェデックス（FEDEX）の飛行機が米軍ジェット機の代わりにじゃんじゃん飛んでいる。6,000人か7,000人の雇用が生まれた、と言ってましたね。沖縄もこれで行こう、と豊見城に帰ってから

江上能義　　　　　高野　孟

議論してたんですよ。それからもう一つ、済州島も観光の島だから（沖縄と）似てるじゃないか、特別自治制度になっているし、ということで行きました。

韓国政府の援助を受けていろんなプロジェクトをやっていた。それを村の有志が自分たちで（視察団を）組んで見に行った。それくらい一般の人もわくわくするくらいでした。私も沖縄に40年くらいいますが沖縄の人たちがあれくらい夢と希望を持ったのは初めてでしたね。それがあっという間に潰えてしまった。国際都市形成構想は何だったのか、何を遺したのか。（まとめ役のシンクタンクである）都市経済研究所の上妻理事長が国際都市形成構想は潰えても、水脈は流れ続ける、と言ったそうですが、私もその通りだと思います。あれは突如として浮上してきたものではなくて、沖縄の本質的なものと関わって日本・アジアの情勢とマッチして出てきたものです。これからの沖縄・アジアとの関わりで浮かび上ってくると思いますし、またそうあってほしい。

　高野　これは一つの構想・プランとしてみて何が一番特長だったんですか。

　江上　一国二制度ですね。経済プランですけど、沖縄とアジアとの交流システムを作って、遅れている沖縄を逆転の発想で先端に立たせる、それが日本にとっても大きな意味を持つということで橋本政権と大田県政が一緒になってやった。根本は吉元政矩副知事に言わせると、一国二制度だった。あの当時はやれる情勢だった。もちろん沖縄県民の少女暴行事件に対する怒りはあった。ところで私は1977年、復帰5年目に琉球大学に赴任した。まだ首里城の跡地に大学があった。国際都市形成構想が出現する前は、沖縄は遅れてる、と言われて実際に所得は低かった、それで格差是正を唱えてインフラ整備で道路、建物づくりなどばかりに追われていた。（1992年、復帰20年めに首里城が復元された。）私が沖縄にやって来た1977年当時は反基地感情が強かった。日本本土に対しても反感があった。教壇に立った時、学生がすごい眼で見るんですね。東京から来たのが偉そうにと（笑）、こちらも沖縄の現実を知らないし、あの当時は沖縄に関する本もあまり出てないしね。それを学生が見抜いて、おい偉そうに政治学なんて講義でき

るのか、と睨む。

　高野　怖いですね。

　江上　そうです。学生たちは、復帰したのになんでまだ米軍基地がある
のか。本土の人間はなにやってんだ。あなたはどういう努力をしたんだ。
（と鋭い眼で問い詰められる。）それで沖縄のことを話したらまずい、と思
って関係ないアメリカの話（政治情勢など）ばかりして逃げてましたよ。
（笑）そのうち沖縄のことは知らんから教えてくれ、と学生たちに頼んだ。
そうしたら、そうか知らないのを認めるんだ、じゃあ教えてやるよ、と私
が生徒になりました。それから仲良くなりました。

　高野　そういう意識のギャップがあったんですね。

　江上　しかしね、だんだんそのうち反基地感情が薄れていったんですよ。
私が赴任した当時は基地賛成なんて言ったら袋叩きにあいかねない。とこ
ろがインフラが整備されて、だんだん沖縄（の経済）が良くなってゆく。
例えば1977年に赴任当時は電話を申し込むと、2〜3年かかると言われた。
それで私は2年くらい電話なしで過ごした。学生もアルバイトの肉体労働、
道路の建設作業で色は真っ黒、それも仕事があれば良い方、女子学生は化
粧はしてない。研究室は屋上のプレハブでしたが、暑くて部屋に入ると眼
鏡が真っ白に曇った。講義するにも100人くらいの学生たちが汗びっしょ
りで聞いている。可哀そうだから、寝ていいよ、と言ったら「先生、暑
くて寝れない」（笑）。エアコンなんて、偉い先生の研究室に2〜3台しかな
かった。1981年に首里城跡から中部に大学が移転すると、改善されました。
生活も豊かになってきた。そうなると（基地が存在する）現実は変わらな
いのに反基地デモは少なくなる。不満が薄れてきた。NHK が復帰して良
かったか、とアンケートを取ったら1977年には復帰して良かったが40％、
良くなかったが55％と良くなかったが15％上回っていた。復帰して5年も
たっているのに日本復帰は悪かったと思っている人が多い！　そんな県民
感情も知らなかった。沖縄は恐いな、えらいところに来た（笑）と思った。
ところがそれから5年ごとに NHK がアンケートを実施すると、だんだん
復帰賛成が増えてきた。1992年、復帰20年に大田県政の下で首里城が復元
され、復帰して良かったが9割を越えた。私は大田さんの気性はかつて琉
大の同僚で良く知ってますが、首里城の復元が完成した時は彼が喜んでカ
チャーシーを踊っていたことを思い出します。首里城は日本の政府のお金
で出来た。政府がやってきたことで一番良いことだった。基地反対 の大

田さんももちろん沖縄県民も手放しで喜んでいる。私は、これで沖縄の人は基地と共存共栄しても良い、と決めたんだなあ、と感じた。その時は反基地感情も鳴りを潜めていた。

編集部 （政府の）文化政策が成功した、ということですか。

江上 1992年当時は沖縄県民の日本政府に対する感情は一番良かった。私もそのまま行くんだろう、と思った。ところがそうではなかった。1995年の少女暴行事件に対する抗議集会（10月21日）であんなに人が集まるとは思わなかった。宜野湾市の大会会場のステージの後ろに琉球放送が櫓を組んで生放送した。東京から筑紫哲也、小川和久さんが来て、私も呼ばれた。ラグナガーデンホテルのレストランから会場を見下ろしながら打合せをした。筑紫さんはどれくらい人が集まるか気にしていた。2時から大会開始。だがほとんど人がいない。開始30分前の1時半になってスタンバイしたがまだ集まっていない。生放送の開始時間をずらそうか、と言っていたが私は沖縄の人はのんびりしているからきっと集まるよ、と黙ってにやにや笑っていた。大田さんは中国から帰って来て、陸からでは間に合わないので海からモーターボートで上がってきた。2時半ころだったが「1人の少女の尊厳を守れなくて申し訳ない」と感動的な謝罪をした。ワーッという声が起きた。会場は立錐の余地もない。その時に初めて私は沖縄県民は怒っている、と分かった。壇上からは、米兵は鬼か、という発言もあった。熱気がすごかった。政府に対する怒りが燃え上がっている。その時に、やはり沖縄の反基地感情は表面には出なくても脈々と生きているんだ、と実感した。

高野 時間的に言うと少女暴行事件で怒りが爆発して、それから基地返還プログラムではないですよね。

江上 もっと前から準備されていました。吉元さんがインタビューで言ってました。大田県政は1990年の12月にスタートする。吉元さんは大田さんを知事に担ぎ出した張本人なんですが、その時に吉元さんは政策調整監になるんです。副知事と違って管轄もなく政策ブレーンとして自由に活動できる。（吉元さんが力を入れたのは）大田さんの公約である反戦平和の沖縄を作る、もう一つは、基地が無くなった場合に沖縄はどうするか、経済をなんとかしなければいけない、国際交流に力を入れるしかない。基地返還アクションプログラムと国際都市形成構想の二つが水面下にあった。そこに少女暴行事件が起きて、沖縄は怒っている、宜野湾の海浜公園で開か

れた抗議集会をテレビ中継で官邸の人たちが見ていて慄然としたそうです。日米安保が危ない！　ある要人は、すぐ近くの普天間基地にあの群衆がなだれこんだらどうなるだろう、と心配した。しかし現場にいた感覚でいうと、そんなことは誰も考えていない。怒りは表明したけど沖縄県民の行動は整然としている。しかしそれくらいの衝撃を日本政府もアメリカも受けた。県民の怒りを鎮めなければならない。沖縄の要求を飲もう、ということになった。国際都市形成構想は国の規制緩和と一国二制度が前提。国の協力と資金的なバックアップが必要だ。それで沖縄県政と橋本政権の間で話がつく。それでもう一つの基地返還アクションプログラムも沖縄側だけで決めてもどうしようもない。国との調整が必要だ。吉元さんが橋本首相の前の村山首相のところへ持って行っていた。吉元さんによれば、村山さんも県職労の出身だったから良く知っていて思い切ったことが言えた。11月くらいに、総決起大会の1カ月後には村山さんに「基地の段階的縮小撤去」を伝えたら村山首相はびっくりした。「そこまでやるのか」と。同時に国際都市形成構想の輪郭も説明した。村山さんは基地の撤去までは了解しなかったが、同じ革新のリーダーだったので沖縄の基地負担の減少はこの機会にやらんといかんな、と吉元さんに言った。その突破口が大事だった。それが橋本さんに引き継がれた。最初のとっかかりが（吉元・村山の）組合同士で昵懇の人だった。運が良かった、それに情勢が味方した。村山首相が「分かった」と言ったのがテレビに出てしまって表ざたになる。しかし一方で県と国との対立は続いている。県民は怒っている、国との裁判闘争、県民投票という緊迫した流れの中で逆に「基地返還アクションプログラム」、「国際都市形成構想」が展開されてゆく。大変な状況でしたね。しかしそのタイミングじゃないとこの「両輪」は動かなかった。

　編集部　（少女暴行事件で）沖縄のアメリカ領事館にも抗議のデモが押しかける。アメリカ大統領夫人を陳謝のために訪日させよう、という話もあった。それを逆に外務省・防衛省の幹部が「そんな話じゃないんだ」と断る。向こうの方が真剣にとらえていて日本側の方が抑えるような動きがあった。

　江上　（私が沖縄に赴任して以来）あれだけの怒りが爆発したのは初めてだった。日本政府もびっくりした。私も現場で「鬼畜米英」の声を聞いた。かつて戦時中に日本人が言っていたことをウチナーンチュが言っている（笑）。アメリカ総領事館もこんな危機感を感じたのは初めてじゃないか

な。最終的には吉元副知事の再任が拒否されて、橋本政権の古川貞二郎官房副長官や下河辺淳さんが間に入ってバックアップした基地返還アクションプログラム、国際都市形成構想が潰えた。机上のプランではなく本当に進んでいた。　全県フリーゾーンなどのプランも論議された。吉元さんの「一国二制度」の主張からすれば当然だったかもしれないが、あの当時沖縄は中小企業が多くマイナスに捉えられた。もう一期大田県政が続いて吉元さんが再任されていればもっと違った落ち着いた格好になっていたかもしれませんね。しかし大田さんには国際都市形成構想を引っ張って行くだけの力はなかった。沖縄の将来を考えた場合に自治政府みたいなものを作って、かつての万国津梁の時代のようなアジアとの交流拠点になってゆくのがベストであるという構想は正しかった、と思います。そうして閉塞している日本を沖縄が引っ張ってゆく。沖縄が突破口となる。下河辺さんは五全総のグランドデザインの中にそれを入れた。そういう意味では国土庁と吉元さんを中心とする国際都市形成構想の発想はぴったり合った。私が最近思うのは、沖縄は東西500キロ、南北で1,000キロの海域を抱えている。日本全体の五全総の枠には入りきれなかった。それで下河辺さんの多軸型国土構造と国際都市形成構想はつながりながらも一致しなかった。しかしそれはこれから調整すれば良い話だ。基本的には日本全体の将来計画と沖縄のそれとが、両輪となりながら進んでいけば良かった。

　　編集部　国際都市形成構想をつぶそうという動きはあったのか。

　　江上　反発はあった。稲嶺県政の副知事になる牧野浩隆さんは、「こんなどんぶり勘定みたいなものを作ってもどうしようもない」と、こてんぱんに言っていた。もう一つの基地返還アクションプログラム に対する反対は自民党の要人にもあった。段階的に基地をなくして白紙にする。その上で国際都市を形成するという構想だから沖縄の自民党の中でも反対は強かった。自民党県連は構想の内容というより吉元さんが目立っていることに対する反発があった。沖縄の自民党にとっては吉元さんは脅威だった。特にのちに県知事になる自民党幹事長の翁長さんは吉元反対の急先鋒だった。吉元さんは大田さんの後を継いで知事になるだろうから早めにつぶした方が良い、という考えだ。吉元さんが言ってましたよ。「沖縄の人はもっと大局的にものを考えなくてはダメだ。足の引っ張り合いでは（どうしようもない）。」まあ、その辺のことは私はあまり書きませんでしたけどね（笑）。

高野 それで結局は(基地返還アクションプログラムも国際都市形成構想も)SACO に吸収されて決着みたいなことになった。

江上 普天間基地返還や那覇軍港の問題も SACO の中に入った。しかし実行されなかった。辺野古湾の海上ヘリポート案もつぶれた。大田県政から稲嶺県政に変ったとたんに、政府は沖縄の要求を聞く姿勢がなくなり、米軍基地問題協議会も政策協議会も開かれなくなった。しかし沖縄の人の心の中には基地のない平和な島に戻りたいという気持ちがありますね。基地を返還させて平和な島を作りたい、それは沖縄だけではなくて他の地域、北海道でも日本海でもそれを実施して国際化に対応してゆく。米軍基地返還と国際都市形成構想は必要だ。構想は大学院大学設立などに受け継がれていった。一部は実現したが、構想の魂は沖縄の自立だ。東京一極集中ではなく沖縄は沖縄でやっていく。それが他の地方にも波及し、国際化に対応してゆく。そうした骨太の構造改革・制度改革が必要だと思う。復帰50年になるが、ますますこうした構想は再考されなければならない。

高野 問題は吉元さんのような強力なコーディネーターがいない現状で、もう一回こうした構想が蘇える可能性はあるんですか。

江上 若い世代にはいるのではないか。(元山仁士郎君から)県民投票の時にもう一度吉元さんに登場してほしい、と依頼された。しかし俺の時代は終わった、あなたたち若い世代がやってほしい、と吉元さんは言った。未知の若い世代からこれからの沖縄を担う人たちが出てくることを期待したい。

オール沖縄の針路
ミサイル戦争の危機

2021年7月26日

ジャーナリスト・東アジア共同体研究所理事 **高野　孟**

沖縄平和運動センター議長 **山城博治**

ジャーナリスト・映画監督 **三上智恵**

高野孟　今回は日米の南西諸島ミサイル基地化、また米軍の EABO 戦略―先島を戦場にする戦略など見ていきたい。台湾有事が間近という報道が盛んで、政治家の発言、国民の間にも「台湾有事を日本が放っておくわけにはいかない」という好戦ムードの高まりを感じるおかしな状況になっている。

山城博治　米バイデン政権が誕生し、にわかにきな臭くなった。沖縄周辺、東アジア、沖縄が戦場になる、それが当たり前でそうなって構わないというような日米の動きや報道がある。この流れを止め、反転させねばなりません。（民主党の）バイデン政権の危さは（オバマ政権下の）ヒラリー

国務長官の頃からあったが、バイデン政権になって、ジャパン・ハンドラーのマイケル・グリーンが日本の臨時大使に就くなど戦争屋の政権となる急激な動きは驚きだ。3月の2＋2に続き、4月の日米首脳共同声明では1969年以来50年ぶりに台湾問題に言及し、米国のアジア戦略「台湾有事」に日本も片棒を担ぐことが確認された。

＊ 作られた「台湾有事」

　山城　いわゆる「台湾有事」が必然ではなく、バイデン政権によって仕向けられ、作られた有事であること、イエスもノーもなく片棒を担ぐ菅政権の危うさを国民は認識し、台湾有事になだれを打つ動きに歯止めをかけねばならない。世界を二分する米中の大国がいがみ合い戦争になったら沖縄だけでなく日本全体、極東アジアが戦場になるという認識を持ち、これを止める努力が必要だ。

　日米首脳声明はそこまで明け透けではないが、日米の2＋2（外務・防衛閣僚）、副大臣、高官らは台湾有事の戦争準備を進めよ、戦争に入る、そして沖縄はその最前線にすべきだという激しい議論になっている。それを追うように日米のミサイルや軍隊が急激に入ってきている。とりわけ南西諸島の陸自ミサイル基地に大きな脅威を抱いている。沖縄が戦場になるという報道が異常なほど連日なされる中で、「沖縄を戦場にすることを絶対に許さない」、日米首脳、高官の発言を絶対に許さないと反撃を打つ議論や大衆運動に火が付かないことに焦りを感じている。再び沖縄を地獄にすることは許さない、そのような熱気をまず地元沖縄が噴き上げる。県政、県議会、全国の運動ともつないで、異常な日米の中国叩き、戦争も辞さない構えの今日のありようを変えていくための議論をしたい。問題を取り上げてきた三上さんの意見を聞きたい。

　高野　三上さん、戦争も辞さないという嫌な雰囲気をどうとらえてますか。

　三上智恵　この問題に関ったのは2015年からです。翁長県政が誕生しオール沖縄で辺野古新基地に反対し、私も山城さんも辺野古に通い詰めていた。その頃に宮古、石垣、与那国に今までなかった自衛隊が入ってくる、奄美、宮古、石垣には攻撃能力を持った自衛隊（ミサイル部隊）が500人とか800人とかの規模で配備される動きがあり、軍事ジャーナリストの小西

誠さんは「九州南部から南西諸島にかけて2万人まで膨らむ」と話していたが、まさにその勢いを感じる。

その前の段階で2010年ごろから国会議員の伊波洋一さんが国会で米軍の「エアーシーバトル構想」、オフショアコントロールを取り上げるのを聞いた。米軍の対中国戦略が第一列島線、私は日本列島を含むと考えますが、九州からフィリピンに至る列島線で

三上智恵

中国の太平洋進出を止める。そのために自衛隊が米軍の支配下に入る形で南西諸島配備を進めるという話だった。その頃私は、自衛隊が米軍の盾になり、沖縄にミサイルを展開するなんて県民が許すわけはないと思っていた。しかし2015年に宮古、石垣に自衛隊が来る、ミサイルが配備されるとなった時に、信じられないほど県内で反対の声が起きなかった。宮古、石垣の住民は悲鳴を上げ「SOS」を発したが、沖縄全体では大きな反対運動にならなかった。そこで私は宮古、石垣、与那国の取材に入り、山城さんにも「辺野古も大事だけど先島も大変」と声をかけたが、「辺野古でそれどころじゃない」と。15、16年と取材を続けて作ったのが映画『標的の島 風かたか』です。「辺野古、高江の問題と宮古、石垣、与那国の問題は一体」、「米軍と自衛隊を分けて考えては負けになる」と必死に映画を作った。

✳ あなたの服に火が

三上 全国で公開され、自主上映も数百回。しかしメディアは後追い取材をしてくれない。沖縄のメディアも、自衛隊が先島にミサイル攻撃能力を持ち配備されることは沖縄県民どころか日本全体の運命を変えていくという危機感を共有する人は少なかった。上映で全国を回りながら焦ったのは、「あなたの服に火がついているんですよ。米国は日本全体を米国の防波堤にしたいと思ってるし、そのために米軍は日本から出ていかないんですよ」と必死に訴えても、映画を見てくれた〝平和偏差値〟の高い方々でも、何割かの人は「いい映画ですね。沖縄は大変ですね」「いつか沖縄に行って助けたい」と従来の感想をおっしゃる。

高野 他人ごとなんですね。

DVD「標的の島　風かたか」

三上智恵著『風かたか』

高野孟共著『君の沖縄』

　三上　沖縄の問題でしかなく自分の問題ではないんです。「沖縄が大変になってから考えればいい」というタイムラグが感じられてならない。

　高野　50年前の本土復帰の年に、私は『君の沖縄』という本を連名で書いた。「本土復帰しても米軍基地は無くならないし、自衛隊の活動領域が一気に沖縄に広がる。自衛隊の南進が始まる。本土復帰を喜んではいられない」と書いた。

　三上　その本で書かれた自衛隊の南進、南西シフトが今、進んでいる。

＊ 米国内部の矛盾

　高野　台湾有事がクローズアップされたのは、米軍のデビッドソン・インド太平洋軍司令官が3月9日、米上院で「中国の台湾侵攻は6年以内の恐れがある」と証言し、日本の新聞でも大きく報道された。4月の日米首脳会談で台湾有事には日米ともに対処する約束が交わされた。麻生太郎副総理が「台湾有事でアメリカと共に戦う」などと、非常に危なかしい、日米が中国との戦争に突き進んでいくかのような発言が相次いでいる。

　しかし米国も台湾有事一本やりではなく指導部内部にも矛盾がある。状況をいかにめくり返していくか、米国世論に訴えることも一つの方法であり、米国の内部矛盾を認識する必要がある。

　インド太平洋司令官の「中国が6年以内に台湾侵攻」発言に対し、米軍制服トップのマーク・ミリー統合参謀本部議長は6月17日の公聴会で、中国の脅威について「中国が今世紀半ばまでに米国に対し軍事的優位性を持つ」としながら、「中国が台湾全体を掌握する軍事作戦を遂行する能力を持つにはまだ道のりは長い」、したがって「中国による台湾の武力統一が

高野　孟

近い将来起きる可能性は低い」、さらに重要なことは、「中国には現時点で台湾を武力統一するという意図も動機もほとんどない。理由がない」と非常に正常な判断を示している。

　中国はいざという時に米国に対抗する戦力は持ちたいと考えている。台湾が独立を宣言したら武力をもってでも統一する「一つの中国を守る」というのが中国の国是ですから。しかし1996年台湾危機で米国の空母艦隊が二つも来て手も足も出なかった。それから海軍力、中距離ミサイルを増強したが、それは武力で統一するためでなく、いざという時に張り子の虎ではいられないというのが動機だ。戦力が高まったから、すぐやるというものではないことを米国の軍人も良く分かっている。

＊ 台湾独立を支持しない

　高野　ホワイトハウスの熟練の外交官カート・キャンベル氏、米国家安全保障会議のインド太平洋調整官、アジア担当の最高の政策担当者は7月6日の講演で「我々は非公式ではあるが台湾との強力な関係を支持している」としながら、「しかし我々は台湾の独立を支持しない」と明言した。これも正しい認識だ。当たり前の話しで、ニクソン、キッシンジャーの米中国交正常化は、中国と外交を開く、「一つの中国」という中国の考えを尊重するということだ。台湾を国家としては認めないが台湾関係法を作って台湾との関係は維持した。「台湾問題棚上げ」が米中合意で、これを崩せば米中は戦争に突入する。だから「台湾独立を支持しない」と外交のトップは言っている。軍部はこれを無視するかのように台湾が侵攻されたら米軍が助けるメッセージばかり出しているが、政治・外交のプロからは米中関係の歴史に基づき、軍部に歯止めをかける発言も出ている。日本はトップに至るまで歴史を分かっていないのか、ずるずると米国が戦争に行く雰囲気なら、その方向で、となっている危険性がある。

＊ 危機を煽るメディア

三上　台湾有事の報道が盛り上がり、NHK や右
寄りの報道だけでなく、いわゆるリベラルの新聞ま
で「台湾有事に対処する即応体制で日米の調整が手
間取ると中国を利することになる」などと書いてい
る。日本が早く即応体制を作らねばまずい、などと
リベラルなメディアまで言い出して、国民も「（戦争
が）迫ってるんだ」と思ってしまう。高野さんの話
を聞くと、そこまで焦る必要はない、正しく見極め
山城博治
るべきだと思うが、メディアはそこに行ってしまっている。

　高野　新聞に米軍が日本列島から南西諸島、フィリピンに至る第一列島
線に対中ミサイル網の配備を計画していると大きく載せているが、批判的、
警告的にというのでなく、「早く調整した方がいい」、アメリカはこう言っ
てる、日本は早く対応すべきだ、みたいな書き方になってしまっている。

　山城　怖いのは NHK の報道で自衛隊の最高幹部が出てきて、台湾有事、
日本の防衛をあけすけに言う。それが沖縄のため、そうしないと沖縄が侵
略の被害に遭う、などと公然と言わせている。こういう報道が出てくると
手に負えない。まるで大本営発表、「いよいよ敵軍来たり、住民総決起す
べし」みたいな危機感をテレビが煽っている。恐ろしさを感じる。

　インド太平洋軍司令官の発言も丹念に読めば、中国軍の6年内侵攻に特
段根拠がないことが分かる。しかし米国の司令官がそういえば日本が騒ぎ
立てるのも当然だ。バイデン政権が発足し、それに合わせて米司令官がそ
のような発言をする。日本も対応すべきだと新聞が書き立てる。非常に危
うさを感じてならない。

　かねて思うが軍人、軍隊の戦争兵器だけで戦争はできない。戦争をする
ためには二つ必要だ。一つは正規軍としての軍隊、もう一つは三上さんが
指摘する住民の協力。国民の協力なしに戦争はできない。例えば今、「空
襲だ」といっても、住民が勝手なことをしていては戦争をできない。住民
を一定の方向に動員し従わせる戦前の様々な立法、有事法制が必要になる。
いま議論になっている土地規制法がまさにそうだ。先島にどんどん自衛隊
が配備され、辺野古に基地が出来たら戦争が始まりそうに感じるが、民心
を戦争に傾けることができなければ戦争を始めることはできない。そこに
火を付けようと日米で一生懸命になっている。「沖縄県民の皆さん、高を
くくっているとだめですよ。米軍、軍隊に反対ばかりしてると戦争の火が

付きますよ」とネトウヨのような論理で私たちにけし掛けている構図だ。ここを私たちは真剣に吟味しなければならない。

　先の米国のトランプ大統領はアメリカファーストと言い、アジアからの米軍の撤退を言っていた。大統領が変わったとたんに同盟重視だ、日米同盟強化だと言ってくる。この間の引いたり押したりを見ても、今なされている台湾有事対処の論議もこれしかないのか疑って見なければならない。トランプ大統領が世界に張り巡らした軍隊を本国に引き上げる、アフガンからイラクから引き上げ、戦争をしないと言ったことで、沖縄の米軍基地にも影響して米軍が撤退していくのかと期待もあった。それが元に戻った。

＊ 国の仕事は「戦争をしないこと」

　山城　1996年の SACO 合意についても最近、日米の高官が現在の状況にあっては「沖縄の負担軽減を見直さねばならない」と言い出している。つまり米軍は沖縄から撤退しない、基地の縮小もない、むしろ強化する、という。そういうことはおかしいし、日本人に訴えたいのは2016年、奥武山の球場で、亡くなられた菅原文太さんが仰ったこと。「国がやるべき仕事は、一つは戦争をしないこと。もう一つは国民を飢えさせないこと」だ。みじめな戦争、戦後の闇市をさまよい生き延びた経験からの言葉だったと思う。

　そう考えるとき、なぜいとも簡単に「SACO 見直し、在沖基地強化」などと言えるのか。中国が日本に迫り、艦船を並べて沖縄、九州を取りに来るという事態があるならともかく、あり得ない話、台湾と中国の、中国に言わせればあくまで中国の国内問題、そうであることは1972年に米国も日本も「中国が唯一の政府である」ことを米中、日中会談で認めてきた。そうした国際的な流れにかかわらず、今、「台湾海峡波高し」と米国が大騒ぎし、それが日本に飛び火し、この沖縄はミサイルの餌食になろうとしている。冗談じゃない、頭は確かか、と言いたくなる。

　冷静に考えて本当にそうなるのか。我が国は76年かけて自衛隊を認めさせてきたが、憲法に禁じられながら自衛のためと称する自衛隊が、なぜ台湾まで出かけて米軍と一緒になって中国と戦争をするのか。おかしくはありませんか、政府、国民のみなさん。基本に立ち返れば、米国から仕向けられても、私たちはそのような論理は受け付けない、冗談もほどほどにし

てお引き取りくださいバイデンさん、と言うべきではないか。沖縄からすれば76年前、大本営の戦争の防波堤になり十数万の県民が死んでいった。あの戦争には「国防」の名目があったかも知れないが、今の状況は国防でも何でもない。無理やり沖縄に居座る米軍が中国に出撃して戦争をするから反撃を喰らうだろうという話だ。沖縄側からすれば、そういう風に沖縄を巻き込むのであれば米軍さん、荷物を丸ごとまとめて、普天間も嘉手納もありとあらゆる基地を畳んで今すぐ出て行ってくれという話だ。沖縄に飛び火する戦争の種をまかないでくれ、沖縄の島々を戦場にすることは止めてくれと日本政府にも国民にも言わないといけない。

　それ（基地・戦争の事態）を（本土の）皆さんお引き受けになるのか。そうはしないだろうし、またそうあってはならないことだ。そうさせないためにも私たちはこの国の平和の在り方、戦後の来し方、76年前の戦争から何を反省し何を求めてきたかを考えるべきだ。今起きている世界の政治の舞台裏の駆け引きで沖縄が戦争の道具にされて戦場になることは真っ平だと声を上げたい。

　『週刊金曜日』で三上さんが土地利用規制法について見事な論理を述べられた。「沖縄差別」で括られると「沖縄が戦争になっても仕方ないね」とされかねない。それが沖縄差別と沖縄に基地を押し込める論理、隠された心情であろう。しかし沖縄の問題だけに留まらない、「沖縄かわいそう」ではすまない、日本全土も巻き込まれると三上さんは提起し、私もそう思う。中国と戦争をするというが、いま日本は輸入も輸出も中国が一番です。これから先中国が経済大国になるほど中国に頼ることになる。沖縄の観光経済もほとんど台湾、中国から来る観光客でもっている。ホテルも商店も、ありとあるものが（台湾、中国に）支えられている。それは悪いことではない。隣り同士の国が平和で友好的に行き交い、物流の交換があって双方豊かになるのは一番いいことだ。それを止めるようなことをなぜするのか。政治で大事なのは、戦争をしないこと、人々を飢えさせないことという菅原さんの言葉の真逆を行く今の政治の在りように大きな憤りと疑念を持つ。

　* 米軍の２軍となる自衛隊

三上　政府はすぐにも沖縄、南西諸島が戦場になるかのごとく言うが、

本当にそうなのか。情勢は刻々と変わっているが、2010年に米軍のエアシーバトル構想が出てきた背景には、中国のミサイルの飛距離が伸びた単純な事実がある。南西諸島に展開する米軍は最前線過ぎてミサイルが中国から届いてしまう。事あれば沖縄の米軍基地がハチの巣になるというので米軍の主力はグアム、ハワイまで撤退する方向になり、ここ（沖縄、南西諸島）に兵力を置き、先に死んでもらうのは自衛隊に、というのが明らかな米軍の思惑だ。この10年で自衛隊は完全に米軍の2軍の役割となり、なぜ自衛隊、日本の若者が米国の言うがままミサイルの標的となる所を預からねばならないのか、という怒りが私にはある。

　今年に入り米国政府、米軍幹部は、対中国のミサイル防衛網を第一列島線に敷くと言い、中距離ミサイルは「日本列島を含む」が、まずは沖縄か奄美に配備する、と言われている。中距離ミサイルは核弾頭も搭載できるが、日本本土となると秋田でも（イージス・アショアで）あれほど反対があり、沖縄本島か奄美であろうと。しかし沖縄本島にも大変な反対運動の力があるので、奄美ではないか、という見方が出ている。

　2週間前に奄美、瀬戸内駐屯地を見てきた。反対の声もあるが、一般の方から「奄美の9割は自衛隊に賛成」という声をあちこちで聞いた。特に駐屯地間近の集落は全然反対の声はない、と。軍隊が島に入るとどのようなことが起きるか、という体験が奄美と沖縄では全く異なる。沖縄のメディアは米軍基地や自衛隊との摩擦を連日のようにトップで報じている。軍隊と住民が同居すれば、どれだけ悲惨な事が起きるかということについて、沖縄と奄美では意識のギャップがある。米軍でなく自衛隊であれば日本の法律が通用し、やめてくれ、と言えばやめてくれるという自衛隊性善説、奄美出身の自衛隊員も多いということもある。そこで「奄美だったらやりやすい」ということで今年は7月頭に「オリエント・シールド」という日米合同訓練で奄美で日米のミサイル部隊が大規模な訓練をした。

✳ ジャイアン（米国）とのび太（日本）

　三上　米軍高官は「今日本が持っているミサイルよりいいものを持つほうがいい。提供するから買ってくれ。日本は能力があるから自前で開発してもいい。おもちゃじゃなくもっといい武器を持ちなさい」と言っている。日本発のミサイルで攻撃をさせられたら、中国は一義的に日本からの攻撃

に対処することになり、アメリカは即座の当事者にならないで済む。そういうことを米国は10年かけて巧妙に進め、防衛省も真に受けている。

　米国は対中国戦略の主語を「米国」から「日本」に変えようとしている。日本はアメリカの言いなりで一緒に対抗しようとミサイルの射程を伸ばし、高価な武器を米国から買おうとしている。これって、のび太（日本）がジャイアン（米国）のために「僕も戦うよ」と言ってジャイアンがのび太に「お前の武器はおもちゃじゃないか。ちゃんとしたのをやるよ。お前が主体的に（ミサイル）撃てよ」と言ってるようなもの。まざまざと米国の思惑に日本が乗っている。

✳ 中国の軍拡と「中国包囲戦略」

高野　1996年が事態の発端だ。95、96年の台湾海峡危機は李登輝が台湾総統であり初の民選総統選挙を打とうとした。圧倒的な人気の李登輝を中国は独立派と危険視し、けん制しようと台湾沖にミサイルを数発撃ち込む馬鹿なことをした。ただちに米軍は日本にいた空母機動艦隊、中東方面の機動艦隊を向かわせ、数日中に空母を中心とする二つの機動艦隊が台湾海峡に来た。中国は茫然とし手も足も出なかった。いざとなったら武力を用いても「中国は一つ」の国是を守る、その裏付けとして米国の空母艦隊に勝とうとは思わないがせめてけん制しストップをかけようと、そこから中国の猛烈な軍拡が始まった。

　目標は3つ。1つは空母を2隻は持つこと、これは実現しつつある。そして、米軍の主力である艦隊の後背にある米軍基地を一度に叩き潰すだけの中距離ミサイルを持つこと。2015年のランドコーポレーションの報告で中国のミサイル能力の図表から見ると、中国は96年段階で台湾と朝鮮半島に届くミサイルを数十発しか持たなかった。それをものすごい勢いで増やし2010年にはグアム・アンダーセン空軍基地に届くミサイルが数十発、フィリピン全土、沖縄ー日本全土に届くミサイルが数百発、台湾含め近海に届くのは数千発。2017年の予測としてはアンダーセン基地に数百発、日本・沖縄・フィリピンに数千発というように大幅に増強した。17年の予測から5年たち、さらに強化しているだろう。戦争が始まれば正面から空母艦隊で迎え撃ち、米艦隊の背後の米軍基地、自衛隊が一緒であれば自衛隊基地も一挙に一瞬にして叩くだけのミサイルを保持しているということだ。

この状況に対し、米国の元国防次官補でジャパンハンドラーの１人のジョセフ・ナイは「もう前線の基地は要らない。あまりに脆弱で使い物にならない」と言い、そこで山城さんが先ほどいった全部撤退論というのも出た。これに対し第一列島線にミサイルネットワークというのはジョセフ・ナイ的な考え方に対する軍人の側からの〝めくり返し〟なんですね。中国から何千発来ようとそれに対抗するミサイル網を築こう、足りないから自衛隊にもやらせようという話だ。その予算獲得のために「台湾が危ない」という話を盛り上げることになる。

　中国の軍拡目標に話を戻すと１番目の「空母の確保」と２番目の「ミサイル増強」、そして３番目は「米国との全面戦争」の覚悟ということになる。ミサイルを数千発撃ち合えば日本は灰燼と化す。そのような事態となれば米国との核戦争を覚悟せねばならなくなる。南シナ海の問題がまさにそれで、中国の核戦略原潜の基地は海南島にあり東シナ海は遠浅で出れないので、南シナ海に出て深い海に姿を隠す。それが中国の戦略であり、それを阻もうというのが米軍、日本や豪、最近は英、仏、独の欧州軍も加わろうかという中国軍の海洋進出阻止、中国包囲戦略だ。

　米国、日本の軍人の目から見れば中国の脅威が迫っているということになるが、中国はそれだけの軍事力を持ったからすぐ発動することにはならない。軍事は軍事だけで成り立つわけではなく、経済も外交も政治も絡んで全体の国益として中国はどうするかということだ。能力を持ったから発動するということでは当然ない。中国としてもそんなことをやりたくはないわけですから。

　三上　軍事フォーメーションの論議は、相手が力を持ったから当方はこうする。相手が絶対勝てない力をこちらが持つことが抑止力になる。自国のための軍備を持ってもただちに発動するものではない、というが果たしてどうか。日本はかつて、世界を相手に戦争に突き進むのを誰も止められなかった。東京オリンピックを無理に開催すれば医療が崩壊すると分かっていても、止められる人が国のトップにいない。開催中止を言い出した人が損をするのだから自分だけは責任を取りたくないという人たちばかりが偉い人たちの中にいる、ということをまざまざと目にしている。コロナ下のオリンピックに反対する人に対し、ここまで来て開催に反対するのはいかがか、という人もいる。「始まっちゃったから楽しめば」という声もあるが、私はそれは「戦争を始めたからには勝つしかない」と言うのと一緒

に思える。やめると言えない、やってしまったからには勝つしかないんだという論理も日本が戦争をやめることができなかった論理もそこにある。

✳ 国民をスパイ視する土地規制法

　三上　軍事フォーメーションを作ることが抑止力だと言うが、軍隊が配備される、法律が変わる、地域が変わる、そうした中で誰かが「発動する」と言ったときに、地域には止める能力はない。山城さんがさきほど触れてくれたように、私は重要土地規制法案を何としても止めたいと思い発言し、書いてきた。特定秘密保護法、共謀罪、土地規制法の三つは住民を監視する三大悪法で今からでも法律を撤回させねば住民が自分の首を締めることになりかねない。土地規制法の大きな問題は、国が国民を潜在的なスパイとみなしていることだ。軍隊の装備や作戦に口を出すような反対運動は最も迷惑だし、情報洩れがあっては国防は成り立たない、だからと、監視する対象として国民を見るところがある。国の国民監視は着々と進んできたが、今回の土地規制法案は国民を監視する主体が国ではなく、軍隊が国民を監視する、さらに次の段階の末期には国民が国民を監視する。土地規制法は国の情報収集を、総理大臣が主語となって、地域の警察、地方自治体、自衛隊、海上保安庁を含めて行政機関、執行機関が情報を上げる。調査に対し住民が虚偽の申告をしたら百万円以下の罰金が科される。
　例えば普天間基地を見渡せるアパートに私が住んでて突然、警察か情報保全隊が来る。「お宅の息子が米軍機の離発着をネットに流しているだろう。秘密保護法に違反する。署まで来い」と。私は母親ですから「息子はカメラを持っていない。持っているとしたら…隣りの長男では」などと恐怖のあまり言ってしまう。結局、隣近所が信用できなくなる。
　高野　戦時中の隣組ですね。
　三上　そうなんです。軍隊が来るということは軍事作戦がその地域の人権よりも優先され、そのことを許すことになる。この法律は地域の空気を変えてしまう。コロナ下で私たちは非常事態宣言に慣れてしまい、憲法に緊急事態条項を入れる話は大きな議論になるべきだが、今は緊急事態条項とかもっと強く縛ってという感覚が日本の大衆の中に浸透してしまっている。危機を煽られたときに一番大事な人権を手放してしまう集団の弱さ。抑止力を持つのは戦場にしないためだと言う人たちには、法律も空気もこ

れだけ変わって、それでも同じように言えるのか、ということを考えてほしい。

高野　「抑止力の罠」と言われ、米ソの核軍拡競争の中で互いを正当化する論理として出てきたが、抑止力は果てしもなく相手を上回ろうとし、米ソ冷戦終了時には米ソだけで地球を20回、30回と破壊してまだ余る核兵器を双方で持っていた。果てしない核軍拡の競争は止めようという考えが米ソ首脳の歩みよりの発端になった。その段階で軍人にとって誘惑的な抑止力の論理そのものを破壊すべきだったが、互いに減らしましょうぐらいに留まり抑止力論は生き残った。

三上　辺野古新基地に対し沖縄県、玉城デニー知事はオール沖縄体制の下で一枚岩で反対してきたが、なぜ自衛隊のミサイル基地への反対は大きな問題にならないのか。オール沖縄の「建白書」にそのことが書かれていないから反対できないと言われている。沖縄県の基地政策の中でどのように対抗していくか、山城さんの意見を聞きたい。

✳ 戦争はある日、突然に

山城　戦争が準備される現在の状況を県外の人々、県民がどの程度のリアリティーで受け止めているか。戦争なんか起きないでしょう、起きても沖縄の一部でしょう、大勢に影響ないんじゃないのという感性、あるいは沖縄の側にも、まさか沖縄に戦争来るわけない、戦後76年、米軍がいて何もなかったんだから、ということもあると思う。ですから私たち自身が認識をしないことには運動が広がっていくのも難しいだろうと思う。

亡くなった大城立裕さん（県出身芥川賞作家）の「亀甲墓」という小説で、ある日、どろどろどろーんと音が鳴った。艦砲射撃です。どろどろどろーんと音が鳴って、なんだなんだという内に戦争が始まった。切迫感はない。一般庶民からすると、そんなものかもしれない。ある日突然、雷が鳴って雨が降るみたいな、突然どろどろどろーんと音がして艦砲が落ちたという感じ。戦争が来るという実感はなく、持てない、あるいは持たせない。意識的にそういう報道もさせないのかもしれない。

私たちも言い続けてはきた。2007年に、当時の在沖米総領事ケビン・メアが、与那国島に米軍の掃海艇母艦2隻を引き連れてやってきた。私たちは那覇から与那国に行き祖納港で一晩中、タラップが下りないように座り

込み三日間阻止した。その後、ケビン・メアは石垣島にも行った。与那国でメアさんは友好親善で来たと言った。島の人たちも「友好親善で来たのを排除することはないだろう。お前たち帰れ」と、逆に抗議する私たちが追い返された。案の定、米兵たちは、なんた浜（与那国の海岸）でビーチパーティーを開き、島人にビール、牛肉を振る舞い、子供たちにお菓子を上げてお祝いをした。私たちは「宣撫工作だ。やがてこの島にも戦争が来る合図だ。気を付けよう」と呼び掛けたが、全く受け入れられず、孤立して押し返された。

石垣島では当時の大濱長照市長が移動市長室を港に置き、「米軍の掃海艇が帰るまでここにいる」、と気概を見せた。私たちはゲートに座り込み彼らを何時間も缶詰にした。そしたら、まさかと思ったが、ゲートの方から、座り込む私たちの後ろから来たケビン・メアが大股で私の上を越えて行った。「メアさんさー、いくら足が長いからって、いくら俺たちがちびっこだからって馬鹿にするな！」って頭にきて彼によじかかって引き止め、乱闘になり警察が割って入った。

その時も地元の人は「何でそんなに反対するんだ」と言ってた。今は市長になった（中山義隆氏）、当時の市議会議員が、座り込む私たちに「お前たち役所の職員だろう。年休は取ったのか。そんなことしていいのか」と言い、カメラで写真を撮った。

そうやって地元の人が何でもないと言っていたが、2007年に米軍掃海艇が与那国、石垣に入ってからあっという間に与那国に自衛隊基地が出来た。そして石垣市の現市長は私に「誰が石垣島に軍事基地が出来ると言ったか。証拠はあるのか」と言ったが、現に出来ている。宮古にも出来た。あっと言う間なんです。結局あの時代から基地建設の準備がされていて、私たちも時折、島に行って反対運動をしたけど、三上さんが言うように全体の盛り上がりがなかった。私も2014年からは辺野古に張り付き、自衛隊配備の問題があると思いながら見ていた。本当に申しわけない、つらい思いだ。

✳ 知事は戦争許さぬ気迫示せ

山城 そして今、どうするかという問題だ。ここまで新聞が明け透けに書いている。メディアが台湾有事があれば沖縄に（戦争が）来ると言っている。ということは中国のミサイルが雨あられのように飛んでくるという

ことだ。であれば県政が再びの戦争は許さないというメッセージをまず発信しなければならない。玉城デニー知事は、戦争だけは許さない、この沖縄で再びの地上戦は、私が知事でいる限り許さない、私がハンストをやってでも止めるというくらいの気迫で迫っていかねばならない。前の翁長知事ならそう言ったかもしれない。「ウチナーンチュ、ウセーランケー（沖縄人を馬鹿にするな）」、再び沖縄を戦場にはさせないという気迫で迫ったはずだ。だけど全く動きません。したがって県政も県議会も動きません。沖縄の政治家の最大の使命は戦争をさせないことであって、そのために全ての議員、政治家はいるはずだ。市会議員から県会議員、国会議員、県知事も含めてそうであるはずだ。それが不思議なくらいに押しなべて静かだということの意味を、我々は言わんとなりません。

　米軍ならノーだけど、自衛隊ならいいんですか。米軍の戦争には反対だが自衛隊の戦争ならいいのか、ということを言って、宮古、石垣、与那国の島々も私たちのかけがえのない沖縄の島々です。向こう（の島々）の戦争ならいいだろうという話ではない。向こうに来れば嘉手納にも飛んでくるんですから。まず政治家たるものの自覚が必要だ。私たち反戦団体も運動体も運動を広げる必要がある。みなさんにお叱りを受けるのは本当につらい。三上さんにお叱りを受けて頭を剃って帰りたいくらいです。そういう事にならないために県内の政治家、あらゆる政党が一丸となるべきです。

　オール沖縄がナンセンスと言うつもりはない。オール沖縄は当時の建白書、辺野古移設反対、オスプレイ配備撤回、地位協定の見直し、海兵隊の撤退まで言ったことは正しい。ただ政治の状況は折々変わる。今の状況はオスプレイではない。オスプレイは42機が配備され毎日飛び交っている。そして今、そのオスプレイが戦場に海兵隊や自衛隊員を載せて出て行こうとしている。そして沖縄島、宮古、八重山の島々に中国本土まで届くような自衛隊の改良型ミサイルが配備されようとしている。背後にアメリカのミサイルも配備される。ボタン一つで沖縄が地獄のような世界に陥ることが目に見えている。ならばここは声を上げて反対する。オール沖縄がもう一つ作られるのか、あるいは戦争を許さないもう一つのオールの組織ができるのか。オール沖縄が衣替えするのか、それをおいて別に作るのか。必要だと思います。それを急がなければならない。そこから全国に発信する。そうでなければ沖縄が黙っているからいいじゃないか、ということになりかねない。

高野　月間軍事研究で海上自衛隊の人が海兵隊出て行け、と書いている。陸上自衛隊が後はやるから海兵隊はいいと。「本土からの移駐にしろ陸自の輪番展開にしろ極端な負担にはならない。また自衛隊進駐なら沖縄も問題視しない」と書いている。沖縄も馬鹿にされたもんです。知事以下。アメリカはこのことを利用しようとしている。基地問題は日米一体になりつつある。辺野古もそうだ。米軍は辺野古は要らないと思っている。海兵隊は輪番でやってて常時いるわけじゃないから。辺野古に巨大な基地をどうしても造ろうというのは今や自衛隊だ。海兵隊がいずれ引くかもしれない。そうしたら丸々自衛隊のものになると陸自は思っている。陸自水陸機動団の一大基地になる。自衛隊の思惑を米軍は百も承知で奄美、宮古、石垣に自衛隊をどんどん配備しろと。必要な時には米軍も使えばいい、一緒になってやればいいと考えている。米軍、自衛隊は一体化しているんです。

　山城　政治家のみなさんには、かつての戦争もそうだが、山本五十六長官が「短期間なら大暴れしてみせる」と言って戦争に入った。勝てもしないアメリカ相手に大暴れしようと戦争をし、結局こてんぱんにやられた。同じ状況です。やがて米国も凌駕する経済大国の中国に対し、日本がどう戦うというのか。ネットを見ると自衛隊のF35が優秀だとか、沖縄に改良型ミサイルが配備されるとか言っている。聞きますが中国には何千発のミサイルがあるんですか。沖縄の嘉手納に何十発あるんですか。勝負にならない。やった途端にやられるわけですよ。状況を見ながらトータルとして政治家は判断すべきだ。いがみ合うのは分かる。米国の意向、日本の立場、中国の狙いも分かる。だけど政治家としての大事は戦争を起こさないこと。うまくまとめることだという認識に立ち、戦争は断固反対、和解のために互いに協力し互いに行き来することだ。沖縄県議会の全議員がそろって北京に行ってください。話し合ってください。戦争するんですか、やるつもりなんですか。私たちは毛頭戦争する気はありません、とやりとりをする中から始まるはずです。ただ怖い怖いではネット右翼のレベルと変わらない。

＊南西諸島を束ねる運動体を

　三上　オール沖縄が誕生した2014年の翁長さんは元保守で日米安保体制は是、自衛隊も容認だった。それをデニー知事が引き継いだ。オール沖縄

が「腹六分」で繋がるアイデアはとても良かったが、短期決戦用のフォーメーションでしかなかった。それが7年に及び、きしみが出ている。私は高江のことをやっていたが、建白書になく、辺野古にはみんなで反対できても、高江には反対ができず辛い思いをした。宮古、石垣の陸自問題も建白書にないので反対する人たち、政治家も非常に動きにくかった。オール沖縄というガラス細工を守るために対応が遅れる、那覇軍港もそう。オール沖縄を否定するものではないが、次の段階の動きを出していかねばならない。来年は選挙イヤーでもあり、新しい芽吹きをどんどん出していかないとジリ貧ではないか。二度とこの島を戦場にしない、島々を戦争に使わせないというキーワードで奄美から与那国まで、日本という島も含めて新しく繋がり直す何かを作っていかねばならないと思う。

山城 政治家が動かないのであれば運動体が先行して動かねばならない。動きます。南西諸島を丸ごと束ねるような運動体を作って戦争反対を言うことが必要です。先日、中山防衛副大臣が「覚醒せよ」と言った。日本は台湾を守るために目を覚ませ、と。沖縄の皆さん目を覚ましなさい、やがて戦争が始まりますよと。(編注　琉球新報によると中山泰秀防衛副大臣は米シンクタンクのオンライン講演で、台湾有事は近接する「沖縄に直接関係する」と発言。また中国の台湾侵攻に備え「目を覚ます」必要がある、台湾有事に「準備しなければならない」とし、日米が連携して台湾を守る必要性を訴えた)

当局がそこまで言うなら、私たちは真逆の意味で覚醒すべきだ。政府、権力者はやる気だぞ、戦争を始める気だぞ、と。辺野古だけじゃない、宮古から石垣から戦争が始まる。その時大慌てしないように我々の態勢を作ろうと。そして発信する。その努力をしないといけない。

高野 デニー知事を先頭にオール沖縄が一皮むけて、地域の戦略状況を全体にとらえて動き出すのがベストだと思う。デニーさんにその力があるのかどうか。そのくらいの力を持ってもらいたいという願望はある。

山城 高野さん、「やれよデニーさん」と言ってください(笑)。

三上 みなで支えていくと作ったオール沖縄であり、有権者の責任でもある。

＊ 有事想定する土地規制法

山城 一つだけ最後に。土地規制法の第9条。私には戦争法制のように

思えてならない。政府は宮古と与那国を特別注視区域に指定すると言っている。なぜ宮古と与那国なのか。それは宮古と与那国が有事にされる可能性が高いし、政府もそのつもりではないか。戦前のように様々な戦争の法制があれば住民に動くな、こうしろと指示ができる。しかし今は何もない。憲法で国民の権利が優先されている。戦争はその国民の権利を封印しなければできません。基地機能には二種類ある。平時と戦争・有事の基地機能だ。戦争が始まれば基地機能を妨害させない、住民に動くなとか自衛隊の命令で向こうに避難せよ、と動かす必要がある。ところが今、その法律はない。戦争が始まっても、私の勝手でしょうとなる。一歩たりとも家を出るな、総員Ａ地点に集まれ、という強制力がないと戦争はできない。与那国、宮古を特別注視区域に指定して有事を惹起しても、有事にならない。人々が車で走り回る、夜は浜辺で宴会では戦争にならない。そのために施設機能、阻害する行為、すべからく軍隊の言うことを聞かないのは阻害行為だということにしてしまえば、どんな規制もできることになる。奥の手として宮古、与那国を区域指定し有事に規制をかける、そこまで政府は用意しているのではないか。私たちはしかと受け止めて、そのようなことはさせない決意が必要だと思う。

　高野　月刊『軍事研究』に日米が一体となる先島防衛が書かれている。「戦場となる候補の島嶼においては地方自治体の主導で住民の保護のための計画を作成し、住民、警察、自衛隊、および米軍を交えた訓練を行って万一の事態に備える必要がある」という。住民を巻き込み、米軍も一緒の避難訓練までやるという。しかし机上の空論、避難している間にミサイルが降ってるんだから。

　三上　実効性ある国民保護計画はどの島でも全く作られていない。瞬時に何万人を島から脱出させる方法もない。訓練をして軍隊のいう通りに動かそうということだ。沖縄戦後に沖縄戦の反省を基に防衛省が中心となって作った自衛隊の教科書には、住民を戦闘が起きていない地域に移動させることができなかったことで被害が増大した、知念半島を攻撃から逃れられる場所としたのが遅かったという判断があり、今度、戦争をする時には住民をいち早く移動させることを想定している。

　高野　そもそも宮古、石垣、与那国に自衛隊も米軍もいなければミサイルが降ってくる理由がない。自衛隊や米軍が出て行って構えを取るから攻撃されるということだ。

山城　日米のトップが米中日戦争はありうると言い、その戦場は沖縄、先島だと公言している。南西諸島のミサイル基地・部隊の中枢、総司令部は宮古にある。宮古島は平べったい島に5万人が住んでいる。逃げ場がない。山もなければ川もない。そこにミサイルが飛んでくる。政府の責任者はオリンピックをやめてでも戦争の動きを止めることを最優先すべきだ。宮古はかわいそうだ。与那国もそうです。沖縄島（本島）にいる者として宮古、石垣と連帯し合う、孤立はさせないという思いです。

南西シフト・台湾有事　メディアは闘う

2021年8月29日

琉球新報報道本部長　**新垣　毅**

沖縄タイムス編集委員　**阿部　岳**

《司会》**新垣邦雄**(東アジア共同体研究所　琉球・沖縄センター事務局長)

　緒方修（琉球・沖縄センター長）　自衛隊の南西シフト、米軍の列島線へのミサイル配備計画、台湾有事への米軍、自衛隊の関与の問題など沖縄周辺の軍事的な緊張が高まっています。本日は沖縄の2大紙、沖縄タイムスと琉球新報の敏腕記者お二人をお招きし、沖縄センターの事務局長を司会に、こうした問題について存分に語り合っていただきます。

　司会・新垣邦雄（事務局長）　4月の日米首脳会談の後、麻生太郎副総理、防衛副大臣などから「日米で台湾を守る」などの発言が相次ぎ、最近は菅首相が台湾有事と絡めて「沖縄を守る」と米誌のインタビューに答えた。我部政明琉大名誉教授は「米軍が台湾有事に関与すれば、嘉手納など

米軍基地のある沖縄は最初の標的になる」と話し、軍事専門家は自衛隊が台湾有事に関与すれば、「沖縄だけでなく本土も巻き込まれる」と指摘している。菅政権、自民党は「台湾有事」への日米共同対処に前のめりだが、国民も世論調査などを見るとけして反対意見が多数と言える状況ではなく、前回の鼎談で高野孟氏は国民の間にも「好戦ムードが高まっている」、そのような雰囲気を感ずると話していた。日米政府が「台湾有事」の危機感を煽り、「台湾を守る」のが当たり前のように言い立て、本土の新聞やテレビのメディアが無批判に「日米が緊密に連携する必要がある」などと同調的に報道し、「台湾を守れ」という世論、沖縄が犠牲になるのも仕方がないと当然視する雰囲気が高まっている。こうした状況に沖縄の新聞はどう抗い、メディアはどう闘うかというのが今回のテーマだ。お二人の現状認識、沖縄の戦争の危機についての意見をうかがいたい。

　琉球新報の新垣さんは2019年にロシア関係者に取材し、米国が米ロのINF条約（中距離核戦力全廃条約）を破棄したのに伴い、沖縄を含む日本などの列島線に中距離ミサイルを配備する計画があることをスクープした。また最近、陸上自衛隊は沖縄本島に地対艦ミサイルの配備計画を発表した。台湾有事を巡る動きをどう見るか。

✴ 偶発エスカレートし核戦争にも

　新垣毅　台湾有事にどのようなイメージを抱かれるでしょうか。沖縄戦のように住民を巻き込む地上戦、肉弾戦のイメージ。あるいは航空部隊が艦船を伴って軍隊が最新兵器で交戦するイメージか。具体的にイメージすることが非常に大事だ。私の取材の中では、台湾有事はいくつかの段階が想定されていることが分かっている。一つは突発的な衝突。衝突を防ぐホットライン、連絡網が日本の防衛、中国との間にあり、偶発的な衝突を避けようということもある。片やそうした小さな衝突だけでなく、海洋の権益、南西諸島や南シナ海の航路などの権益を守るために限定的な衝突を想定する段階もある。三つ目が一番怖い。核兵器の搭載も可能な中距離ミサイルで撃ち合う核戦争です。

　台湾有事をどうとらえるかということだが、劇的に世界が変わったきっかけは2年前の8月2日、中距離核戦力全廃条約、INF条約が米ロの間で破棄されたことが大きな転換機となった。1987年に米レーガン大統領とソ連

新垣　毅

のゴルバチョフ書記長が INF 条約を結んだ。中距離核戦力は大陸間弾道ミサイルと比べて中距離で核ミサイルを撃ち合うことで非常に悲惨な状況を生み出す。長距離ミサイルなら衛星でキャッチし迎撃することもできるが、短距離、中距離ミサイルは迎撃できない。互いに死滅するまで撃ち合う悲惨な結果を招くことは良くない、ということで80年代にヨーロッパで100万人規模の反対運動が起きた。それを背景に米ソが中距離ミサイルを廃棄する画期的な合意が INF 条約で、その時の合言葉は「核戦争に勝者はいない」だった。

　それがなぜ廃棄されたか。中国の台頭が大きかった。米ロ、米ソ2国間の INF 条約に中国は入っていない。中国は条約の穴をついて中距離ミサイルの開発、保有を増やした。それで米トランプ大統領は「米ロで中距離ミサイルを減らしても中国が増やせば戦略的な欠陥になる」と条約を廃棄した。ロシアは抵抗し、米国は「中国を条約の枠組みに入れたらいい」とロシアに求めたが、中ロ関係も微妙で一緒に中距離核廃絶ということにはならなかった。中国は国益を高める外交、安全保障戦略を展開し、むしろG2、世界を米国と二分する勢力に台頭する構想がある。世界の核の９割を米ロが保有する中で自国の持つわずかな兵器を増やすことで国力を高めるのが中国の戦略であり、条約の枠組みに入ることはなかった。

　話を台湾有事に戻すと、自衛隊の地対艦、地対空ミサイルを先島（宮古、石垣、与那国）に配備し想定する有事はどのようなものか。そこに米国が計画通り第一列島線、フィリピンから南西諸島の列島線に核兵器も搭載可能な中距離弾道ミサイルを配備すると、有事の場合に核戦争を意識せざるを得ない非常に厳しい状況になる。核の抑止力に頼り核配備競争でカッコつきの『平和』を維持できるのか。偶発的事態がエスカレートし核ミサイルが発射される事態が起きかねない。そのことを考える必要がある。

　司会　19年の INF 条約廃棄直後に米エスパー国防長官は地上配備型中距離ミサイルのアジア

琉球新報2019年10月3日

配備に前向きの意向を表明したが、その際、「核搭載でなく通常兵器」とことさらに強調した。米国はトランプ政権下で小型核開発に乗り出し、バイデン政権は「核の先制不使用」宣言を検討中という。4月の日米首脳会談は台湾有事に言及したが、バイデン大統領は日本防衛への核の使用も宣言した。こうした米国の言動は中距離ミサイルの沖縄、日本配備に向けて「配備するのは通常弾頭ミサイルで、核の先制使用もない」と布石を打つ伏線ではないか。核兵器の所在を明らかにしないのが米国の方針で、沖縄や本土に核搭載ミサイルを持ち込まない保証はない。8月17日の沖縄タイムス文化面に石原昌家沖縄国際大学名誉教授の寄稿「沖縄戦前夜到来　南西諸島の自衛隊基地建設　軍官民の共生共死再び」が載った。最近、このような投稿、論壇が多い。県民は「再び沖縄戦が起きかねない」と危機感を抱いている。一方で、沖縄の危機感が本土に伝わっていない。鼎談前に山城博治沖縄平和運動センター議長からメールがあり、東京で有識者も出席する日本の政策課題のシンポに参加したが、南西シフトや台湾有事は話題にならなかったという。沖縄タイムスの阿部さんは意識のギャップをどう見るか。沖縄で記者になった経緯についても。

✻ 沖縄だけで終わるのか

阿部岳　東京の出身でタイムスは1997年入社です。大学生だった95年に米兵による少女暴行事件があり、沖縄の問題を本土も考えるべきだと考え本土が基地を押し付ける沖縄で新聞記者になった。

　沖縄と本土の意識のギャップは明らかにある。沖縄戦はあったが本土決戦はなかったという構造でも明らかなように、沖縄で問題が起きても本土には関係しないという考え方があると思う。同じ台湾有事を語るにしても、東京、ワシントン、北京もそうだと思うが、どこか勇ましく、米国の軍人

阿部　岳

（インド太平洋司令官）が「6年以内に中国が台湾侵攻」と言ったのが（台湾有事問題の）きっかけになったが、「それなら多少の犠牲はやむを得ない」と東京が言い、北京も「何を」と応じる。「多少の犠牲」というのが沖縄や台湾の人々の犠牲であって、（東京には）自分が犠牲になるという切迫感はない。そうした人たちの「勇ましい議論」の危うさをすごく感じる。

私は現場を這いまわる記者で国際政治は分からないが、沖縄でできることはここに人々が暮らし、あなたたちが言う有事はここに暮らす人々が死ぬことであること、また「本当に沖縄だけで終わると思いますか」ということ。新垣さんが核戦争の話をしたが、台湾有事がもし起きて、それが限定的な戦争で済むのか。限定的であれ起きてはだめだし、国と国の大きな戦争に発展することもありうる。もっとリアリティーのある議論をしてほしいと私は思っている。

司会 昨年12月、当センターは『虚構の新冷戦 日米軍事一体化と敵基地攻撃論』（芙蓉書房出版）を刊行した。6月に東京で自衛隊南西シフトのシンポを開いた。沖縄だけでなく東京で問題をアピールする狙いだったが、そのさなかにイージスアショアの断念、敵基地攻撃論が急浮上し、その問題も含め本にした。その東京でのシンポに参加した新垣さんは「米国が日本を守っているのか。日本が米国を守っているのではないか」と問題提起した。日本人は戦後ずっと「米国（軍）が日本を守っている」と考えているが、実は日本は米国の防波堤ではないか、という指摘だ。あらためて新垣さんの意見をうかがう。

新垣 邦雄

☀ 日本は不沈イージス艦

新垣 米国の軍事レポートに、「日本列島は不沈イージス艦」の記述がある。米本国から見ると、脅威とみなす中国を海洋から覆い被さるような日本列島、南西諸島の形状になっている。そこに戦力的に軍隊、兵器を配備することで米本国にミサイルが届く前に日本、東アジアの局地的な戦争で終わらせるという米国の戦略が立てられている。分かりやすい例が北朝鮮のミサイル発射実験をしたときに、日本を飛び越えて太平洋に落ちても米軍は黙認していた。しかしハワイやグアムに届くような弾道ミサイルを開発するのは絶対に許さないと本格的な交渉に乗り出した。要はハワイから米本国の防衛を非常に重視し、日本列島まではいいでしょう、という米国の姿勢が見えた。「本当に米国は日本を守る気があるのか」ということを国民は真剣に考えるべき事態だったがスルーしてしまった。

核搭載可能な中距離ミサイルを日本にも配備する米国の計画は敵基地攻

撃論と親和的な関係がある。中止されたイージスアショアは飛んできたミサイルを撃つ迎撃ミサイルだ。敵基地攻撃能力はこちらから敵基地まで届く攻撃型ミサイルであることが味噌だ。それはまさに中距離弾道ミサイルと一緒だ。退陣前に安倍前首相が「敵基地攻撃能力を持つべきだ」と提唱した。菅首相は慎重に見えたが、「台湾有事」がにわかにクローズアップされ、日米首脳宣言で言及され、防衛白書にも明記された。中国脅威論によって敵基地攻撃能力が盛んに議論される可能性がある。敵基地攻撃論の問題点は、平和憲法の理念や趣旨を逸脱する形で戦略が進められていることだ。安保法制も憲法違反と言われ、自民党の改憲案は九条に自衛隊を明記する。憲法を逸脱し暴走する形で安全保障の議論がなされている。日米の軍事一体化が進み、敵基地攻撃が核弾頭も搭載可能な形にまで行き着きつつあるいうのが現実だ。それを抜きに台湾有事の危機は見えてこない。

　司会　昨年にわかに敵基地攻撃論が浮上し、昨年末には安全保障政策に位置付ける方向性とも言われたが、うやむやなまま南西諸島への陸自の改良型ミサイル配備、射程を中国本土に届くくらいに延長する計画がなされ、予算も付いて実体化している。米国も列島線へのミサイル網配備を明らかにし、国民を置き去りに敵基地攻撃能力の先取りが進んでいる。阿部さんは今年、辺野古新基地への陸自水陸機動団の常駐に日米防衛当局が合意していた事実をスクープし、併せて石破茂元防衛大臣に問題をインタビューした。自民党総裁選出馬も取りざたされ、次の総理大臣になるかもしれない方です。取材の経緯と問題についてうかがいます。

＊ 日米のミサイル配備進む

　阿部　辺野古の新基地は普天間飛行場が移転するわけで米海兵隊の航空部隊が移駐する計画だ。そこに実は陸自の〝日本版海兵隊〟と言われる水陸機動団が移ってくることに日米の軍事トップが2015年に合意していた。象徴的なのは今後、沖縄の、全国もそうだが、どこにある基地も、米軍のためと言われ造られている基地であっても自衛隊が使うし、自衛隊のためといわれる例えば宮古、石垣の基地であっても米軍が必ず使うことになる。辺野古新基地の水機団常駐はその象徴となる。辺野古の場合は海兵隊と陸自が連携を深める中枢の拠点になるということだ。

　米海兵隊は時代遅れと長年言われている。敵前上陸の作戦が役に立たな

いとも言われ、必死に生き残りを考え
る中で海兵隊はミサイル部隊を導入し
ようとしている。実はミサイル部隊の
導入は陸自が先にやっていることで、
まさに宮古、石垣、奄美とミサイル部
隊の配備を進めている。陸自の人たち
は海兵隊が真似してきていることを自
慢に思っていて、海兵隊が先生だと
思っていたが、海兵隊が我々の真似

沖縄タイムス2021年1月25日

をしている、と誇らしげに言っている。いずれにしろミサイルを通した日
米の一体化、オスプレイ、水陸両用車を使った訓練の一体化を象徴する辺
野古新基地が造られている。馬毛島も自衛隊基地という名目だが、実際は
米軍の使用が中心になる。琉球弧全体が日米両軍の、今は海兵隊と陸自の
話だが、今後は米陸軍、空軍などいろんな部隊が加わってハリネズミのよ
うにミサイルを配備していくその一環の話と理解している。

　司会　石破元防衛大臣のインタビューで持論だと思うが、日本の防衛は
自衛隊が担うべきであり、辺野古基地の自衛隊管理についても話していた。
今後の防衛政策の方向性、基地の管理は自衛隊が行い、米軍も使えるとい
う重要な考えを引き出したと思う。

　阿部　石破さんは陸上自衛隊辺野古駐屯地にすべきだ、そこに海兵隊が
間借りする形を取るべきだと話していた。中谷元元防衛大臣も同じような
ことをよく仰る。あたかも自衛隊が管理すれば地元との摩擦が減り、米軍
のやりたい放題もなくなるという幻想があるが、自衛隊が管理したとして
も、米軍のやりたい放題は地位協定上何も変わらない。厚木飛行場は自衛
隊が滑走路を管理しているが、周辺は爆音訴訟が起こるくらいうるさい。
自衛隊管理で米軍のやりたい放題が抑えられるというのは、ためにする議
論、まやかしではないか。石破さんは軍事通と言われ、インタビューで軍
事オタクと言ったら怒られましたが、軍事通の石破さんには申しわけない
が、ちゃんと理解していないか、雰囲気で言っているのではないか。中谷
さんも同じだ。

　司会　辺野古の自衛隊の共同使用の話が出たが、宮古、石垣の自衛隊基
地を、列島線にミサイル網を計画する米軍が使用する可能性について新垣
さんはどう見るか。それと最近の日米の軍事一体化、訓練が緊密に頻繁化

している。さらに日米だけでなく最近は豪、英、仏、独の軍隊もあたかもNATO の対中国アジア版のような形で合同演習に加わり盛んに行われている。なぜヨーロッパの国々の軍隊までアジアのこの地域まで出てくるのか。台湾問題が隣りの日本、中国にとって問題であるとしても、ヨーロッパの軍隊も来て中国をにらんで訓練を一体になってやる。どういうことか。

✳NATOも中国包囲

新垣 まず自衛隊と海兵隊の基地共同使用の問題だが、最近に始まった話ではなくオバマ政権時から莫大な軍事費の削減策として日本の自衛隊の存在を利用しようということがあった。その考え方で海兵隊も新たにリニューアルして、阿部さんのお話のようにミサイル部隊を持ったり、以前の殴り込み部隊とは異なる役割に変えていく動きにある。人員は減らすが兵器はリニューアルし機能を高め、さらに自衛隊と一体化し効率性を高める狙いがアメリカの戦略にはあると思う。そうしながらトランプ政権以降、中国包囲網を本格化させてきた。その一環として軍事演習を同盟国と行う中で、米軍と自衛隊の合同演習も非常に増えているという流れが一つある。

　もう一つ NATO 軍の参加の問題。ヨーロッパからわざわざ艦船を派遣し日米と合同演習をするようになってきた。先日はイギリス最新鋭空母のクイーンエリザベスが来て日本周辺で日米、オランダも加わり共同訓練を実施した。これはもちろん中国を意識した訓練で、海洋権益を守ろうと各国で中国を包囲しけん制しようということだが、米国の戦略としてヨーロッパを中国包囲に巻き込んでいこうという大きな狙いがある。膨大な軍事費を互いに持ち合うこともあるだろうし、米国は中国とロシアの関係が緊密になることを嫌がっている。ヨーロッパは中国には地理的に面していないが、ロシアに面している。中国だけでなくロシアも含めてけん制していこうという「中ロ包囲網」的なことを米国は狙っているのだと思う。特に北極圏の海洋権益に各国が神経を尖らせ、太平洋だけではないグローバルな海洋権益の問題でもある。逆に言えば米国の国力の低下を示しているかもしれない。バイデン政権のトランプ政権との大きな違いとして、二国間交渉でなく多国間の同盟関係を大事にするグローバル戦略の変化があり、中国・ロシアをヨーロッパも一緒に包囲していこうという中で、一番ホットな所として台湾がクローズアップされているのだと思う。

司会　南西シフト、台湾有事にも関連して土地利用規制法の問題を聞きたい。特定秘密保護法やドローン規制法も含め、沖縄を重点地区とし、台湾有事に向けて国民、県民の反対運動を抑制・監視し、有事となれば国民を動員する戦争法と見る批判がある。阿部さんは土地利用規制法についても記事を書かれている。

＊ 守りから攻めの「土地利用規制法」

阿部　一連の流れの中で2013年に特定秘密保護法が成立したが、これは軍機とか軍事秘密をキーワードとして考えると、軍事費密を漏らした人、官僚や軍人を厳しく処罰するいわば守りを固める法律であった。その後の改正ドローン規制法は基地の周りをドローンが飛んで基地を撮影するのを防ごう、禁止しようという、これも近づいてくる人を排除しようという法律だった。この改正ドローン規制法の時に私は、要塞地帯法に似ているということを専門家の知見を借りて記事にした。つまり要塞、軍事基地に近づき写生したり写真を撮ってはいけないというのが戦前の要塞地帯法だったので、改正ドローン規制法との類似点を書いた。

今回の土地利用規制法は、数段進んでいて、いま運動が弾圧されるという話があったが、運動していなくても基地の周りで暮らしているだけで規制がかかってくるということで、国から見ると軍事機密を守るために、守りから攻めに転じた、というような法律だと思っている。そこに暮らしていて基地の機能を阻害する行為を禁じる。暮らしいなくても出入りしているだけでも規制の対象になる。その機能の阻害行為というものが何なのかということが、いくら尋ねても分からない。で、もし言うこと聞かないんだったら出て行ってね、と。その場合は土地とか買うから、という仕組みまでできている。

同じ専門家の方が仰ったのは、戦前の土地収用法というのが基地を造るためにいくらでも土地の収用が出来た。戦後はその反省の下に、土地収用法は基地は除外され対象になっていなかったのが、土地利用規制法は土地取り上げまで想定されていて、戦前の土地収用法に似ていると指摘をされた。それととても大切なことだが、宮古島などがそうだが、元々人が暮らしていたところに後から基地が出来てきて、周りで暮らす人々に「お前じゃまするな」、「じゃまするなら出ていけ」というのがこの法律だ。懲役 2

年以下、罰金200万円以下という思い刑罰が想定されている本当に恐ろしい法律です。

司会 台湾有事をにらんで自衛隊基地配備が進み、基地のないところに基地ができて周りの住民に規制が及んでいくといういうことで不安が高まっている。このような問題に対し沖縄県など行政、県議会などの対応はどうか。県民の反応はどうか。玉城デニー県政の対応も問われている。台湾有事に沖縄が巻き込まれかねない。特に自衛隊の南西シフトに対し玉城知事は丁寧な説明を求めるとはしながら、明確な反対を打ち出しきれていない。米軍基地の被害、事件事故には明確に反対するが自衛隊に関してはノーを明確に示せないということについてはいかがか。

阿部 オール沖縄そのものが辺野古反対の一点共闘で、辺野古新基地には反対する。辺野古基地には私も反対だしとても大事なことだ。しかしその枠組みが辺野古問題にしか有効でない。もっと言うと自衛隊問題だけでなく、高江のヘリパッド問題、私もずっと取材したが、これもオール沖縄という意味では反対ではなかった。米軍基地問題でもその一つである辺野古だけに有効な枠組みなので、自衛隊問題に期待するのはなかなか難しいと思っている。ただ難しいということと実際に造られていいのか、戦争に巻き込まれていいのか、ということは別だ。私は（宮古、石垣などの）自衛隊の新基地建設にも反対だが、それは既存の政治勢力とか政党、政治の枠組みとかの中で訴えていても始まらないこと。それはそれぞれができることをしていくしかないでのはと思う。自衛隊に対してものが言いにくいということがあると思う。でも一つ一つ、新しい危険性があるとしたら反対していくべきだと思っている。

司会 玉城県政は5月に政府に対して基地の整理縮小を求める要請書を出した。その中で在日米軍基地の専用施設の面積を「50％以下に」という目標を示したが、将来の目標をゼロにと提示すべきではなかったか。県議会は全海兵隊の撤退を決議している。「50％以下」ではいつまでも嘉手納基地と同居することになる。県が基地政策を諮問した万国津梁会議（柳沢協二委員長）の提言に沿った知事要請の文言は「日米安保体制を理解する」、「安保体制の維持を前提に」と安保体制がことさらに強調されている。これをどう見るか。

＊ 有事の犠牲も基地負担

新垣　米軍と自衛隊の強化が進んでいる。米軍、自衛隊は違う国の別の部隊（組織）のように見られるが基地負担とは何かを再考する必要がある。平時において米軍の事件、事故、有機フッ素化合物 PFOS の放出などを基地負担と言っているが、今日の議論で、いざ有事になれば核兵器一発で沖縄は壊滅的な事態になる可能性がある、そのような将来、沖縄が犠牲になる可能性を含めた基地負担であることを認識すべきだ。そうでなければ米軍と自衛隊がどんどん機能強化されていく事態に（県民、沖縄県は）対処できなくなる。

　自衛隊にものが言いにくいというのは、災害救助や急患輸送などの社会貢献もあり旧日本軍的なイメージが薄まったこともある。県内でも沖縄戦で激しい戦闘、地上戦がなかった先島では歴史認識の違いがあり自衛隊を受け入れやすいこともあろう。尖閣を巡る中国脅威論による自衛隊が必要ではないか、あるいは（自衛隊基地）どうせ出来るんなら経済振興を含めたものにという諦めムード含めた基地受け入れという感じもある。しかし自衛隊が配備、強化され、米軍の辺野古新基地が建設される共通性は、ミサイル部隊や米軍の中距離ミサイル計画含め大きな基地機能強化が飛躍的に進むということだ。有事となれば、核兵器一発で壊滅し、沖縄が犠牲となる可能性が高まっていることを含めて「基地負担」と認識すべきだ。

　玉城知事の「基地50％以下」の政府要請は根拠が明確ではない。県議会は２度、海兵隊撤退を決議している。在沖米軍の兵力で６割、施設面積の７割を海兵隊が占めており、「50％以下」の要請は、海兵隊撤退よりも後退したように見える。数字的な印象、半分くらいに減らせ、ということなのか。そうではなく基地の機能に着目し、自衛隊を含めた形でとらえ返さないと、沖縄が置かれる世界的な新冷戦（米中対立）の中に、どのような危機があるのかということを直視できないのではないか。

　司会　米軍と自衛隊が別ではなく、もはや一体化した危機をきちんと認識すべきだということですね。

　新垣　米軍と自衛隊を別に見てはいけません。

　＊ 沖縄戦以上の絶滅戦争に

　司会　私の危機意識では、自衛隊の離島奪還作戦、奪われた島を奪い返

す作戦で、石垣島の自衛隊の作戦の内部文書では、敵味方の兵員の「残存率」が30％となるまで戦う。そして恐らく米軍も含めてであろうが、自衛隊が増援し奪われた島を奪い返す計画を立てている。国会で県選出議員が追及し明らかにした。兵員の「残存率30％」、双方のミサイルが飛び交う非常な激戦で住民はどうなるのか。沖縄戦以上の絶滅戦争にならないか。防衛省は住民の「生存率」をどう試算しているのか。防衛省は具体的な作戦内容を住民に説明しないまま、米軍も一緒に離島奪還訓練を重ねている。地元紙はこうした日米の軍事作戦の具体的な内容も追及し明らかにしてほしい。

　新垣さんの米軍中距離ミサイル配備の報道は米国・米軍からでなくわざわざロシアに出張し、ロシアから引き出した。地方新聞の画期的な国際報道だと思う。琉球新報は東京新聞との紙面交換や山陰中央新報（島根県）との合同企画による新聞協会賞の受賞もあった。全国の地方新聞の連携も重要ではないか。

　新垣　ロシアからの情報で米軍中距離ミサイル配備を報じたことで「ロシアのプロパガンダに乗りアメリカの戦略をくじいてロシアを利する行為」などとネットで叩かれた。実はそもそもロシアに行ったのは、ゴルバチョフ元書記長の取材が目的だった。ロシアのインテリジェンス、諜報（情報収集）力は優れており、沖縄返還で沖縄から撤去されたとされる米軍の核兵器が本当になくなったのか。その情報を引き出そうと2019年9月にロシアに出張し、ゴルバチョフ取材も記事にした。

✳ ロシア大統領府から情報

　新垣　訪ロ取材は米国が INF 全廃条約を破棄（19年8月）した直後のタイミングで、ロシア大統領府の安全保障担当者にも面会した。彼は北朝鮮ミサイルへの対応を多国間でやりとりし米国の安全保障担当者とも通じており、米軍が沖縄を含む日本に中距離ミサイル配備を計画しているという情報を得た。金づちで頭を叩かれたような衝撃を受け記事にした、という経緯だ。「米軍は2年以内の配備を目指している」ということだったが、案の定、今年3月に米軍は第一列島線へのミサイル網配備を明らかにしたことと符号し、情報は正しかったと思う。米軍中枢の裏付け取材の議論もあったが米シンクタンクにも取材し確度が高いと判断し、記事を出した。

山陰中央新報さんとは合同企画『環りの海』(2013年、尖閣、竹島を巡る日中台、日韓の対立の武力衝突回避を提起した両紙企画連載)キャンペーン報道が新聞協会賞を受賞した。新聞がネットに押され取材の人員の問題もあり、ジャーナリズムが軍事機密に迫っていくためにはメディアが連携していかねば、新冷戦の事態に立ち向かえない。どの新聞も「戦争に加担しない」、「戦争をしない社会を作る」という共通理念があり、連携していくしかない。東京新聞ともそうだが、それぞれのテーマによって地方紙が連携していくことは大事だ。

✳ 共同通信との合同取材

　司会　沖縄タイムスの辺野古新基地の陸自水機団常駐合意のスクープは、共同通信との合同取材という点でも画期的だった。共同通信が新聞社と合同取材するのは初めてということでしたね。米軍機の低空飛行など全国にまたがる問題も多い。今後も中央メディアや地方紙との連携は重要ではないか。

　阿部　防衛省・自衛隊を25年以上取材している共同通信の石井暁編集委員との合同取材が実現した。辺野古に陸自が来る、という端緒情報をつかみ、一人で取材してみようとしたが、東京の陸自中枢で裏を取らなければならず、どうしてもできなかった。1年半たち、旧知の石井さんに「この情報を使ってください」と提供したところ、石井さんも以前同じ話を聞いていた。石井さんが一緒にやろうと打ち返してくれて、初の合同取材につながった。メディアはどこも経営が厳しく、記者は少なくなっている。メディアが弱くなり、権力は逆に強くなっている。秘密の壁を突破して、権力にとって不都合な真実を暴く調査報道はどんどん難しくなっている。組織の枠にとらわれず、信頼する記者、メディア同士が協力して、束になってかかっていくことがますます重要になるのではないか。西日本新聞と中日新聞がタッグを組み、佐賀県で起きていた愛知県知事リコール署名不正(アルバイトによる署名代筆)を暴いた報道もあった。私自身も今後も、中央、地方を問わず、連携を探っていきたい。

　司会　自衛隊南西シフトで先島に自衛隊ミサイル基地ができることに、沖縄本島の県民の反応が鈍いように感じる。大変厳しい言い方だが、地元紙の対応も弱くはなかったか。危機の認識を高める今後の紙面づくりにつ

いてはどうか。沖縄タイムスは今年、「防人の肖像」という自衛隊に焦点を充てた連載に取り組んだ。南西シフト・台湾有事を含めた問題意識があったと思う。今後の紙面展開をどう考えるか。

　阿部　宮古、八重山の自衛隊配備の新聞報道は弱かったと思う。宮古、八重山に記者は1人という物理的要因もあるが、私自身も一記者として辺野古、高江の米軍基地問題に取り組んできたが、自衛隊については弱かったと思う。そういう反省もあり、自衛隊の存在感が増し新基地が出来ていく中で、このままでは良くないという同僚の提起で『防人の肖像』の連載が始まり、私も何回か記事を書いた。自衛隊にまず向き合おう。1972年に自衛隊が沖縄に進駐して以降、自衛隊を取り上げるのは宣撫工作に加担するのではという議論が新聞社内であった。そういう名残で取り組みが弱い面もあった。だけど写真家の石川真生さんがよく言う「見ないからといってなくならない」。その間に自衛隊は存在感を増し、不発弾、救急搬送など県民の理解を得て行った。石川さんは「ちゃんと向き合え」と言うが、まったくその通りだ。昔、米軍は行政権含めた全能の支配者だったし今もPFAS、騒音など米軍被害に注力しがちだが、自衛隊問題は大きな問題であり、来年へとちゃんと向き合っていかねばならないと思う。

　司会　取り組みが弱いときつい言い方をしたが、琉球新報は昨年、今年の新年号で南西シフトの特集を組んでいた。それでも県民の危機意識を喚起できていないということです。来年の知事選もあるが衆院選挙も間近だ。選挙の争点づくりも新聞社の使命だと思う。それを含めた今後の紙面展開について新報はどのように。

❋ 隠された機密暴く

　新垣　ややもすると新聞は政局に沿って記事を書くことになりがちだ。辺野古が政治問題化しオール沖縄のような政治勢力があると書きやすい。先島の自衛隊配備問題は地元の首長がいち早く受け入れを表明し、議会も市長支持の与党の容認が多数を占めている。なかなか政局になりにくかった、という言い訳にしかならないこともある。

　そこで大事なのが新聞・メディアの政策点検能力だと思う。宮古へのミサイル搬入が問題になっているが、2019年に実は既に弾薬が搬入されていたことが報道で明らかにされた。当時の岩屋防衛大臣が謝罪し、持ち込ま

れた弾薬を搬出することがあった。そういう地元に隠された問題を一つ一つ暴いていく。地元が受け入れムードになっていても軍事機密が隠され、住民避難の国民保護計画がきちんとなされていないなど問題をあぶり出していくことが新聞社として大事だ。徹底的に住民の立場に立ち、有事の戦場となれば住民はどこに逃げるのかといった問題を根本的に突き付けていきたいと思う。

　来年に向けては衆院選、知事選挙もあるが、復帰50年の大きな節目となる。自衛隊（基地）に賛成か反対かという分かりやすい議題設定もあるが、将来の沖縄はどうあるべきかの将来像を経済を含め考えていきたい。例えば平和産業の観光を沖縄の基軸にするなら、自衛隊基地がどんどん作られ、米軍の辺野古新基地ができて、これが持続的に発展する沖縄の将来像なのかを根本的に問い直していく。来月は9.11米テロから20年になるが、あのとき沖縄は観光客が激減し、修学旅行も全てキャンセルされた。基地あるがゆえに観光にものすごい弊害がある。沖縄のトータルビジョンに自衛隊、米軍が居続けることがいいことなのか。そういう提起の仕方も考えていきたい。

✳ 県民の声を拾う

　司会　宮古、石垣市長が自衛隊基地を容認し政局にならず、新聞も報道しづらい。市長が「国防は国の専権事項」として受け入れ、住民投票も行われなかった。那覇軍港の浦添市移設に対し多くの県民が疑問に思い反対していると思うがなかなか、大きな声にならない。世論調査、県民意識調査など県民の声を拾い上げるのも新聞社の役割ではないか。復帰50年で県民の声を反映する紙面づくりを阿部さんはどう考えるか。

　阿部　新聞ができることはそう多くはないが、言われた意識調査などはその一つだ。なぜ普天間基地を移設する辺野古新基地建設はだめで那覇軍港の浦添移設はいいのか、ということもそうだし、自衛隊の新基地建設もそうだ。争点になるかは有権者が決めることだが、こういう問題があるということを県民に投げかけていくのは常に新聞社の仕事であり、そういうことをやっていかねばならない。

　司会　戦前の沖縄はいくつかの新聞社があったが戦時下で統合され、「大本営発表」になった。沖縄戦の犠牲を経験し、戦後の両紙は「戦争の

ためにペンを握らない」ことを綱領にしていると思う。新垣さんは「戦争に加担せず、戦争のない社会を作る」と話されたが、沖縄県民、政治家、新聞社にとって「二度と沖縄を戦場にしない」ことが使命だと思う。お二人がそのような思いで健筆をふるわれることに期待します。

　時間の制約があり鼎談の議論は以上で締め括った。司会を務めながら言い残した点として、①戦後、在沖米軍は朝鮮、台湾海峡、ベトナム、湾岸、アフガン、イラクなどの戦争・紛争に関与し、米軍は計画通りに実行した。過去の戦争は相手国に反撃能力がなく沖縄が報復攻撃に遭うことはなかったが、「台湾有事」で中国は十分な報復攻撃を有する。日米は沖縄・周辺地域を戦場と想定する作戦・訓練を重ねており、「台湾有事」に日米が関与すれば、沖縄戦以来、初めて沖縄が戦場になる現実性がある、②自衛隊は沖縄にミサイル部隊配備を進め、戦場を想定する訓練を重ねているが住民避難計画は示していない。東海第二原発訴訟の水戸地裁判決は「住民避難計画の不備と避難体制の不備」を理由に原発の運転を差し止めた。原発事故と同様に有事となれば住民の甚大な被害が予想される自衛隊、米軍のミサイル部隊配備に対して同様に「住民避難計画、避難体制の不備」を理由に基地建設や運用の差し止め訴訟が可能ではないか─ということを付記しておきたい。また、鼎談の議論を一部補足、修正を加えた。

（琉球・沖縄センター　新垣邦雄事務局長）

南西諸島の軍事要塞化の現状
―宮古島、石垣島、与那国島からのレポート

　島を守ることは不可能―これが古今東西の戦史から見た常識だそうです。―だからいったん奪われた後で取り返しに行く、というのが防衛省の「常識」のようです。何を取り返すのでしょうか？　攻撃を受ければ住民は逃げ場がありません。南西諸島への軍事要塞化が進んでいます。住民保護の視点はありません。

　ここでは宮古島からのアニメ解説、石垣、与那国の状況を現地からレポートして頂きました。

「南西諸島のミサイル基地配備問題」アニメ動画

宮古島

南西諸島ピースプロジェクト（楚南有香子）

（監修／小西誠）

※動画はインターネットで「南西諸島のミサイル基地配備問題」で検索すると視聴できます

1．南西諸島の紹介

　沖縄。亜熱帯でエメラルド色に輝く美しい海に囲まれており、世界的に見ても貴重な自然環境が残る。日本有数のリゾート地として有名だ。また太平洋戦争における激戦地としても知られており、兵士以上に多くの民間人が犠牲になった。

2．南西シフト

　現在、政府・防衛省によって沖縄を含む南西諸島一帯に大規模な自衛隊配備が急ピッチで進められている。いわゆる「南西シフト」だ。与那国島約200人、石垣島約600人、宮古島約800人、沖縄本島約8,000人、奄美大島約600人、種子島と馬毛島あわせて1,000人以上。当面の規模でもあわせて約1万人弱の大部隊がこの地域に配備される計画だ。なぜ日本政府は南西諸島に自衛隊を配備しようとしているのだろうか。

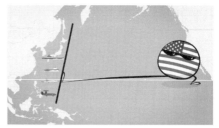

九州からフィリピン・ボルネオを結ぶ線　　　　　米のオフショア（沖合）コントロール戦略

　アメリカには「オフショア・コントロール」と呼ばれる戦略がある。その内容は、中国が太平洋に進出する際に通過しなければならない「第１列島線」と呼ばれるラインを封鎖し、その内側の海洋に中国を閉じ込めてしまうというものだ。

　それによってアメリカは有事の際、中国の世界貿易のほとんどを遮断できるだけでなく、アメリカ本土への核攻撃を心配することなく中国を攻撃できるようになり、戦略的に優位に立つことができるわけだ。

　アメリカの国防戦略の基本は、「外敵はアメリカ本土には寄せつけず、できる限り遠くの海洋で、あるいは敵領域において撃破してしまう」というものだ。

　アメリカは、2010年にはシンガポールに沿岸戦闘艦を配備、また2016年にはフィリピンに米軍拠点を置いた。南西諸島の島々に基地を配備する南西シフトも、このオフショア・コントロールに基づいたものと見られている。

３．基地を置くとどうなる？

　日本国内では中国の脅威ばかりが語られている。だが、この地域に基地を置いた場合のリスクはあまり語られない。では基地を置くとどうなるだろうか。

　ある国の脅威に備えて軍備を増強すると、その国も対抗して軍備を増強し、果てしない軍拡競争となり、かえって安全保障上のリスクが高まることを「安全保障のジレンマ」と言う。

　中国の南沙諸島海域の埋め立ての強行も、アメリカの中国封じ込め戦略に対抗したものであると言われている。東シナ海において経済的・軍事的に封じ込められようとする中国にとって、太平洋、インド洋への出口は南

アメリカ、日本の生けにえにされる沖縄

ミサイルが降り注ぐ中
島の中で逃げ惑うことになる

自衛隊に住民の避難計画はない

シナ海しかなくなるのだ。

　もし南西諸島付近で有事が起こるとどうなるだろうか。さまざまな資料を総合して実際の様相を検討してみよう。

　自衛隊はまず南西諸島のすべての海峡の水面近くから海底まで機雷を張り巡らし、中国艦艇の通過を阻止する。また奄美大島、沖縄本島、宮古島、石垣島には地対艦ミサイルと地対空ミサイルが配備される予定だ。南西諸島の海峡とその上空を通過しようとする艦船や軍用機を攻撃するためのものだ。

　もしこれらの島からミサイルが発射されたのなら、島はたちまち標的になり、戦場になる。いつ有事になるのか政府でさえ予測は困難なため、住民は島外に避難する時間はなく、ミサイルが降り注ぐ中、島の中で逃げ惑うことになる。この南西シフトは、はじめから南西諸島を戦場にすることを想定したものなのだ。

　自衛隊はかつての島嶼防衛戦の研究をさかんに行っているが、その研究の結論として、「島嶼の防衛は不可能である」としている。無数に点在する島嶼を防衛するのは、戦力を分散して配置せざるを得ないため、事前配備部隊のみでの敵侵攻部隊の撃破は困難なのだ。事実、歴史上において島嶼防衛戦が成功した例はない。

4．問いかけ

　南西諸島の島々を「防波堤」のようにして中国軍を封じ込めるこの「南西シフト」は、これらの島々を守るどころか、むしろ危険に晒すものではないだろうか。沖縄には日本国内にある米軍専用施設の70％以上が集中している。この米軍基地について、アメリカ元国防次官補のジョセフ・ナイはこのように述べている。

ジョセフ・ナイ（アメリカ元国防次官補）　　　岩屋毅（元防衛大臣）

「沖縄基地は中国に距離が近すぎるため、対中国では地理的優位性はなく、むしろ脆弱だ」

沖縄はすでに最前線に立たされているのです。アメリカと中国が戦争になれば、沖縄にミサイルが飛んでくるでしょう。それを考慮すれば、この地域の緊張を緩和する手段が講じられなければならないはずだ。しかし緊張を高める手段ばかりが講じられている。次の戦争が起これば、第二次世界大戦とは比べ物にならない事態になるだろう。

岩屋防衛大臣は「南西諸島は本土防衛の最前線」と言った。これは「本土防衛の捨て石になれ」ということに他ならない。アメリカと中国の覇権争いのために、南西諸島を戦場にしてはいけない。

【「南西諸島のミサイル基地配備問題」動画の英訳】

（監修／ダグラス・ラミス）

1. Introduction: the Nansei Islands ·············· Okinawa is located in the sub-tropical zone, surrounded by a beautiful sea shining in emerald blue, with one of the most precious natural environments remaining in the world. It is famous in Japan for its resorts. It is also noted as one of the bloodiest battlefields of WWII, with more non-combatants victimized than military.

What is the Nansei shift? ·············· Now, large-scale deployment of Japan Self-Defense Forces (JSDF) to the Nansei Islands including Okinawa is being rapidly carried out by the Government of Japan/Ministry of Defense. This is called the Nansei Shift. JSDF troops have been, or are scheduled to be, dispatched in about the following numbers: Yonagunijima Island 200, Ishigakijima Island 600, Miyakojima Island 800, the Main island of Okinawa 8,000, Amami Oshima 600, and Tanegashima/Magejima Islands 1,000. It is estimated that a force of almost 10,000 JSDF will be deployed. Why is the Government of Japan deploying the JSDF to the Nansei Islands?

2. China Containment Strategy Explanation ⋯⋯⋯⋯⋯ The U.S. has a strategy called "Offshore Control". This means containment of China within its nearby internal ocean by blocking the line called "the first archipelago line" through which China has to pass when progressing to the Pacific. This containment enables the U.S. in an emergency to block most of China's world trade and to attack China without worries of nuclear attack on the mainland of the U.S.. The basic rule of the U.S. Defense strategy is to destroy the enemy's military in oceans as far as possible from the mainland of the U.S. or in the enemy's territory. The U.S. signed a military pact with Singapore in 1990 which was renewed in 2019. In 2013 it dispatched the Littoral (ie. coastal waters) Combat Ship USS Freedom (LCS 1) to Singapore. (since then Singapore has commissioned its own fleet of eight LCS's. The Nansei Shift, the deployment of military bases to the Nansei Islands, is considered also to be based on this Offshore Control strategy.

3. What happens when a military base is set up? People focus only on China's threats to the mainland of Japan.The risks to the area where the bases are established are rarely mentioned. What will happen when a military base is set up? Military tension rises. ⋯⋯⋯⋯⋯ Military buildup threatening a certain country will trigger military buildup by the target country, leading to an infinite arms race, which will heighten rather than lessen security risk. This is called the "Security Dilemma". The forced landfill of Nansa Islands in China is also said to be in response to the China containment strategy by the U.S. For China facing the threat of economic and military containment in the East China Sea, the South China Sea will become its only exit to the Pacific and the Indian Ocean.

At a time of emergency ⋯⋯⋯⋯⋯ What will happen in the case of an emergency near the Nansei Islands? We will consider the practical situations by integrating various data. At first, the JDSF will mine of all channels of the Nansei Islands from near the surface to the bottom to inhibit passage of the

Chinese vessels. Besides, land-to-ship missiles and land-to-air missiles will be deployed in Amami Oshima, the main island of Okinawa, Miyakojima Island, and Ishigakijima Island. These are prepared to attack ships or military craft that try to pass the channels and sky of the Nansei Islands. The islands will be targeted and become battlefields once a missile is launched from one of these islands. Since the government of Japan cannot predict when emergencies will occur, residents will have no time to escape their island and will run about in a hail of missiles.

The Nansei Shift prefigures, from the beginning, victimization of the Nansei islands, as a battlefield.

Defense of the islands is impossible. ------------The JSDF is carrying out simulation research on the various island strategies, whose result is that "Defense of the Islands is Impossible." Since dispersed forces should be deployed to defend the widely scattering islands, it is difficult to defeat an enemy's invasion troop only with a pre-deployed troop. There are no historical successes in island defense battles.

4. Questions: Will the "Nansei Shift" which aims to block the Chinese military, using the Nansei Islands as a coast levee, rather expose these islands to greater risk? 70% or more U.S. military bases located in Japan are concentrated in Okinawa. For these U.S. military bases, Joseph Nye, the former US Assistant Secretary of Defense, says that the U.S. bases in Okinawa are so close to China that they are vulnerable. Okinawa has already been placed at the forefront. Missiles will be launched to Okinawa if a war occurs between the U.S. and China. Considering the situation, measures should be taken to ease the tension in this region. However, only measures that heighten the tension are being taken. The next war will cause an incomparably more devastating situation than in WWII. Takeshi Iwaya, Japan's Minister of Defense, said that the Nansei Islands are the forefront for homeland security. This just means that Okinawa should sacrifice itself for homeland (=mainland Japan) security again. We are anxious to avoid turning the Nansei Islands into a battleground in the struggle of the U.S. and China for supremacy.

与那国島

脅かされる住民自治
与那国島への自衛隊配備がもたらした負の遺産

南西諸島ピースネット共同代表 **猪股 哲**

ブラックボックスの中の町長選挙

　2021年盛夏8月。首都東京では新型コロナウィルス感染者が過去最大を更新し続ける只中、賛否両論入り混じったままの東京オリンピックが開催されていた。一方、日本最西端の与那国島では、2016年の与那国駐屯地開設以来二回目となる町長選挙が告示され、照りつける灼熱の太陽の下、いつになく熱を帯びた激しい選挙戦が繰り広げられていた。2005年より4期16年の長きにわたり、与那国町では外間守吉氏が町長を務め、その任期中に島内を二分する事となった一連の自衛隊配備問題の政治の中枢にいた。かつては盤石の保守王国として名を馳せていた与那国町でも、さすがの長期政権の間に鬱積した批判が内部から沸き起こり、外間守吉氏は後継を立てて、自らは退任することとなった。最終的にしぼられた町長選挙の候補者は糸数健一氏、前西原武三氏、池間龍一氏の新人3名で、構図としては保守分裂の前者二強が競り合う様相になり、革新の側は前回に続き独自の候補者を立てることは出来なかった。外間守吉氏の後任として立候補する前西原武三氏は、後援会長に前町長の外間氏を据え、自民党公認、公明党推薦の後押しを受けて、鉄壁の自民党スタイルで票固めを行い、町政の継承を訴える。一方、2017年の町長選挙でも同様の保守分裂選挙の候補者として戦い、前町議会議長であった糸数健一氏は、前回の町長選挙では、保革合同の革新票の受け皿ともなって、現職の外間守吉氏へ27票差に迫るも惜敗をしていた。その4年越しの再チャレンジが今回の与那国町長選挙であった。

　与那国島の選挙は、その投票率の高さが示すように、日本一苛烈な選挙と勇名も馳せたほど、金も脅しも飛び交う。国政選挙や議員選挙よりも最重要視されるクライマックスが、この町長選挙であり、与那国町内では選挙が近づくと異様な緊迫感に包まれていく。その選挙の告示日に、岸信夫防衛大臣は記者会見を開き、「2023年度までに与那国島への陸上自衛隊電

子戦部隊配備検討」と発表した。この岸信夫防衛大臣による記者会見の意図は計り知れないが、選挙期間中に飛ばされるネガティブ情報に戦々恐々としている選対にとっては寝耳に水だった。一旦は落ち着いたかに見えていた与那国島の自衛隊基地問題をあえて争点化させ、自衛隊基地建設を推進してきた両候補に踏み絵を踏ませて、どちらが勝っても民意は示されたと嘯く布石だろうか。とかくこの与那国島というところは、強力な中央集権国家の要求に次々と振り回され続け、国境の島の宿痾を背負わされ、自らの道を歩むことを許されないかのような圧力に支配されている。

　蓋を開けてみれば、新人同士の争いを糸数健一氏が628票を獲得し、前西原武三氏の506票に対して予想以上の122票の大差をつけて新人同士の争いを糸数健一氏が制した。保守分裂選挙の中で革新票の受け皿になるのかもしれないと目された池間龍一氏は、自衛隊基地のさらなる拡充に明確な反対を示しながら、第三の受け皿を狙うも55票にとどまった。これまでの与那国の町長選挙では、保守が強いとはいえ、革新の側も拮抗する勢力があり、今回のように大差がつくことはなかった。もちろん単純な保守革新というイデオロギーでの二項対立図式で、今日的な政治状況を説明することは、与那国島であっても難しくなっているのだが、自民党の看板を背負い、公明党の後押しを受けて、町長選挙の規模で戦う候補者は盤石で、付け入る隙がないというのがこれまでの不文律であった。

　結論から言えば今回の選挙は、これまでの16年の町政に対して反外間町長の旗を掲げ、保守革新の枠を超えて刷新を望む人々が想像以上に多く、地殻変動が満を持して起こったという印象だ。もちろんきれいごとだけではないのだが、与那国島においての「イデオロギーよりもアイデンティティー」を果たしたかのような高揚感に包まれている。しかしながら、現政権を倒すことを自己目的化してしまった感があり、そのために何をするのかという手段やプロセスが隠されたり不明確になっていく様も、方々で見られる危うい勝利ではあった。有権者にとって、投票先の選択肢の中に賛同できる候補者がいることは、投票という行為で明確な意思表示ができる機会になる。それゆえに候補者の選定のプロセスには、自薦他薦を問わず開かれた場での議論があってほしいと思うが、実際の所はブラックボックスの中にあってうかがい知ることはできなかった。

人口の15％を占める自衛隊票

　与那国島の未来を考える際に検証しなくてはならないのは、与那国駐屯地開設に伴ってどのような変化があったかを、過去も含めて経緯を見ていかなくてはならない。2016年3月に与那国駐屯地で発足した沿岸監視部隊の配備から、2020年11月の駐屯地グラウンドの完成を持って、ほぼすべての基地インフラの整備が終わり、防衛省が総事業費21億3516万円の全額を負担したごみ焼却炉も今年の7月には完成した。焼却炉も含めると与那国の駐屯地の基地建設費関連でこの島に投下された総額は400億円にものぼった。基地建設の最盛期には人口約1,500名の島に、時には600名もの建設作業員が溢れかえる狂乱を生み、与那国島の主要な産業であった観光業では、来島を計画していた観光客が宿泊場所も飛行機も取れず、断念せざるを得ない状況が数年間続いていた。土木建設業を中心に、与那国町に落ちる基地建設によるお金にすがってしまった結果、ますます依存型で旧来の体制を温存し、産業構造の変革に失敗してしまったと言わざるをえない。活気を呈していた建設ラッシュの一方、仕事を独占する賛成派と干される反対派という構図が出来上がり、島は二分。そして今日までの長きにわたり政治は空転し、賛成派と反対派のレッテルをお互いに貼りあい「歌と情けの島」と呼ばれていた与那国島の人間関係をも壊していった。

　2004年与那国町は、平成の大合併において住民投票を実施し、翌年「与那国・自立へのビジョン」を策定、合併はせず自立の道を選択したエポックメイキングな年であった。島民が一体となってに取り組むはずだった諸政策には、国境の島を最果ての島ではなく、隣の台湾などと友好関係を強化しながら、共に往来できる可能性を模索した画期的なものだった。しかし翌2005年には陸上自衛隊が北方機動特別演習を冷戦後の協同転地演習に改編し、九州・沖縄防衛を名目とした南方機動演習を開始する。その中で検討されたのが先島諸島への部隊配備であって、これがいわゆる「南西シフト」の原型となっている。その中で一番最初に狙われた標的の島が与那国島であり、沖縄が「本土」に復帰した1972年後に初めて沖縄に新設された自衛隊基地なのである。

　2016年の駐屯地開設に伴って、与那国町に転入した自衛隊員160名とその家族90名は、町全体の人口の約15％を占めるようになった。与那国島と

いうのは、語弊を恐れずに言えば、絶海の孤島にあって閉ざされた人間関係の中で生きてきた島である。そのような島でこれほどまでにドラスティックに島社会の構成員を変えるというのは、壮大な社会実験にも等しく、地元住民と新住民の常識や感覚が違うのは、私が移住者として与那国島で17年生活しているからわかることで、トラブルの可能性はいくらでも潜在している。配備後のメリットだけを強調してきた反面、現状には不満を抱えることも少なくない。例えば、初年度には子供連れの夫婦の隊員が地域の宿舎に赴任してきて、複式学級が解消されて子供たちが増えて良かったという素朴な喜びがあったりしたのだが、逆に年々子供連れの自衛隊員が赴任して来なくなると、どうしてなんだという声が沸き起こる。これに関して言えば、過疎化対策は自衛隊の本来業務ではないし、中国脅威論や台湾有事を盛んに政府も喧伝するのだから、与那国島への赴任はカントリーリスクがあると考える自衛隊員や家族の判断があってもおかしくはない。

　与那国駐屯地ができたあと、これらの新住民の投票行動はどうなるのだろう、という疑問は基地建設の前から懸念されていたことではあった。自衛隊配備前の2013年と配備後の2017年とで、今回の与那国町長選挙において、詳しく見ていけばいくほど、実質的住民自治が侵害されている状況が見えてくる。与那国町長選挙での投票率を比較すると、2013年が95.48％、新住民が加わった後の2017年が92.93％、今回の選挙が91.03％で予想を超えて高止まりをしている。2013年から2017年の間に有権者数は215名増加していて、人口の約16％を占める。この増加分を新住民の自衛隊票のものと考えて、元の住民がそれまでと同じ2013年の投票率だと仮定し、残りの新住民の投票率を割り出したところ、2017年が79.53％との数字が出た。投票率の高止まりを感じたと言ったのは、仮に新住民の投票が50％であったとすると投票率は88％まで落ちるからだ。加えて2013年と2017年の実際に投票に参加した、男女の別投票者の内訳のデータがあるので比較してみると、2013年が投票者数のうち（男性550名、女性527名）と陸自配備前なので男女比はほぼ中央値にある。だが、一方2017年の選挙では（男性700名、女性548名）と男性の数は150名の増加であり、与那国に配備された沿岸監視隊160名とほぼ重なる。さらに男性だけの投票率で見れば94.59％と突出している。以上から導き出されるのは、2017年の町長選挙において、与那国に赴任してきた自衛隊員はほぼ全員が投票したことを意味している。

公務員の中立が守られていない

　かつて防衛省の真部朗・沖縄防衛局長が、宜野湾市在住の職員や親族の名簿を作成させ、該当者を集めて「講話」をおこない投票を呼び掛けていたことが問題になった。それだけでなく過去5年に渡って名護市など「辺野古新基地建設」が問われた選挙などでも、同様の「呼びかけ」を行ってきたことを認めている。もし自衛隊員に投票しろと強制できる立場の人間がいるとすれば、一体誰なのだろうかと考えると、組織以外には考えようもない。防衛者・自衛隊内での、より上層部の関与があれば、政治的中立性に関わる国家公務員法だけでなく、自衛隊法にも抵触する。さらに言えば憲法92条の住民自治の本旨にも関わる重大な問題である。これらの自衛隊員の投票行動は与那国駐屯地に限ったことなのだろうか。こうした行為が新基地建設をめぐった地域で常態化しているとするなら、与那国駐屯地の後に開設された、奄美駐屯地でも宮古駐屯地でも同様のことが行なわれている可能性は否定できない。

　このような状況を背景に、与那国駐屯地開設後の選挙は、いずれも自衛隊員の投票行動を意識した選挙が行われるように、大きく変わっていった。これまで沖縄の選挙で日の丸が全面に出ることがほとんどなかったように記憶しているのだが、今回の選挙では両陣営とも日の丸を掲げて選挙戦を戦っていたのが、これまでの与那国の政治を見続けてきた私にはぎょっとして見えたのだが、これは自衛隊員へのアピールなのだろうか。日の丸に対する違和感は本土とはまったく違う、理由については言わずもがなで、軍民混交の壮絶な地上戦が行われた沖縄戦の記憶と深く結びついているからである。自衛隊を誘致した外間町政の継承を掲げる前西原氏の選挙ビラや公選ハガキには岸信夫防衛大臣、佐藤正久参議院議員とのツーショットを掲載し、プロフィールのトップには「与那国防衛協会理事」「自衛隊募集相談員」「与那国防衛議員連盟理事」と物々しい。その上、自らが引退した後の同日の補欠選挙には、わざわざ元自衛隊員であった市成寿次氏を町議補欠選挙のセットで戦う戦略をとった。一方の糸数氏は与那国防衛協会副会長として自衛隊誘致に中心的な役割を町議会議員として果たしてきたキーパーソンであり、今回の選挙戦では新設された与那国駐屯地の前で辻立ちを繰り返す熱の入れようだった。付け加えれば、糸数氏の選対本部長の与那原繁町議も、糸数氏が前回の町長選挙への立候補に伴って同時に

行われた補欠選挙で初当選した議員であり、こちらも元自衛隊員であるという点では、町長議員のセット選挙で全く同じ手法をとった。結果、現在の与那国町議会の議員10名のうち2名は元自衛隊員という構成になっている。

　この高い投票率を2〜3年のサイクルで島を去っていく、いわゆる転勤族である自衛隊員が、どのような地域理解と候補者を見極める情報や動機があって、何を総合的に判断して投票に及んだのかは不明だが、投票率の数字が物語るように、ほぼ全員が投票を行っている。全国の市町村の首長選挙での投票率は、田舎はともかく都会では30%切ることが珍しくない現状において、この集団の投票行動は、どうしても「動員」という言葉を想起せざるをえない。選挙においてこの新住民がキャスティングボートを握り、特定の候補者への動員が発覚すれば、島内からの不満の声が湧き上がるのは時間の問題である。このように数字で明確になっている投票行動を、問題視する動きが見えない一因に、保守分裂選挙ではお互いに黙認し合いながら自衛隊票を取り合う中で、批判する声は上がらないというのが原因としてある。かつての対抗軸であった革新の勢力が弱り、政治の貧困という土壌に与那国町民は喘いでいるのではないか。このような状況に決して馴致させられることなく、不正は正し、お互いが切磋琢磨するような政治の復活を望む。国家権力による地方自治への乱暴な介入は、実質的な住民自治の破壊であるとともに、南西シフトに伴って基地が新設される地域では、配備後も地元住民の間に対立の火種を残すことになり、現状では防衛省の目指す「基地の安定使用」とはほど遠い現状も自覚するべきである。

　今回の選挙全体の印象は、露骨に自衛隊票に媚びるあざとさが全面的に出ており、元の島民からすればどこを見て政治をしようとしているのか、しっかり住民と向き合えという声が出始めている。しかしながら、最も意識しなければわからないことは目に見える数字や景色ではなく、それぞれの住民の個々の悲しみや苦しみや葛藤が言葉にできないまま、国家権力に押し流されて複雑に絡まった糸が解けない塊として心の中にわだかまっているという、心の問題があるということだ。現在の与那国島から見えている問題点は、これから他の島々でも起こりうる先行事例であって、ゆっくりと浸透していく地域社会の軍事化は、住民の自治をも奪いつつある。南

西諸島全域を対中国へのミサイル「攻撃」基地へ作り変えると言う議論が国内国外から早くも出始めている。これら軍事エスカレーションによって、さらなる基地機能の強化を求められた時、与那国島の住民は平和的生存権を掲げ政治的に止められるかどうか、これまでの選挙や政治のあり方を見ていくと、とても危ういパワーバランスの中にあると感じている。

石垣島

島のどこにもミサイル基地いらない！

石垣島に軍事基地をつくらせない市民連絡会　**藤井幸子**

　私たちの反対運動は、2015年5月、防衛省が行った石垣島への自衛隊配備についての協力要請から始まりました。同年8月には個人加盟の「石垣島への自衛隊配備を止める住民の会」としてスタート、翌2016年秋には、「石垣島に軍事基地をつくらせない市民連絡会」が結成され、現在、市内の市民団体、労組、予定地近隣の於茂登、開南、嵩田、川原の4地区公民館など16団体と野党議員など個人が参加しています。

　私たちは、この間、配備計画撤回の署名を集めての防衛省要請、水や環境問題での県や石垣市への要請、市民への共感を広げるために配備問題についての市民集会、講演会や学習会、ビラの発行、街頭でのアピール、スタンディングなど取り組んでいます。　工事が始まってからは、予定地入口での監視活動も続けています。

　石垣島への配備部隊は、警備部隊、地対艦誘導弾部隊、中距離地対空誘導弾部隊、規模は500〜600名、場所は島の中央部、平得大俣の旧ゴルフ場及びその周辺にある旧市有地と民有地合わせて46ヘクタールに隊庁舎、グラウンド、火薬庫、射撃場等を整備するというものです。ミサイル基地予定地の造成工事が2019年3月1日強行され、今年度は建物建設、周辺部山林伐採、造成が始まっています。

　私たちは、主に3つ柱で配備反対、工事中止を求めています。

　①軍事力で平和は築けない！

・石垣島へのミサイル基地は、中国に対する南西諸島の軍事要塞化を進め

るもの。尖閣諸島への中国の覇権主義的行動（領海侵入、国際法違反の海警法など）が続いていますが、軍事的対応を強化すれば、その先にあるのは際限のない軍拡競争です。有事の際にはこの島が標的になります。配備されるミサイルは車載式で島中が標的に。さらに地対艦誘導弾はブースターが保持されており、ブースターの落下地点下には無防備な市民が生活をしています。また、弾薬庫は平時における事故も含めて安全性について明確な説明はありません。有事の避難計画についても自治体任せで、島から安全に避難することは不可能です。市民、観光客を守る保障はありません。ミサイル基地は、市民の生命財産を守るどころか逆に奪うものとなります。

・日米首脳共同声明（2021.4.16）により、台湾有事への協力という危険な道へ。

・重要土地等調査規制法による基地被害を受ける住民を監視、抑圧する悪法は廃止を。

②くらしや環境の破壊は許さない！

・2019年3月1日の工事着工は、配備ありき、アセス逃れの着工。2018年10月に改正された沖縄県環境影響評価条例は、20ha以上の用地造成にアセスを義務付けていますが、経過措置で2019年3月末までに着工すれば適用されません。市民生活や環境への影響を調べてほしいという声を踏みにじる暴挙です。

・予定地は、於茂登岳のふもとに広がる自然豊かな場所であり、国指定天然記念物で絶滅危惧種カンムリワシの優良な生息域です。防衛省の調査でも貴重な動植物113種が生息する自然豊かな地域です。また、水道水の地下水源地や農業用水の水源域、涵養地です。

・工事による岩石の破砕音は、境界線で騒音規制法の85デシベルを超えなければ問題ないとこれまでの静かさを一変するような耐え難いものになっています。防音シート設置をしても音は上方から拡散し、その効果はありません。近隣住民の生活を脅かしています。

・カンムリワシの生息を脅かす騒音と餌場の破壊。

・2021.6.5元市有地の伐採をめぐって―防衛局の通知書に疑義。でたらめな調査、ずさんな石垣市景観形成審議会、市の対応が問題に。7月に再調査を行い通知書の資料、説明が明らかになったにもかかわらず、8月下旬から何の報告もなく伐採作業を再開。

③島の未来は市民が決める！

・島の未来は市民が決めるという住民自治、民主主義の問題。石垣市長は、国防は国の専権事項として、防衛省への協力を行っています。防衛政策、自衛隊配備計画について市民が意思表示し、行動する権利は主権者である私たちの持つ権利です。

・ 2018年12月、「石垣市住民投票を求める会」(以下求める会)は、有効署名14,263筆(有権者の約4割)を添えて市長に対し、平得大俣への陸自配備についての賛否を問う住民投票を直接請求。

2019年2月1日、市議会は、住民投票条例案を否決。

求める会の請求は有効―石垣市自治基本条例で、「有権者の4分の1以上の連署をもって請求すれば、市長は所定の手続きを経て実施しなければならない」と定め、逐条解説において、「本市に選挙権のある者(有権者)が、地方自治法第74条(住民の条例制定改廃請求権)に基づくものの1つとして、「○○の住民投票条例」の制定について請求できることを定めています。」とあります。

求める会は、2019年9月に市長に実施を義務付ける裁判を起こす。

2020年8月27日に行政訴訟の対象にあたらないと不当な却下判決。控訴審も本年3月23日1審判決を追認し、上告審も8月25日付で「上告棄却、上告審を受理しない」決定となりました。署名者は住民投票をする権利があることを確認する当事者訴訟は第1回公判期日が10月19日で、今後も運動は続きます。

・来年2月の市長選挙で市民の声が生きる市政を目指しています。

④基地問題は全国の課題

政府、防衛省は、辺野古でも宮古でも県民、住民の意思を踏みにじって工事を強行し、奄美大島、馬毛島をはじめ全国にある米軍基地、自衛隊基地の増強、軍備拡大を進めています。基地問題は、安全保障の在り方、国の在り方にかかわる全国の問題です。ともに力合わせましょう。

右のQRコードFBで日々の動きHPで資料を発信しています。

I LOVE いしがき HP

I LOVE いしがき FB

沖縄における「エンゲイジド・ブッディズム」の萌芽
―沖縄戦遺骨収集ボランティア「ガマフヤー」のハンストから見えてくるもの―

沖縄大学准教授　須藤義人

1.「エンゲイジド・ブッディズム」の原点

　沖縄は「米軍基地の島」として、ベトナム戦争において多くの爆撃機や海兵隊を送り出し、殺戮に関与する「要石」（キーストン）となってしまった。そのような状況下で、反戦運動に宗教者が関わることがあっても、宗教活動の域を抜けることが無く、全県民との連帯意識が取れている次元には至ったとは言い難い。しかし、2021年3月1日から6日の日程で始まった、具志堅隆松氏を中心とした沖縄戦遺骨収集ボランティア「ガマフヤー」のハンガーストライキは、「島ぐるみ宗教者会議」との連携を取りながら、世代を超えて大きなうねりとなっていた。宗教や宗派を超えた「超宗教的活動」となったわけであるが、とりわけ、日本山妙法寺や浄土宗、真言宗豊山派、スリランカ仏教アマナプラセージン派といった仏教僧侶による連帯意識が思わぬ流れを呼び込むこととなったのである。

　その根底には「エンゲイジド・ブッディズム（Engaged Buddhism）」と呼ばれる宗教運動の流れがある。遡れば、1950年代にベトナム僧のティ

筆者の瞑想場でネット取材に応じる具志堅隆松氏

ク・ナット・ハン（Thick Nhat Hanh, 1926〜）師が、仏教の積極的な社会関与について提唱した言葉であり、その後は「社会参加する仏教」という意味合いで用いられることとなった。ベトナムの仏教徒たちは、戦争という現実の苦しみのなかで、「苦」の原因には社会が生み出したものもあるのではないか…と気づきはじめた。そして、「苦」の原因となる社会の矛盾、社会構造の変革に積極的に立ち向かうことになった。

ティク・ナット・ハン師のベトナム僧侶による反戦運動から始まり、ダライ・ラマ（Dalai Lama）法王を中心とするチベット解放運動、ビームラオ・ラムジ・アンベードカル（Bhimrao Ramji Ambedkar）博士の指導による下層カースト解放運動、A. T. アリヤラトネ（A. T. Ariyaratne）博士を指導者として農村開発を進めるスリランカのサルボダヤ運動、タイのスラック・シワラックが

ガマフヤーと宗教者によるハンスト
（撮影／豊里友行）

創始したボランティア運動などが、「エンゲイジド・ブッディズム」の潮流を汲むとされている。このような運動が注目されたため、「エンゲイジド・ブッディズム」は一時、大規模な社会変革を目指す国家的運動として位置づけられていた。その後、世界的にこの語が浸透するにつれて、広く社会活動を展開する仏教団体、あるいはそのネットワークが運動の担い手と注目されるようになっていった。

仏教徒は世界の本質を「苦」にあるとする。そしてその原因を明らかにし、その原因を克服する方法を実践する道が仏教の道となる。このような道を歩むことによって、「苦」からの解放を実現しようとするのが、仏教の基本的なスタンスである。伝統的な仏教では「苦」の原因はもっぱら個人の内面に巣くう怒りや欲望や無知であり、三毒から解放されることが悟りへの道であると考えられた。しかし、1960年代以降になると、ベトナム戦争で揺れ動いた東西冷戦の世界の動きの中で、新しい「エンゲイジド・ブッディズム」という道が現れた。阿満利麿氏が著した『社会をつくる仏教—エンゲイジド・ブッディズム』（人文書院、2003年）によると、「本来はそうした国家や民族、利害を守るための共同体を相対化し、人間がもっとも人間的に生存できる世界」の構築をめざす仏教であると定義している。「エンゲイジド・ブッディズム」は訳語に関してみただけでも、「社会参加する仏教」「社会をつくる仏教」「社会とかかわる仏教」「行動する仏教」「闘う仏教」などと多岐にわたっている。「エンゲイジ」という言葉には、思想や言葉だけではなく行動によって社会変革に参加してゆくという意味がある。これらは、一括して　「ソーシャル・エンゲイジド・ブッデ

ィズム（Social Engaged Buddhism)」とも呼ばれ、「社会と結ぶ仏教」を根本としている。

　その新たな仏教運動の根幹となる思想は、ベトナム戦争期に「参加する仏教」を提唱したティク・ナット・ハン師の言葉に遡ることができる。その後、ベトナム僧たちによる平和運動と連動していった。それらの活動の共通点は「ブッダが現代に登場されたら実践するであろうことを推進する」という理想にあるとされる。例えば、平和運動や政治参画、環境保護、人権問題、識字教育、地域開発などのテーマを掲げる。布教や教化といった従来の仏教活動の枠を超えて、社会的な活動にまで及んでいったのである。その実践方法は、活動の担い手によって異なっていても、各人が模索した「社会倫理」の実践によって理想的な社会に近づけるという「動的な仏教」を目指しているのである。

　1960年代、ティック・ナット・ハン師は、激化するベトナム戦争の中で犠牲となっていく人々を目の前にしながら、自己の悟りのみを追求する寺院生活に大きな疑問を持つようになった。やがて、戦争の犠牲となって「社会苦」に悩む人々の救済を目指すようになっていった。寺院を出て「社会苦」にあえぐ民衆を救済することを決心させたのは、師匠であったテック・クアン・デュク師であったと言われる。クアン・デュク師は1963年に、南ベトナムのゴ・ジンジェム政権下での戦闘の激化や仏教弾圧に対して、「焼身」を持って抵抗した僧侶である。ゴ・ジンジェム政権を後押ししていたアメリカの大使館前で「焼身供養」をもって、ベトナム政策の転換を問い掛けたのである。その後、30人を超える僧侶がクアン・デュック師に続いて「焼身供養」を行い、結果としてアメリカ政府の政策にも影響を与えていくこととなった。

　そういった「動的な仏教」から派生した平和運動の流れは、インドの B.R.アンベードカル博士の流れを継ぐ佐々井秀嶺師や、スリランカのアリヤラトネ博士、タイのブッダダー

南ベトナム政権に抗議する仏教僧

サ比丘（Buddadasa Bhikkhu）やパユットー師（P. O. Payutto）が実践している。ノーベル平和賞を受賞したダライ・ラマ法王も「エンゲイジド・ブッディズム」の象徴的な存在となっていく。「エンゲイジド・ブッディズム」の活動の源流として着目されるのが、インドのアンベードカル博士（1891〜1956）であった。彼は仏教思想に基づく平等社会の建設をインドの中に目指した。1956年、カースト制度に「社会苦」にあえぐ人々を、30万もしくは50万ともいわれる「同胞」として、共にヒンドゥー教から仏教への集団改宗を実施したのであった。それの流れを日本人僧侶の佐々井秀嶺師がアンベードカル博士の後を継ぎ、カースト差別で苦しむ人々を救うべく、「動的な仏教」をさらに激しくした「闘う仏教」を唱えている。現在、「ブッダガヤー」はヒンドゥー教徒に所有権があるが、それに対して佐々井秀嶺師は改宗仏教者たちの心の拠り所としての「ブッダガヤー」を奪還する運動を展開している。

　これらの新しい仏教運動には、社会的矛盾を超えるパラダイムを掲げ、従来の宗教が抱える限界を乗り越えようとする試みがあった。差別や貧困といった、個人に還元できない「社会苦」の根源を取り除くべく、宗教者たちが立ち上がって行動する「エンゲイジド・ブッディズム」の目標の優先順位は、象徴的な「平和な社会」の構築にあるのではなく、万人が安心して暮らせる精神的生活を享受できる環境を整えることにある。仏教本来の解放とは、あくまでも個人の精神的解放を目指すものでなければならない…という思想がその核となっている。

　ティック・ナット・ハン師が行ってきた仏教活動には、「慈悲行」が軸となっている。その活動の原点には、古来、仏教で説かれてきた「戒」「定」「慧」の三学がある。ハン師は自らが創設した「ティエプ・ヒエン」（相互生存）教団において14の戒を定め、この戒の中で「念」と「定」と「慧」の重要性について説いている。例えば、彼の著書『ビーイング・ピース（Being Peace）』の中には、「戸惑いの中で、（移り変わる）環境の中で、自己を見失ってはいけない。身心の落ち着きを取り戻し、こころの集中を行い（念）、こころの統一を促進し（定）、洞察を深めること（慧）を修しなさい」とある。

　この中でも重要なのが「念」であり、14の戒の7番目の戒に定められ、最も優先すべき戒であるとしている。ハン師が強調する「念」は、パーリ語では「サティ（Sati）」、英語では「マインドフルネス（Mindfulness）」

と訳されるが、日本仏教の修養でも説かれる「八正道」にもある「正念」
に当たる。それは、自己の内も外の世界も正しく捉えて、観察していくこ
とに重きを置いている。その伝統は、東南アジア（タイ・ミャンマー・ラオ
スなどの国々）や南アジア（スリランカ・インド）をはじめとする上座部仏
教の国で、今でも瞑想法として重んじられている。

　ベトナム戦争時の仏教徒たちは、戦争という現実の苦しみのなかで、民
衆の「苦」の原因には社会が生み出したものもあるのではないか…と「社
会苦」を捉え始めたのであった。かくして、個々人の「苦」の原因となる
「社会苦」を社会矛盾の克服や、社会構造の変革に求め、宗教的活動を広
げて積極的に立ち向かうことになった。まさに、このような動きは「本来
はそうした国家や民族、利害を守るための共同体を相対化し、人間がもっ
とも人間的に生存できる世界」を構築することを目指し、「エンゲイジド
・ブッディズム」の本質となっていったのである。

　ティック・ナット・ハン師も含め、「エンゲイジド・ブッディズム」の
活動をする宗教者の多くは、「縁起」を彼ら・彼女らの思想の礎としてい
るという。ハン師は、「苦」は被害者だけのものではなく、加害者もまた
「苦」の中にあるとして、被害者、加害者双方の「苦」を我が身に引き受
け、一緒に苦しみ、相手と一体化することによって乗り越えていこうとし
た。自我を超え他者との境界が消えるとき、「慈悲」の心が芽生え、その
ときはじめて「かつての敵味方が参加する平和で調和のとれた共同体の創
立」が可能となるという思想である。

　しかし政治活動との関係については一線を画すべきだとして、ハン師が
定めた14戒のうちの10番目の戒で次のように定めている。

　　──仏教の共同体を個人の利益のために用いたり、自分たちの共同体
　　を政治的な党派に変えてはならない。しかしながら、宗教団体は抑圧
　　と不正義に抗する明確な立場をとるべきである。抵抗運動に加担する
　　ことなく、状況を変えることに専心するべきである──

　この10番目の戒は、宗教団体と政治活動の関係性、僧侶と政治の関係性
について規制することで、宗教者の本来の道を外すべきではないことを意
味している。

２．「エンゲイジド・ブッディズム」の展開

　2018年から2019年にわたって、その後の「エンゲイジド・ブッディズム」の展開を調査するために、筆者はスリランカ・インドで出家の形を取りながら仏教徒として活動をしていた。筆者はスリランカ・インドにおいて、「大菩提会（Mahābodhi Society）」の協力を得て、調査研究活動を遂行することができた。その組織の創設者として知られるアナガーリカ・ダルマパーラ（Anagārika Dharmapāla 1864〜1933）氏は、スリランカやインドにおいて仏教復興運動を推し進め、いわゆる「プロテスタント仏教」を掲げて活動を世界規模で広めたことで知られる。1880年代のスリランカは「セイロン」と呼ばれていたが、西欧列強の植民地主義に苦しめられ、東洋文化と西洋文化、仏教とキリスト教、上座部仏教（テーラワーダ仏教）の保守派と改革派などが入り乱れて葛藤し、新しい信仰形態が出来上がっていった。

　仏教徒として日々を過ごす中で、スリランカやインドの地域コミュニティにおいて見られた「エンゲイジド・ブッディズム」に近い思想や言葉について触れていくことになったのだが、スリランカの「サルボダヤ運動」の創始者である A. T. アリヤラトネ博士は次のように語っている。

　　　――サルボダヤは、すべての存在が『目覚める』社会秩序を創造する
　　　ために、個人・家族・村・都市・国家そして世界が目覚めていくこと
　　　で、非暴力による総合的な変革を引き起こすことを目的としているの
　　　です――（『ぴっぱら』2005年2月号、全国青少年教化協議会）

「サルボダヤ」とは、スリランカの公用語のひとつであるシンハラ語で「すべての目覚め」といった意味を持つという。この「すべて」とは、人間個人の肉体的・心理的・知的・精神的な「すべて」だけでなく、社会全体をも意味している。仏教に基づいた社会活動という点で、「エンゲイジド・ブッディズム」の潮流にあると言えよう。植民地期の仏教復興運動から派生したものではあるが、タミルの人々との対立から26年間の内戦状態をスリランカにもたらした「シンハラ・ナショナリズム」は仏教運動を背景に生み出されたものであった。七割を越える多数派であるシンハラ仏教徒が優遇され、「非暴力」とは言えない仏教運動は矛盾を孕んだものとな

っていく。

　植民地期の仏教復興運動に遡れば、スリランカの仏教改革者の先駆けとなったダルマパーラ氏は、日本仏教の臨済宗僧侶であった釈宗演師（1859～1919）とも交流があった。1886年4月に、鎌倉の東慶寺（臨済宗）にゆかりのある釈宗演師がスリランカの南部のゴールに赴き、ランウェルレー寺に入って修学を始めた。１ヵ月後、宗演師は得度式を挙げ、沙弥出家となった。筆者もその歴史的流れを意識しつつ、2019年4月の「ウェサック・ポヤデー」（仏陀の誕生・成道・涅槃を祝う祭祀）で沙弥出家をして、法名を与えられ「ダンマクサラ（Dhammakusala）」となった。日本語訳すると「法善」となるが、スリランカのサーサナ仏教省に登録されている。さて、この釈宗演師と交流のあったダルマパーラ氏であるが、仏陀が悟りを開いた聖地である「ブッダガヤー」の復興を掲げ、日本仏教界にも支援を呼び掛けた。釈宗演師の学友でもあった釈興然師はダルマパーラ氏と「ブッダガヤー」の復興を目指して、1891年5月、スリランカのコロンボにおいて「大菩提会」を結成した。ダルマパーラ氏は日本仏教界と協力して聖地「ブッダガヤー」を仏教徒の手に取り戻そうと試みたのである。その流れは、「エンゲイジド・ブッディズム」の宗教者に影響を与えた B.R. アンベードカル博士から日本人僧侶の佐々井秀嶺師に受け継がれた。カースト差別で苦しむ人々を救うべく「闘う仏教」を唱えつつ、「ブッダガヤー」の奪還運動を展開してきたのであるが、その運動目標は実現していない。このような動きは、個人的には、エルサレムにおける三宗教の聖地をめぐる紛争や悲劇と重なるものがあった。

　いずれにしても、インドの「ブッダガヤー」には数多くの近代日本の僧侶たちが訪れ、その後インド各地の仏教聖地を巡礼していくことになった。日本山妙法寺の藤井日達師もその一人であり、その萌芽が沖縄での平和運動を担う日本山妙法寺の潮流へと繋がっている。一方、ヨーロッパに赴いた仏教者はヨーロッパで深まることとなった「近代仏教学」を通じて南伝仏教と向かい合って、パーリ仏典の存在を重んじるようになり、B.R. アンベードカル博士が重んじていた「ダンマ（法）」の原点を知ることとなる。教学的な仏教でも、いわゆる葬式仏教でもない、新たな観点から埋もれていた原始仏教の良さを引き出して活性化させようというものである。こうした社会改革運動は、その遺志を継いだ仏教徒たちによって形を変えながら現在も展開している。例えば、2021年のミャンマーの軍事政権樹立に抗

ミャンマー軍事政権に抗議する僧侶

議して市民デモ隊の先頭で立ちはだかる僧侶た
ちも、「エンゲイジド・ブッディズム」の流れを
受け継いでいると言えよう。

　1963年、ベトナムでティク・クァン・ドゥク
師が「焼身供養」をしたことによって社会変革
を進める切っ掛けになった「エンゲイジド・ブッ
ディズム」は、日本語に定着していない「エ
ンゲイジド」という英語が「行動する」「社会参
加する」「闘う」と訳され、閉鎖的な個人の「スピリチュアルな体験」を
抜け出して、社会ボランティアと繋がっていく「ソーシャルな体験」が強
調されるに至ったのである。こうした「ソーシャルな体験」をする人々に
共通するのは、仏教は元来「利他行」「菩薩行」を説き、現代的な意味で
の平等や平和といった原理はすでに仏典のなかに存在すると捉え、それを
実践してきた歴史を強く認識していることである。

　宗教学者の阿満利麿氏によれば、社会変革に取り組む仏教徒の動きは、
東南アジアから世界へと拡がり、アメリカでは平和運動や環境運動を生み
出す要因となったとされる。阿満氏はこうした動きが、仏教の伝統の中に
深く根ざすものだと指摘している。すなわち「エンゲイジド・ブッディズ
ム」という言葉は新しくとも、その思想や実践は仏教がその原点から目指
してきたものと変わらない。「利他」という行為は我が身を犠牲にしつつ
も、「同朋」の救済を願う教えこそが悟りへの道とも解釈できる。

　これからの仏教の姿に関して、スリランカの「エンゲイジド・ブッディ
ズム」の指導者、A.T.アリヤラトネ博士は次のように「ダルマ（法）」に
基づいた世界観を提示している。

　　──仏教とは、慈悲の教えであるが、それは、決して慈善事業を意味
　　しない。現代の矛盾に満ちた世界の中で、仏教の教えに基づく代案を
　　提示し、実践することだ──

つまり仏教に基づく社会像や国家像を示し、その実践に取り組むことこそ、現代の仏教徒の宿命なのである。いずれにしても、仏教徒にとっては自分を取り巻く「苦」を乗り越えていくためには、まずは「自己」をどう理解するかが「発心」となる。そして今までの「自己」へのこだわり（執着）に気づき、そこから新たな「自己」、すなわち「縁起」という繋がりの中の「自己」に目覚め、仏道へと歩みを転じていくことが重要なのである。この経緯から分かることは、仏教徒が社会的姿勢をもって「社会苦」に向き合い、「自己」と「同胞」の「苦」を抜くために意識的に行動するということである。第二次世界大戦はアジア地域に生きる人々にとって「自己」と「同胞」に多大なる「苦」を与えたが、戦後のアジアの新秩序に大きな影響を与えた言葉があった。それは次のような仏教的かつ平和的メッセージであり、その後の国際関係を変えるに切っ掛けになったのである。

　　――何故アジアの諸国民は、日本は自由であるべきだと切望するのでしょうか。ブッダのメッセージに目を向けましょう。「人はただ愛によってのみ憎しみを越えられる。人は憎しみによっては憎しみを越えられない――（J.R.ジャヤワルダナ）。

　この言葉によって、1951年に調印されたサンフランシスコ講和条約の方向性が決定づけたという点はよく知られている。アジア太平洋地域の戦後体制は主に米国主導で形成されたが、フィリピンなど、アジア近隣諸国は、日本に補償を強く要求していた。当会議でスリランカ代表のジャヤワルダナ氏は、このような状況下で、日本に対する賠償請求を放棄する演説を行ったのである。このスピーチが、敗戦国であり侵略国であった日本に厳しい制裁措置を加えようとしていた諸外国代表の心を打ち、特にソビエト連邦の反対を押しきり、日本の国際社会への復帰の道に繋がったといわれている。戦後から今に至るまで、仏教徒の平和精神がアジア地域の平和活動に息づいていく流れになったとも言えまいか。

平和の「調和」の印を結ぶ瞑想
（撮影／豊里友行）

3．沖縄における「エンゲイジド・ブッディズム」の萌芽

　多くの沖縄戦没者の遺骨が残る沖縄本島南部から、辺野古新基地建設のための土砂の採取断念を求めて沖縄県庁前でハンガーストライキを決行した平和運動があった。沖縄戦遺骨収集ボランティア「ガマフヤー」の代表の具志堅隆松氏がその流れを作っていた。ガマフヤーとは「洞窟」（ガマ）を掘る人を意味する。

　2021年3月1日から6日間に渡るハンガーストライキ中、沖縄県知事、そして県職員に向けて、沖縄本島南部の土砂採取を日本政府・業者側に断念させるようにメッセージを発し続けた。そのインパクトは大きく、沖縄県内はもとより、全国から具志堅氏のもとに共感、応援の声が寄せられた。これまでの沖縄戦遺骨収集という「静的な平和運動」から、辺野古新基地建設に沖縄本島南部からの土砂採取計画が立ち上がると共に、社会的な連携を求める「動的な平和運動」へと転換していった。那覇市にある沖縄県庁前では、宗教者の有志を始めとした人々が、リレー形式でハンガーストライキを実現していくことになった。

　沖縄戦で亡くなった戦没者は約20万人と推定されている。犠牲者は日本兵や沖縄住民を始め、徴集された朝鮮人や米兵も含まれ、未だに地中に眠っている。具志堅隆松氏は名誉とも金銭とも無縁の遺骨収集を39年余りも続けてきた。この「静的な平和運動」ともいうべき個人的活動が知られるようになったのは、ごく最近のことで、長年黙々とボランティアメンバーたちと共に掘り続けてきた流れが、社会と連携する平和運動と結びつくことは多くはなかった。

　2009年10月にホームレスや失業者、生活保護受給者あわせて55名を、緊急雇用創出事業として雇用し、那覇市の新都心近くにある真嘉比で遺骨発掘作業を行ったことで注目されるようになった。その時には、日本兵の遺骨を172体も見つけ、地元メディアにおいて広く報道されるようになっていった。具志堅氏

沖縄県庁前に集まるハンストの参加者たち
（撮影／小出由美）

は歯科医に対する機器のメンテナンスを本業としながら、休日は全て遺骨収集に捧げ、独りでの作業が圧倒的に多いのだが、日本本土からのメディア取材に対しても休日もなく丁寧に対応しつづけ、「静的な平和活動」は徐々に広まっていくことになった。

　2020年11月、具志堅氏が糸満市摩文仁に遺骨を掘りに出かけると、魂魄の塔の近くの森林地帯で採掘業者が土砂を掘る準備を進めていた。その近辺からは遺骨が掘り出されていて、その後の試掘をしようとしていた矢先であった。その採掘業者の動きを怪訝に思った具志堅氏は調査をした結果、辺野古基地の設計計画が変更申請されたことに伴って、この近辺の土砂が使われることを把握したのである。具志堅氏は即座に、戦没者の遺骨が混ざった土砂が基地建設の埋め立てに使用されることを防ぐために行動を起こすことにし、採掘場前で断食して抗議活動することを思いついた。採掘場の前でハンガーストライキに立ち上がることを、知人の宗教者たちに相談したところ、「島ぐるみ宗教者の会」のメンバーから「皆で沖縄県庁前で断食をして訴える方が注目される」と提言され、第一次ハンガーストライキが実施されることになった。準備段階から「動的な平和運動」として脚光を浴びていき、地元メディアを通じて、辺野古基地の設計変更申請によって土砂採掘計画に遺骨が含まれる土砂が使用されることを、沖縄県民に広く知らせることになった。さらに沖縄県民への共感を訴えつつ、全国の遺族に対してもメディアを通じてメッセージを送り、「家族同然の遺骸が土砂と混ざって海に埋め立てされてしまえば見つける道が永遠になくなる」と発信していったのである。防衛省が土砂等を採取する場所として挙げた候補地の中でも、糸満市八重瀬町の採掘場には数多くの戦没者の「血と肉と骨が入り込んでいる」と指摘したことが、県民感情を揺さぶっていくことになった。確かに、沖縄本島南部は沖縄戦の激戦地であり、糸満市や八重瀬町は沖縄戦跡国定公園に指定されている。しかし戦後76年が経っても、大規模な遺骨収集が何度か行われてはいるが、戦没者遺骨が未だに眠り続けている霊域でもあった。具志堅氏にとっては39年間にわた

メディアに訴える具志堅隆松氏 （撮影／小出由美）

って遺骨収集に取り組んできた経験から、採掘業者が細心の注意を払って土砂から遺骨を取り除く作業をしても、遺骨の混入は免れないことは分かっていた。彼は宗教者たちと共に平和を念願しつつ、戦争犠牲者の冥福を祈らなければならない場所から掘った土と石を使って軍事基地を建てることに対して、「人道的に容認できない」と声を上げることになった。

　以上のような経緯があって、辺野古の新基地工事に糸満市の土砂を使用する計画に反対する「動的な平和運動」が広まっていった。辺野古基地建設の賛否をめぐっては県民感情が割れて紆余曲折もあるが、それ以前に「人道的問題」であるという視点を強調するのが具志堅氏の立場である。ハンガーストライキによる抗議の目的は、「辺野古埋め立て土砂に遺骨が含まれる土が使われて戦没者が冒瀆されるのを阻止すること」であり、また「沖縄本島南部からの土砂採取計画を断念させられずに、沖縄防衛局による糸満市米須の土砂採取が止まらなければ、南部地域で他の業者も続く懸念がある」という理由で譲れない主張でもあった。具志堅氏のメッセージ性は極めてシンプルで「戦没者の遺骨が含まれている土砂を辺野古新基地建設に使わせてはいけない」というワンイシューだけである。

　具志堅氏と連携して平和運動をバックアップするのが、沖縄山長谷寺の岡田弘隆氏たちが立ち上げた「島ぐるみ宗教者会議」を始め、「平和を求める沖縄宗教者の会」や「平和をつくり出す宗教者ネット」である。宗教者たちは会見の前に沖縄県の担当職員と面談した。南部地域で遺骨収集に着手し現在の土砂採取を中止することと、土砂採取による乱開発や環境破壊の中止を求め、沖縄戦遺骨取集ボランティア「ガマフヤー」を全面支援する表明をしたのである。特に糸満市米須の開発については、自然公園法で風景保護のために県知事が開発行為を禁止できる条項の適用が出来ることも付き止め、細かな法律的根拠も広く発信していった。

　さらに具志堅氏を支えた宗教者たちは、沖縄県民へのメディア発信を強めるために、宗教・宗派を超えたメッセージを広めていく。宜野湾告白伝道所牧師の島田善次氏は「土砂を軍事基地に使うのは耐えられない」と発信しつつ、普天間爆音訴訟原告団長として培った社会的な反戦活動の経験を生かしていった。彼の提案もあって、その半年前には「平和をつくり出す宗教者ネット」が中心となって、宗教者共同声明として当時の菅義偉・内閣総理大臣宛に「戦没者の遺骨が含まれている土砂を辺野古新基地建設に使わせてはなりません」（2020年12月10日）という声明文を送っている。

遺骨収集現場で説明する具志堅
隆松氏　　（撮影／豊里友行）

呼びかけ団体には、「辺野古に新基地を造らせない島ぐるみ宗教者の会」、「日本宗教者平和協議会」、「基地のない沖縄をめざす宗教者の集い」、「日本カトリック正義と平和協議会」、「平和を実現するキリスト者ネット」、「平和をつくり出す宗教者ネット」が名を連ねた。宗教者たちの6団体が「ガマフヤー」と連携して声明文を発信し、具志堅氏を支援する組織グループとして「動的な平和運動」に尽力することになったのである。

　例えば、真宗大谷派僧侶の知花昌一氏は、南部で犠牲になった父母の兄弟のことが動機となって、「まだ収集されていない遺骨が残っており、知事は勇気ある決断を持って止めてほしい」と地元メディアで発言をし、断食テントに連日座り込みをした。知花氏は1987年の「沖縄国体日の丸焼却事件」で日本国旗を燃やしたことで知られる反戦活動家でもある。またカトリック教会名誉司教の谷大二氏は「南部の戦跡国定公園には多くの慰霊碑があり、人々が今も祈りを続けている場所で、知事も防衛局も戦跡を守ってほしい」と琉球新報のインタビューに答えているが、支援組織グループの実務的なコーディネーターとして奔走した。そして日本山妙法寺僧侶の鴨下祐一氏は、ネット配信によって世界に連帯を呼びかけ、遺骨収集に反対する署名が1万筆以上も集まる流れを築いていった。

　そういった沖縄県内での宗教者たちの平和運動のうねりは他県にも広がり、例えば、京都の宗教者の平和運動グループも声明を出すに至った。それが「沖縄戦遺骨が眠る土砂を辺野古埋め立てに使わせない！ 沖縄県庁前ハンガーストライキに連帯するメッセージ」（2021年3月5日）であり、「ガマフヤー」と宗教者たちのハンガーストライキ行動に対して、「京都宗教者平和協議会」、「京滋キリスト者平和の会」、「日蓮聖人門下京都立正平和の会」が連帯を表明したメッセージを送っている。「死者の尊厳を踏みにじること」に関して糾弾し、「命を尊ぶ宗教者」として、戦火で命を奪われた人々の遺骨を戦争の道具である基地建設に利用することを許すことが出来ない…と主張しているのである。

　さらに沖縄本島南部には沖縄県民だけでなく日本兵の遺骨も未だに眠っており、行方不明の米兵の犠牲者も数百人に上ることを主張することで、

沖縄県の問題から日本全国の問題、そして国際的な問題へと意識を広げていった。つまり日本本土の世論や、米国の世論にも訴えることで、「戦没者の遺骨混じりの土砂を新基地建設に用いることの不条理」や「死者の尊厳に対する冒瀆」への共感を一挙に広めることになったのである。

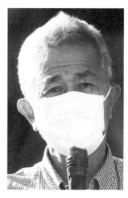

「タシキィティクミソーリ」と沖縄県庁に向かって連呼する具志堅隆松氏
（撮影／豊里友行）

ところで、第一次ハンガーストライキで合言葉になったのが「タシキィティクミソーリ（助けてください）」というウチナー口（沖縄語）である。沖縄戦で糸満市にある山城壕で家族が生き埋めとなった実話があり、壕が崩壊して落下した岩に下半身をつぶされ身動きできなくなった母親が発していた言葉が「タシキィティクミソーリ」であった。数日後、その母親の声が途絶えていったという悲話である。同じ叫びを具志堅隆松氏は沖縄県庁に向けて叫び続けたのであった。

「タシキィティクミソーリ、デニーさん」

沖縄県民の声に玉城デニー県知事の決断が問われていた。具志堅氏はマイクを片手に、断食で弱った身体から声を振り絞り「デニーさん、タシキィティクミソーリ、タシキィティクミソーリ。デニーさん、あなたにだったら出来るんです、戦没者を埋め立てに使ってはいけません」と毎日訴え続けた。彼が沖縄県民の心に灯したのは、「戦没者の尊厳」への想いであり、「沖縄を二度と戦争の島にはしない」という決意であった。

断食テントには連日、多くの沖縄県民が集ってきた。「遺骨混じりの土砂採取をすること」に対して「死者の尊厳を冒瀆していること」を訴えることは、宗教者たちの宿分とも重なって、戦没者を慰霊する「静的な平和運動」から、社会矛盾への「動的な平和運動」に変容していくことになったのであった。玉城デニー沖縄県知事はハンガーストライキが始まって六日目の最終日に、ようやく私服でテントを訪れることになる。具志堅氏は玉城知事の苦渋の選択もあったことを察しつつも、南部土砂問題の重要性を訴え、「人道的見地から止めてほしい」こと、そしてハンガーストライキを通じて沖縄県民から共感と支持の裾野が広がっている流れを説明した。玉城知事は頷きながら、「人道的にしてはいけないことを如何にして法律的につなげるか、方向性と結論を一生懸命考えている」と答えるのに精一

杯であった。しかし彼は話の終わりに「深い思いを行政でも生かしたいというのが正直な気持ち」と伝えていった。その後の玉城知事の公的発言や政治的判断では、「ガマフヤー」の「静的な平和運動」が「動的な平和運動」へと移行していく過程を深く認識しているのは明白であった。結果として県知事の政治的決断が曖昧さを残したことや、慰霊の日の平和宣言の言葉の弱さにも批判があったのも事実だが、宗教者たちとのハンガーストライキが社会的変革を促したと言っても過言ではない。

４．「死者と向き合う平和活動」と「生者を想う慈悲の瞑想」

　具志堅隆松氏は、遺骨収集は「死者と向き合う作業」であり、国家は「兵士を呼び出したものの責任として帰す行為」は人道的には当然のことと述べ、日本政府の不作為を問うている。また防衛省の前身は旧日本軍であり、戦没者を「戦友」と位置づけ、その遺体を「戦友を殺したアメリカ軍の基地」に使うということに関しては、「戦死者、亡くなった遺族、国民に対しての裏切り」行為であると主張している。確かに南部土砂問題では、米国兵や朝鮮半島出身者の遺骨が含まれている可能性もあることから、日本一国だけの問題ではなく、アジア太平洋地域の国々の問題でもある。宗教者たちが外国人特派員たちを通して、国際的な平和運動にしようとしていることには道理があろう。
　2021年3月の第一次ハンガーストライキは、「慰霊の日」に合わせた6月の第二次ハンガーストライキ（沖縄県庁前・糸満摩文仁）、そして「終戦の日」（敗戦の日）に合わせた8月の第三次ハンガーストライキ（東京）へと発展していった。支援する宗教者たちが口々に言うのが、「遺骨を救うために国が非人道的なことをやろうとしていること」を多くの人に知ってもらうのが、一連のハンガーストライキの目的である…ということである。そして具体的には、具志堅隆松氏が訴える「日本政府には沖縄本島南部から埋め立て土砂をとるのを諦めてほしい」という提言に繋がっていく。それは未来の世代への想いにも繋がり、遺骨が残っている沖縄本島南部の緑地帯は、「国際的な祈りの場」と「平和を学習する場」にすべきであるというビジョンになる。仏教徒やキリスト教徒を始め宗教者たちがバックアップした平和運動は、沖縄における新しい「エンゲイジド・ブッディズム」の萌芽を促したとは言えまいか。いや、沖縄から変わる「エンゲイジ

ド・ブッディズム」の流れを生み出したのかもしれない。

　「エンゲイジド・ブッディズム」の活動では、仏教徒は身近にある個々の社会問題に向き合うのみでなく、仏教の教義から「社会」を観察し、如何に行動して「社会苦」からの解放を実現していくのかが問われてくる。その行動の一環として、心の解放が社会の解放に繋がると考え、「ヴィパッサナー」などのテーラワーダ仏教の瞑想法を用いることが重視される。個人の瞑想がどのようにして、具体的な社会の変革に繋がるのかについては疑問を投げかける人々もいる。だが、瞑想による「心の安寧」から「身体の健全さ」へ、そして「正しい行動」へ繋がるという原理は原始仏教の雛形でもあったことを忘れてはならない。「サマタ」や「ヴィパッサナー」という瞑想法は、日本仏教ではあまり重要視されていなかったが、近年日本でも徐々に浸透してきていて、「念」を実践する基本的な方法となっている。「ヴィパッサナー」の瞑想法の中に「慈悲の瞑想」（マイトゥリー・ヴァーワナ）があるが、愛よりさらに深いこの慈しみを「生きとし生けるものへの友愛」として思いやる訓練をしていく。アンベードカル博士によれば、「悲（カルナー）」という思いやりは、人間への慈しみ深い善意であり、「慈（マイトリー）」は自分の友人だけでなく敵対する人に対しても、また人間だけでなく全ての生き物に仲間としての感情を向けることであると述べている。それによって、道徳（morality）、友愛（fraternity）、同胞愛（brotherhood）、慈悲（karuna and maitri）が互いに結びついていき、「慈悲」が心から体中に満たされ、「自己」の行動へと繋がっていく。これらの「道徳」「友愛」「同胞愛」「慈悲」が依拠する源は、「カルマ・ニヤマ（行為による決定）」によって決まり、日々の瞑想によって浄化される心が、身体を使った社会的行為になって平和運動を起こすのである。

　「エンゲイジド・ブッディズム」とは、寺院を飛び出して「社会貢献」「社会活動」（social action, social service）への実践を広げ、社会の問題点に気づき、自己や所属組織の利潤を目的とせず、「社会苦」の解決のために直接的に働きかける運動である。だからこそ、社会を改善、ま

ハンスト集会に集まった沖縄県民
（撮影／小出由美）

ハンストテントでの「慈悲の瞑想」
（撮影／豊里友行）

たは変革するという意味を多分に含んでいるのである。仏教は広く公共の場で活動しつつ、独自の神秘性を保持しなければならない側面もある。宗教の存在価値を、心身を浄化することを目的とした修行や祈祷や儀式に求めることも多い。「仏教の社会貢献は葬儀ばかりである」と揶揄される「葬式仏教」への批判めいた流れもあるが、死者との交流、霊的な境界との交流といった宗教性は日本仏教の基盤となっている。世俗社会と隔絶された聖域や体験によって、苦しむ個人の精神的な救済が果たされるという仏教者もいるが、日々の瞑想によって「正念」を洗練させることで、社会における自身の行動を変えることができるという仏教者もいる。僧侶たちが長らく行ってきた修行や儀礼や瞑想が即座に社会貢献に繋がることを証明するのは難しい面もあるが、そこに何らかの現代的・社会的な意義を見出すのであれば、それはそれで「社会関与」になるのかもしれない。しかし社会との緊張関係の中で、民衆が「社会苦」から解放されるために、「菩薩行」を貫き通す心や、その行動によって何を生みだすことができるのかが問われてくる。本当に「行動する仏教」となりうるか否かは、それぞれの担い手である仏教者の「カルマ・ニヤマ（行為による決定）」に掛かっているとも言えよう。B.R.アンベードカル博士はそう確信したからこそ、ブッダに帰依し、自らもその軌跡を辿ることを決意したのであろう。

　B.R.アンベードカル博士のいう「カルマ（業）」とは、ヒンドゥー教的な「業」、すなわち、前世の「業」に縛られた霊魂が輪廻を繰り返すという宗教観ではない。彼の説く「カルマ（業）」とその「因果」とは現世のみに関係するものであり、この世の「道徳的秩序」を維持するためにブッダが説いたものである…と述べられている。行為には必ず「因果」が伴い、すべての人々が「善い業」、「悪い業」の「縁起」から免れることはできない。そして、私たち一人一人の行為は、その行為者以外の他者にも影響を与えていく。アンベードカル博士は、この世の「道徳的秩序」は、個々人の行為によって決定されると考えたのである。それゆえに、「ブッダは人間社会が良き道徳的秩序に恵まれるよう善業をなし、悪業が生み出す悪しき道徳的秩序によって人間が苦しまぬよう心がけよ」と説いていると強調

しているのである。

　このように、アンベードカル博士は「道徳的行為」を絶対な基準にして、神秘的な神々の加護や壮麗な儀式を排除し、行為の主体としての人間が「正しい行動」や「正しい生き方」をすることが「社会苦」を無くしていくと考え、広く民衆に求めることになった。ティック・ナット・ハン師が「縁起」を説いた関係性は、人間理性を重視したアンベードカル博士の仏教解釈と結びつき、もはや宗教活動を超えた「ダンマ（法）」によって平和活動が展開されるようになっていったのである。

　カーストの厚い壁に阻まれ、「苦」の真只中にある人々を仏教へと導いたアンベードカル博士の狙いは、単なる差別解放運動に留まらなかった。真の目的は、差別や貧困や戦争という名の「社会苦」の原因を取り除くだけでなく、さらにそれを一歩進めて、他者との交わりの中で「ダンマ（法）」を日々実践し、この世での救済を求めることにあった。安定した社会の構築はあくまでも手段であり、最終目標は、大乗仏教的ではあるが「一切衆生の解脱」に置かれる。こうして、「内なる安寧と世界平和（Inner peace and world peace）」を求めるとき、はじめて、「エンゲイジド・ブッディズム」の真の地平が拓けてくるのである。

　ティック・ナット・ハン師は「社会苦」にかかわる第9戒では、社会的活動について次のように述べている。

　　　──常に真実にしたがって建設的に話しなさい。たとえ自身の安全が脅かされる可能性があったとしても、不正義について声を大にして語る勇気を持ちなさい──

　原始仏教まで遡れば、ブッダも戦争によって引き起こされる「社会苦」に対して積極的な発言しており、ティック・ナット・ハン師の言葉もブッダの教えに基づいたものであるとされる。「エンゲイジド・ブッディズム」を礎とした平和活動は未だ流動的であるが、活動に関わる仏教徒の多くが意識する特徴的な目標として、「内なる安寧と世界平和（Inner peace and world peace）」の実現が挙げられる。沖縄に見られる構造的差別や、インドのカースト差別や世界各地の人種問題・人権侵害、さらには経済的な格差構造をも越えた社会へと変革していく「カルマ・ニヤマ（行為による決定）」を続けることで、「生きとし生けるものすべてが幸福であれ」（サ

ッベー・サッター・バワントゥ・スキタッター：Sabbe sattā bhavantu sukhitattā）という仏教の思想に基づいた理想社会を目指しているのである。

【参考文献】

阿部宏貴「社会参加仏教（エンゲイジド・ブッディズム）をめぐる議論―現代社会にむかう視座―」、『現代密教』第20号、真言宗智山派総本山智積院・智山伝法院、2009年

阿部貴子「現代の仏教瞑想―マインドフルネス（気づきの瞑想）について」『大正大学研究紀要』第94輯、2009年

阿満利麿『社会をつくる仏教―エンゲイジド・ブッディズム―』人文書院、2003年

阿満利麿『行動する仏教　法然・親鸞の教えを受けつぐ』ちくま学芸文庫、2011年

B. R. アンベードカル（山際素男訳）『ブッダとそのダンマ』、光文社新書、2004年

B. R. アンベードカル（山崎元一・吉村玲子訳）『カーストの絶滅』明石書房、1994年

奥山直司「ランカーの八僧―明治20年代前半の印度留学僧の事績」『佛教文化学会十周年・ 北條賢三博士古稀記念論文集　インド学諸思想とその周延』山喜房佛書林、2004年

奥山直司「日本仏教とセイロン仏教との出会い：釈興然の留学を中心に」、『コンタクト・ゾーン 』Vol.2、京都大学人文科学研究所人文学国際研究センター、2008年

小山典勇・阿部貴子「現代社会と仏教学に関する一考察― その姿勢、その視点を中心に」『大正大学研究紀要』第89輯、2004年

片山一良『ダンマパダ　全詩解説』大蔵出版、2009年

木村文輝編『挑戦する仏教　アジア各国の歴史といま』法藏館、2010年

具志堅隆松『ぼくが遺骨を掘る人「ガマフヤー」になったわけ。 サトウキビの島は戦場だった』合同出版、2012年

R.ゴンブリッチ（森祖 道，山川一成訳）『インド・スリランカ上座仏教史―テーラワーダの社会』春秋社、2005年

末木文美士編『現代と仏教』佼成出版社、2006年

末木文美士『日本仏教の可能性・現代思想としての冒険』新潮社、2014年

杉本良男「アジア・アフリカ的翻訳」、池上善正・他編『岩波講座宗教―宗教　宗教とはなにか』岩波書店、2004年

高崎直道『仏教入門』東京大学出版会、1983年

ディリープ・チャンドラララール「心から光り輝く島への贈り物―日本〜スリランカ」、『東アジア共同体研究所 琉球・沖縄センター　紀要』第５号、東アジア共同体研究所琉球・沖縄センター、2019年

中村元『ブッダの言葉・スッタニパータ』岩波書店、1984年

中村元『龍樹』講談社、2002年

パーセル正子「アンベードカルの仏教理解の再検討：主著『ブッダとそのダンマ』を通して」『人間学研究論集』4号、武蔵野大学、2015年

廣澤隆之「教学再構築の提言をめぐって」『現代密教』第17号、智山伝法院、2004年

ランジャナ・ムコパディヤーヤ「社会参加と仏教」、末木文美士・他編『新アジア仏教史　一五　日本・現代仏教の可能性』佼成出版社、2011年

山崎元一『インド社会と新仏教－アンベードカルの人と思想』刀水書房、1979年

【参考ネットコンテンツ】
※新垣邦雄「貧者の一灯—ハンガースト」東アジア共同体研究所　琉球・沖縄センター　メールマガジン、2021年3月7日

※緒方　修「たしきぃてぃくみそーり（助けて下さい）—崩落した壕の中からの声」東アジア共同体研究所琉球・沖縄センター　メールマガジン、2021年4月18日

※ウ・ジョーティカ（魚川祐司訳）『自由への旅〜ウィパッサナー瞑想、悟りへの地図〜』WEB版、2013年1月

http://myanmarbuddhism.info/wp-content/uploads/sites/2/2013/01/mapofthejourney.pdf

※鈴木健太「テーラワーダと日本」スリ・サンブッダローカ寺HP

http://srisambuddhaloka.jp/99_blank024.html

※神仁「社会とかかわる仏教　エンゲイジド・ブッディズム入門　ティック・ナット・ハンの教えから」、『子ども支援ネットワーク』公益財団法人全国青少年教化協議会HP、

http://www.zenseikyo.or.jp/manabou/yomimono/bukkyo/bukkyo/post_6.html

※福田美智子『「いつ逮捕、殺害されるか」　元在日難民が伝える　クーデター下のミャンマー』長崎なう・長崎新聞、2021年5月8日

https://www.facebook.com/275998609176912/posts/3665094990267240/

※「真理への目覚めが世界を変える　—サルボダヤ会—」（『ぴっぱら』2005年2月号掲載）、『子ども支援ネットワーク』公益財団法人全国青少年教化協議会　HP

http://www.zenseikyo.or.jp/manabou/bukkyousya/2004/12/02.html

【参考新聞資料・新聞サイト】
※「辺野古埋め立て土砂を南部で採取は『政府の暴挙』　遺骨収集ボランティアなどが批判　知事視察も求める」琉球新報、2021年2月16日

※「沖縄戦の犠牲者が眠る南部の土砂『軍事基地に使わせないで』遺骨収集ボラ

ンティアがハンガーストライキ」沖縄タイムス、2021年3月1日

※「『デニーさん、助けていくみそーりよー』戦没者眠る土砂採取の中止求めてハンスト二日目」沖縄タイムス、2021年3月3日

※「玉城知事、糸満土砂採掘の中止命令に踏み込まず　具志堅氏『納得できない』」琉球新報、2021年4月16日

※「【深掘り】玉城知事が糸満土砂の中止命令を見送ったのはなぜ?」琉球新報、2021年4月17日

※「沖縄県が鉱山の開発を厳格化へ　南部の戦跡公園で　沖縄戦の遺骨が混じった土砂の問題」沖縄タイムス、2021年5月14日

※「玉城知事がハンスト具志堅さんと対面　激戦地土砂の辺野古埋め立て不使用を訴え」琉球新報、2021年6月23日

※「辺野古不承認に触れず　遺骨土砂で知事「力足らず」　具志堅氏は人道配慮を求める」沖縄タイムス、2021年6月24日

※「沖縄知事が「遺骨」を宣言に盛り込んだ理由　首相は振興を強調『フルスペックのあいさつだ』」沖縄タイムス、2021年6月24日

※「具志堅さん、東京でハンスト　激戦地土砂使用中止訴え　戦没者遺族らに呼び掛け」琉球新報、2021年8月15日

【キーワード】
エンゲイジド・ブッディズム、動的な平和運動、沖縄戦遺骨収集ボランティア、仏教者の社会貢献、慈悲の瞑想

【謝辞】
最後に、素晴らしい光画を撮影してくださった写真家の豊里友行氏と小出由美氏に厚く御礼申し上げます。合掌。

❖ 世界自然遺産　光と影

世界自然遺産登録で脚光を浴びる沖縄本島北部・やんばる。「生物多様性」が評価された一方、なぜ「生態系」は登録の評価から外れたのか。残存する米軍廃棄物。東村高江の米軍ヘリパッド。海を破壊する辺野古新基地建設。桜井国俊沖大名誉教授は世界自然遺産の「不都合な真実」を指摘し、「高江、辺野古を含めた世界自然遺産」の目標を提起する。沖縄は、首里城ほか「琉球王国のグスク及び関連遺産群」と併せ、「文化」と「自然」の二つの世界自然遺産を持つ世界でも稀な地域となった。花井正光・琉球弧世界遺産フォーラム代表は「文化と自然を一体的」に、「宝物として地元の人々が関わる努力」をこれからの課題に上げた。

| 講演 | やんばるの森の世界自然遺産登録
不都合な真実 |

沖縄大学名誉教授・沖縄環境ネットワーク世話人 **桜井国俊**
2021年6月30日

　7月下旬にも奄美・琉球の島々が世界自然遺産に登録されます。その中で、私たちが暮らしている沖縄本島では、北部、やんばるの森が世界自然遺産に登録されることになりそうです。これは非常に素晴らしい生物多様性があるということが認められることで、それ自体はありがたいことですけれども、しかし、そこにとどまっていてよいのかどうなのか、ということをやんばるの森の世界自然遺産登録を巡ってお話をさせていただこうと思います。

地球が生んだ奇跡
　やんばるの森がそもそも世界自然遺産に登録されようというのは、そこに素晴らしい生物多様性があるからだということですけれども、それは地球が生み出した奇跡である、ということを、われわれはどれだけ知っているでしょうか。私は沖縄の大学で環境学について講義するチャンスがあるのですけれども、沖縄の若者たちはほとんどこのことを知りません。ということで、地球の奇跡がやんばるの生物多様性を生み出したのだということを、まずお話しします。沖縄島（沖縄本島）は北緯26度～27度の間に挟まっております。ところが地球儀を見ますと、この北緯26度～27度帯というのは、ほとんどが砂漠なんですね。沖縄が亜熱帯の照葉樹林に覆われている、というのはまさに地球の奇跡です。
　それがどうして起きたかということは、後ほど説明させていただきますけれども、沖縄はそのために「東洋のガラパゴス」と呼ばれています。ここで括弧つきで書いておきました。あまり正確な表現ではないんですよね。ガラパゴスというのは大洋島、一度も大陸に繋がったことのない島なんです。しかし、沖縄はかつて中国大陸に繋がっていたので、大洋島ではなく

て大陸島と呼ばれるわけです。小笠原であれば「東洋のガラパゴス」と呼んでいいですよね。一度も大陸に繋がったことがないわけですから。ではありますけれども、沖縄は「東洋のガラパゴス」と呼ばれるほど生物相が豊かだ、ということは事実なんです。イタジイの森がやんばるの象徴です。

　やんばるが世界的にも貴重な亜熱帯の森だ、生物多様性が豊かだ、ということは具体的な数字を見ていただくとわかります。やんばるの面積は全国の0.1%に過ぎません。つまり1000分の1です。そのごくわずかなところに、カエルであれば全国の26%の種が生息しています。全国に39種カエルがいる。そのうちの10種がやんばるに暮らしている。

　動物はどうか。単位面積あたりの動物の種の数は全国平均の51倍です。植物はどうか。これは維管束の植物ですけれども、全国の45倍以上ということで、面積は狭いけれども、非常に多種多様な生き物がここに暮らしている、ということです。

生物多様性ホットスポット

　別のかたちで見てみますと、この世界地図の中に赤く塗られたところがあります。（口絵2頁参照）これらは生物多様性ホットスポットと呼ばれているところです。生物多様性ホットスポットというのは何か、というと、生物多様性が高く、同時に人間活動による大きな絶滅圧力に曝されている地域として、国際 NGO のコンサベーション・インターナショナルが指定している地域です。2017年現在ですと、世界中で36の地域が指定されております。この地図をご覧いただきますと、日本は全域が赤く塗られております。つまり日本全域が生物多様性が豊かだ、ということでホットスポットになっているわけです。ところが先ほどご覧いただいたように、このやんばるはその中でも日本全体の面積の0.1%、1000分の1しか占めていないのに、実に多種多様な生き物が暮らしている。多様性の宝庫だ、ということがおわかりいただけるだろうと思います。

　その象徴が、今みなさんにご覧いただいている沖縄の固有種、ヤンバルクイナです。現在1,200羽、1,300羽ぐらいだろうと言われておりますけれども、環境省の絶滅危惧種のリストに含まれておりま

沖縄の固有種ヤンバルクイナは環境省の絶滅危惧種のリストにきまれている。

「ヤマドゥイ」（山鳥）「アガチ」（慌て者）と呼ばれていた。

1981年公式発見

ヤンバルクイナ

す。この鳥が公式に発見されたのは、なんと1981年です。今からちょうど40年前のことです。ご覧になった方はご存知だと思いますが、これは小鳥ではありません。ニワトリ大の鳥です。先進国の日本で、20世紀も最後の方になってニワトリ大の鳥が発見される。いかにやんばるが生物多様性に富んでいるか、ということです。この鳥がいるということを地元の人たちが知らなかったわけではありません。ヤマドゥイ（山鳥）と呼ばれ、あるいはアガチ（慌て者）と呼ばれていて、地元の人たちはその存在を知っていた。しかし、これがここにしかいない、絶滅危惧種だということは知らなかったんです。

　これがわかったのは、今から40年前ですけれども、今日は6月30日ですが、二日前の沖縄タイムスに、こういう記事が載っておりました。「1981年6月28日、1羽の『飛べない鳥』がわなにかかった。」これが公式発見のきっかけになったわけです。ヤンバルクイナは飛べない鳥です。クイナは普通飛べるんですけれども、ヤンバルクイナは飛べない。なぜ、飛べなくなったのか。なぜ、飛べないクイナなのか、ということは後ほどまたお話ししたいと思います。このように、やんばるというのは非常に多種多様な生き物がいて、生物多様性に富む、というかたちで7月下旬に世界自然遺産に登録されることになると思います。次にどのようにしてこの奇跡が起きたのかを見ていきたいと思います。

アジアモンスーン

　その奇跡を起こしたのはアジアモンスーンがあるからなんです。みなさんご存知のとおり、夏場インド洋で温められた湿った空気が吹き付けてくる。それがヒマラヤ、そしてチベット高原に遮られて、偏西風に乗って、沖縄に流れてくる。この湿った空気が生物多様性の豊かな沖縄島を生み出しているわけなんです。実はアジアモンスーンというのは昔はなかったんです。ごく最近、アジアモンスーンは起きるようになった。地球の歴史は46億年ありますけれども、その中のごく最近1000万年前くらいからアジアモンスーンが生じるようになったと言われています。1000万年というのは46億年の500分の1です。地球の歴史を500に区切ると一番最近の1のところでアジアモンスーンが起きるようになった。それが明らかになるのは、この地図です。

　この地図がどういうことを表わしているかというと、インド亜大陸とい

うのが、かつてはユーラシア大陸と離れていた。それがユーラシア大陸と衝突して下に潜り込んで押し上げて、そしてヒマラヤ、チベット高原が盛り上がったというんですね。

この地図をご覧ください。70Maと書いてあります。Maというのは M はミリオン、a はアナム（年）ですから、Ma というのは百万年という単位なんです。70Maという7000万年前ということです。7000万年前、インド亜大陸はユーラシア大陸から離れていました。それがプレートに乗って、ユーラシアプレートにぶつかって、その下にめり込んでいきます。この地図ですね。10Maと書いていますから、今から

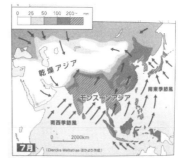

アジアモンスーン（夏期）

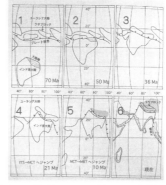

それはインド亜大陸がユーラシア大陸と衝突し、下に潜り込んで押し上げたから

1000万年前、十分にめり込んで、そして後ろのユーラシア大陸の方が、このヒマラヤ山脈とチベット高原が十分に盛り上がって、そのことによって偏西風に飛ばされて、湿った空気が沖縄に来るようになった。それが、この現在の亜熱帯照葉樹林の茂る沖縄を生み出した、ということなんですね。これはまさに地球の奇跡です。

飛べないヤンバルクイナ

あと一つ、地球の奇跡があります。それはかつて沖縄は中国大陸と繋がっていた大陸島であったということです。沖縄県の中でも大東島は一度も繋がっていたことのない大洋島です。氷河期、間氷期を繰り返し、繋がったり離れたりしているうちに、大陸から動物が移動してきました。その移動してきた中にヤンバルクイナの先祖もいたわけです。あとから追いかけてきたものに、イリオモテヤマネコがいたと思います。イリオモテヤマネコは肉食です。でも彼らはあとから来たために、海で渡れなくなって、先

沖縄島はかつて大陸と繋がっていた大陸島。大東島は一度も繋がっていたことのない大洋島。

大陸からの動物の移動（二五〇―二〇〇万年前）

に渡っていったヤンバルクイナが暮らしている沖縄本島までは来ることができなかったわけです。沖縄本島まで、もしイリオモテヤマネコが来ていたら、ヤンバルクイナはエサになっていたに違いないですね。しかし、恐らく、これは私の推測ですが、沖縄本島に来たとき、ヤンバルクイナはまだ飛べたと思うのです。しかし、来てみたら自分を食べる動物がほかにいない。ということで、飛ぶ必要がなくなった。飛ぶ必要がなくなったときに、雌のヤンバルクイナたちの中で、飛ぶのが好きなのもいれば、私は飛ぶのはあまり好きじゃない、というかたちで、飛ばずにむしろそのエネルギーをたくさん卵を産むほうに費やした雌もいたに違いない。そうしますと飛ばないほうが子孫をたくさんつくることができる。それを繰り返しているうちにヤンバルクイナは飛べないクイナになった、と私は推測していて、恐らくそんなに間違ってないと思います。

　ところがそのあとに来た人間が、ここにはヘビがいて、それが問題だと、ハブ退治のためにマングースをおよそ100年前に導入した。このマングースにしてみればいい迷惑で、ハブと闘ってケガをするよりは、もっと簡単なヤンバルクイナを食べるほうが楽だというかたちで、ヤンバルクイナが食べられるようになった。ということからマングース退治が非常に重要な、絶滅危惧種のヤンバルクイナを守るために必要になってきた、という経緯があるわけです。

　さて、そのような背景の中で生まれた沖縄島の北部、やんばるの森の生物多様性、それが本年７月にも世界自然遺産に登録されようとしている。ユネスコの世界遺産委員会で、それを審査するんですが本来であれば昨年の６月、７月に中国福建省の福州市で開催予定だったのが、コロナのために延期されました。

国内４遺産―生態系が基準

　ここで世界自然遺産の登録の手順をみなさんに知っていただきたいと思います。まず世界遺産暫定一覧表の記載に必要な文書を日本政府が作って、

ユネスコの世界遺産センターに提
出します。そうすると世界遺産の
暫定一覧表に記載されるわけです
が、記載したあと、日本政府が推
薦書を作成します。この推薦書に
基づいてユネスコの世界遺産セン
ターに日本政府が提出するわけで
すが、提出された推薦書を評価す
るのが、世界遺産委員会の諮問機

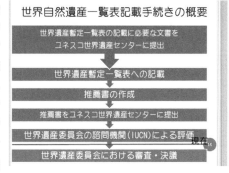

関である IUCN、国際自然保護連合なんです。そして今年の5月に IUCN
が登録に値する、登録すべきだという答申を出しましたので、このまま順
調にいけば一番最後のプロセスに一歩踏み込んで世界遺産委員会における
審査・決議で登録されるものと思われます。

　そこでご覧いただきたいのは、世界遺産の評価基準にはどのようなもの
があるのか、ということです。世界遺産には世界文化遺産と世界自然遺産
があります。1から10までの評価基準があります。1から6までは、世界文
化遺産の評価基準です。7から10の4つが世界自然遺産の評価基準なんで
す。7番目は素晴らしい、美しい自然美。8番目は地形、地質です。地球
がどのようにできたのか、ということがわかる地形・地質ということです
ね。9番目は生態系。10番目は生物多様性ということです。みなさんご存
知のように、日本には4つの世界自然遺産がありますが、屋久島は7番と
9番。7番・自然美、それから9番・生態系。白神山地は9番・生態系。知
床は9番と10番。生態系と生物多様性。小笠原は9番・生態系、というかた
ちで4つとも9番がありますね。生態系というのを評価基準にして承認さ
れてきた、というところがあります。この4つの評価基準が世界自然遺産
の評価基準になっているんですが、みなさんがよくご存知の世界自然遺産
の中で、4つとも満たす代表的な例はアメリカのグランドキャニオンです。
グランドキャニオンには素晴らしい自然美があります。非常に深い谷です
ので、地形・地質、それを見ると地球がどのようにできたかがわかるさま
ざまな地質があります。そしてさまざまな生態系があそこにはあります。
そして生物多様性がある、という4つとも満たす代表例がグランドキャニ
オンなんです。

登録延期—米軍北部訓練場

さて、それでは奄美・琉球諸島の世界自然遺産登録、どんな経緯を辿ってきたのかを見てみます。2013年1月に日本政府は世界自然遺産登録に向けて、暫定リストに記載しました。暫定リスト記載のための提出文書では、どういう基準を取り上げたかというと、9番の生態系、それから10番の生物多様性の2つの基準を満たすとしたんですね。どこの地域を登録してほしいか、ということで、鹿児島県の奄美大島と徳之島、沖縄県の沖縄本島北部、具体的には国頭村、大宜味村、東村のいわゆるやんばる、それと西表島の計4島とすることに決定したわけです。その上で2017年2月、日本政府は推薦書をユネスコに提出しました。推薦書というのは毎年2月1日に提出することになっています。ということで、2017年、今から4年前の2月に日本政府は推薦書を提出した。ところがこれはあにはからんや、登録に至りませんでした。登録延期。だめだ、と言われたわけではないんですけれども、出し直せ、ということになった。

その登録延期になった最大の理由は、やはりやんばるには他のところにはない米軍基地がある。北部訓練場がある。高江のヘリパッドがある。そして辺野古大浦湾の新基地がある。これらが非常に大きな障害になっていて、やんばるの森申請書で見てみても、24か所に分断されている。そしてコア地域というかたちで申請しようとしているところの東側が全く空欄になっている。そこに何があるのか、申請書にも示されていない。実はこれは米軍の北部訓練場だったんですね。米軍の北部訓練場には日米地位協定で日本の主権が及びません。日本のコントロール下にないということ、世界自然遺産の全くの中心地、コア地域の東側に日本の管理、監督が及ばない地域がある、ということをまさに暴露したような、そういうような申請書だったわけです。

生物多様性１本に絞る

これらのことからユネスコは、やはりこれではだめだ、ということで、登録延期を勧告します。しかしながら、この登録延期の勧告の中で、生態系に関してはユネスコの諮問機関の IUCN は首を傾げたんですが、「生物多様性は確かに豊かだ」ということを認めたんですね。ということから、日本政府は出し直します。当初の申請から２年後の2019年2月、日本政府は申請理由を生物多様性１本に絞り、それから24か所に分断されていたも

のをまとめ上げて、その間に、北部訓練場の半分は返ってきて、それが国立公園になりましたので、それらも盛り込んだかたちで推薦書を作成し直して、再提出しました。ところが、ここでコロナが起きて、審査が手間取り、1年間かかって、今年の5月10日に IUCN が世界自然遺産への登録を勧告した、こういう経緯だったんですね。

さて、そのような経緯をたどったことから、やんばるの森の世界自然遺産登録に向けた課題としては、いろいろなものがありますが、まずは絶滅危惧種を保全できるかどうか。希少種の保護ができるかどうか。例えばヤンバルクイナですね。ヤンバルクイナは飛べない鳥です。やんばるには林道があって、多くの人たちが入ります。車やバイクを飛ばしていると、ヤンバルクイナを轢いてしまうロードキルの問題がある。それから外来種の問題。外来種の問題で出てくるのは、辺野古の新基地の埋立て土砂として、当初の計画では7割は本土からの土砂を持ってくるはずでした。本土は温帯です。沖縄は亜熱帯です。生きている生物が違います。ですから本土の土砂を持ってくると外来種が入ってしまう恐れがある。その外来種を防ぐことができるかどうか。そのような絶滅危惧種の保全の問題があります。

その次に世界自然遺産に登録されれば多くの観光客が入ってくるだろう。これはどこの世界自然遺産でも登録後に起きることですが、オーバーツーリズム、観光客が大量に押し寄せてくる。そのことによる環境破壊の問題をどう避けるのか、というのがあります。

そして何と言っても大きな問題。赤で表示した米軍基地の問題です。北部訓練場。高江のヘリパッド、辺野古の新基地。これらがもたらす問題をどう克服していくのか、ということが問われています。例えば世界遺産の登録の際には「コア・エリア」と呼ばれる中心部分の周りに、その価値を守るために「バッファーゾーン」という地域を設定するのですが、米軍基地は国内法が適用されないので、バッファーゾーンに指定することが難しい。そのことから一番最初の申請のときには、コア・エリアの東側に、そこは海でもないにも関わらず、何があるのかも表示されないというような、訳のわからない申請をするはめになったんです。高江のヘリパッドと辺野古新基地は自然保護に逆行します（口絵2頁参照）。

生物多様性おきなわ戦略

さて、このような状況で、今、やんばるの森が登録されようとしている

ことから、我々沖縄に住む者としては、これで目標達成ではない。我々が達成すべき目標はもっと先にあるはずだ、ということを、今確認しておく必要があると思います。我々の目標というのは、沖縄21世紀ビジョンと生物多様性おきなわ戦略です。地球の奇跡がここにはあるんだ、ということをお話ししましたが、その地球の奇跡を本来の姿、ありのままの姿で未来世代に伝える責務が、我々にはあります。その政策として打ち出されたのが、この二つ。「沖縄21世紀ビジョン」と「生物多様性おきなわ戦略」なんです。この政策を絵に描いた餅にしてはならない。それが今沖縄に生きている我々世代の責務だと思うのです（口絵2頁参照）。

　ということで、「沖縄21世紀ビジョン」をまず説明させていただこうと思います。沖縄県が2010年に策定、公表した沖縄21世紀ビジョンです。これまで沖縄振興開発計画を3回、その後2回、沖縄振興計画を策定した。その最後の沖縄振興計画を2010年に策定したわけですが、それを「沖縄21世紀ビジョン」として打ち出した。我々が目指すべき、沖縄自身の将来像。自己の姿というかたちで、1丁目1番地だというふうに自己規定したものが、「沖縄らしい自然と歴史、伝統、文化を大切にする島」、これなんですね。この沖縄21世紀ビジョンで描いた将来像に向けて、沖縄県自らが進路を定め、施策を展開していくための計画として2012年に立ち上げたのが、「沖縄21世紀ビジョン基本計画」です。この中で重要な柱になっているのが、沖縄の豊かな生物多様性の保全ということなんです。まさに、それに即するかたちで翌年2013年の3月に策定したのが、「生物多様性おきなわ戦略」です。この「生物多様性おきなわ戦略」というのは、「生物多様性基本法」という国が定めた法律に基づいて沖縄県自らが策定した自らの将来像なんです。

障害となる辺野古新基地

　沖縄島（沖縄本島）には、北部、中部、南部と大きく3つの地域があります。それから宮古地域、八重山地域があります。それぞれの地域の目指すべき将来像というのを、この「生物多様性おきなわ戦略」では描いたんですね。やんばるというのは沖縄本島北部ですので、北部圏域です。北部圏域の目指すべき将来像として描いたのは「森と海の繋がりを大切にする」ということなんです。ここに赤のアンダーラインを引きました。「人々の生活と自然の営みが調和している地域」ということなんですね。今回、

我々が地球の奇跡で生み出されたやんばるの生物多様性、豊かな地域、それを守るというかたちで世界自然遺産に登録されようとしているのは「やんばるの森」なんですね。「森と海の繋がり」ということではないんです。
　これを見てください。「森と海の繋がり」というかたちで我々が守るべきものだ、ということで「生物多様性おきなわ戦略」で打ち出した、その「森と海の繋がり」の障害物となっているのが米軍基地なんです。北部訓練場であり、辺野古の新基地なんです。これをどうするのか、ということが問われているわけです。
　それでは我々はどうすべきか。我々、今沖縄に暮らしているものは、地球の奇跡が生み出した沖縄の素晴らしい自然を未来世代に受け継いでいく。これが我々の世代の責務だと思うのですが、そのためにはやんばるの森が世界自然遺産として登録される、ということでピリオドではないんですね。「高江、辺野古を含めた世界自然遺産」へというかたちで我々は目指していかなければならない。その道は、これは日本国内だけではなくて、米軍基地がありますので、今、米中対立が非常に見た目エスカレートしていて、日本政府は完全にアメリカの手先として琉球弧の島々の軍事要塞化に走っております。そういう中での我々の取り組みとなりますので、厳しい道であることは百も承知ですけれども、しかし、これは未来世代への責務として、我々は避けるわけにはいきません。
　この写真をご覧ください。これは琉球新報の2016年12月23日の記事ですけれども、その一日前の12月22日に、北部訓練場がアメリカから日本に返還されました。ここにいる女性はその当時の駐日アメリカ大使のキャロライン・ケネディさんです。その隣にいるのは日本政府を代表して出席した当時の官房長官、今の首相の菅義偉さんです。北部訓練場の過半が返還ということで日本政府はこれだけ返ってきたんだ、我々は沖縄のために頑張っているんだ、と言ったんですね。で、在日米軍専用施設全体に占める沖縄の米軍基地の割合が74.4％から70.6％に下がったんだ、ということを宣伝したんです。しかし、実態は使えない部分を返しただけなんですね。使って

北部訓練場返還式
RETURN CEREMONY OF THE NORTHERN TRAINING AREA

北部訓練場過半を返還

米軍施設　依然7割集中

琉球新報16年12月23日

ぼろぼろになった。それを返しただけなんです。

　返還されたのは、ほとんど国有地、国有林です。この国有林というもの、この当時の新聞記事には全く載っていませんけれども、しかし元をたどれば国有林じゃないんです。共有地だったんです。琉球王府の時代、これは王府の土地ではあるんですけれども、王府は完全に地元民に管理させていたんですね。コモンズであったんです。共有地、コモンズ。杣山（そまやま）と呼ばれるコモンズだったんです。ところが明治政府が杣山処分というかたちで国有地化した。有名な奈良原繁と謝花昇の闘いがここにあったわけです。

６つのオスプレイパッド

　そういう歴史的な経緯をたどれば、そもそもここが国有地で国有林であること自体が歴史的な不正義なんですね。また、その不正義に乗っかって、戦後米軍がここで北部訓練場を作るのに日本政府が力を貸したということです。そういうことで使用不可能な土地を返還しただけです。米海兵隊はアジア・太平洋地域における戦略や基地運用計画をまとめた「戦略展望2025」の中で、「最大で51％の使用不可能な土地を返還し、新たな施設を設け、土地の最大限の活用が可能になる」という期待感を示している。つまり彼らはもう使えなくなったものは返して、その見返りというかたちで、最新鋭のヘリパッド、正確に言えばヘリパッドではなくて、オスプレイパッドです。６つのオスプレイパッドを高江地区に作らせる。日本政府に作らせる。日本国民の税金で作らせる、ということができそうだと期待感を示していたわけなんです。それで、東村高江周辺の新設ヘリパッドは宇嘉川の河口部に設けた訓練区域と連動するかたちで海からの上陸作戦ができる。人員救助の訓練ができる。素晴らしいヘリパッド、オスプレイパッドができるんだとアメリカは期待を示していたわけなんです。

　そこで作られたのが、N4地区の２つ、N1地区の２つ。G地区の１つ、H地区の１つ、という高江集落を囲むように作られた

高江ヘリパッド建設予定地

3～4カ所で崩落
メインゲート
新川ダム
米軍北部訓練場
10トンの重量制限
N-1地区
国頭村
N-1裏　G地区
H地区
沖縄やんばる海水揚水発電所
東村
N-4地区
70
高江集落
完成・供用済み　★ゲート
沖縄タイムス2016年7月22日

6つのオスプレイパッドなんです。このオスプレイパッドが作られた地域はやんばるの自然の中でどのような意味を持つ地域なのかということは、この高江のヘリパッド建設に先立って、沖縄防衛局が実施した自主的な環境アセスで明らかです。先ほど申し上げましたヤンバルクイナと、あとひとつ重要な鳥としてノグチゲラという鳥がいます。ノグチゲラは推定の生息数は恐らく400羽前後と言われている、極めて絶滅危惧に近い、沖縄にしかいない固有種なんですけれども、その固有種のノグチゲラが、この6つのヘリパッド地区の建設の際に環境アセスを行なった結果、どれだけのつがいが巣を作ろうとしていたのかがわかっています。N4地区で1つ見つかりました。G地区で13、H地区で16、N1地区で8つ、合計で38の巣が見つかっている。38の巣が見つかるということは、雄と雌のペアということで考えれば76羽のノグチゲラがここに暮らしていたということです。沖縄全域で400羽程度と推定されているノグチゲラのうち76羽がここで暮らしていたということで、いかにこの地域がノグチゲラにとって重要な自然豊かな場所であるか、ということがわかります。

（※ この講演はウィークリー沖縄スペシャル Vol.65 として放映された。前半に宮城秋乃さん作成の映像がある。オスプレイ低空飛行でノグチゲラが飛び立てない様子などが記録されている。）

不都合な真実―コバルト60

みなさんは既に宮城秋乃さんの撮った映像の中でノグチゲラを見ておられると思いますが、このノグチゲラにとって一番重要な地域がここだったんです。そして、先ほどから皆さんご覧いただいていると思いますけれども、この北部訓練場で、チョウ類の専門家で、やんばるの森、特に返還された北部訓練場の跡地で自然観察を行なってきた宮城秋乃さん、チョウですとか、鳥ですとか、素晴らしい自然を観察しているわけですが、彼女はその観察の途上で、見てはならない、不都合なものを見てしまった。まさに不都合な真実です。今ここに映っております、宮城秋乃さんが世界遺産候補地の北部訓練場返還地で回収した未使用・不発の弾薬類の一部と放射性物質コ

宮城秋乃さんに対する沖縄県警の不当捜査

宮城秋乃さんが世界遺産候補地の北部訓練場返還地で回収した未使用・不発の弾薬類の一部と放射性物質コバルト60使用電子部品。宮城さんは発見後県警に通報したにもかかわらず県警は弾薬類のほとんどを引き取らなかった。

宮城さんが2021年6月10日に回復したブログより

バルト60の使用電子部品です。

　宮城さんは発見後、県警に通報したにも関わらず、県警は弾薬類のほとんどを引き取らなかったんですね。それで、実は今月6月4日に威力業務妨害という疑いで、沖縄県警は宮城さんのお宅を家宅捜索します。家宅捜索を受けて、パソコン等を全部没収されてしまったために、宮城さんは新たにパソコンを買い直してブログを再度立ち上げました。6月11日付けのブログで宮城秋乃さんが出されているコメントがこれです。

　　「奄美・沖縄の世界自然遺産候補について登録を勧告した IUCN の評価の原文が2021年6月4日に公開されました。指摘事項等に候補地となっているやんばるの森の米軍廃棄物残留や米軍機飛行に関する記述はありませんでした。」

　これは大変重要な指摘です。オーバーツーリズム、ロードキル。飛べないヤンバルクイナが自動車に轢かれてしまう。あるいは伐採。後ほど説明させていただきますが、やんばる型林業というとんでもない林業があって、やんばるの森が伐られている。

　　「そういうことについては触れているのに、審査に一番インパクトを与えるであろう、米軍廃棄物の残留に言及されていないのは不自然です。上記の理由から私は今回の登録勧告は本来の純粋な評価ではなく、確実になんらかの忖度、米軍について全く触れていないというのは、忖度が働いたのだと考えています。」

　このように（宮城さんは）おっしゃっているんです。

　この画面をご覧ください。左側半分にあるのは、私もメンバーになっている沖縄環境ネットワークという環境 NGO が年に4回出している通信の

最新号です。今月（6月）の23日に発行しました。私は今度の88号では、世界自然遺産登録についてどう考えるか、宮城秋乃さんに投稿してもらおうと、あと一つ金井塚務さんにも書いていただきましたが、その原稿の締め切りを私は5月31日と設定しました。しかし、秋乃さんは6月4日まで待ってほしい。6月4

日にIUCNの評価書が公表されるはずなので、それを見てから書きたい、と締め切りの延期を希望されていたんです。私はそれを了承しました。ところが、まさにその6月4日に秋乃さん宅が沖縄県警の不当な家宅捜索を受けて、パソコン等を押収され寄稿してもらうことが叶わなかった。ここにあるのは、そういうかたちで出すことになった第88号です。この間の経緯を書き、合わせて宮城さんに対する不当捜査に抗議する声明を出しています。

やんばる型林業

　前頁の写真をご覧ください。上の方にあるのは、本来撮りたかったもの、と書いてあります。秋乃さんが本来撮りたかったチョウの写真ですとか、あるいはこのノグチゲラの写真です。ところがその過程で見てしまった不都合な真実。薬莢ですとか、コバルトの入った電子管ですとか、このようなものを発見してしまったわけです。そのような不都合な真実を次々と報告して、地元のメディアで発表していたがために、彼女はまさに不都合な人間というかたちで狙われたんだと思うんです。

　その次に見ていただきたいのはこれです。この第88号で、あと一つ報告したのが金井塚務さんに書いていただいたやんばる型林業という問題です。保護するどころか、皆伐が進められ、赤土流出が進むやんばるの森です。樹齢40年以上のウロのある、これはイタジイですけれども、イタジイは40年以上経つとウロのある木ができます。そのウロを活用してノグチゲラは巣を作るわけなんですね。ところがこういう皆伐をします。皆伐をして、再植林をします。再植林の際に補助金が出る。実はこの林業というのは補助金目当ての林業なんですね。この伐った木はほとんど二束三文、お金になりません。目当てはそのあと、これが荒れたから植林しますと。その植林の際に出る寄付金が目当てという林業なんですね。これで林業と言えるのか。再植林の際には、このイタジイの木は金にならないというかたちで再植林されません。再植林されないんですよ。そういうことでやんばるの森は守れるのか、ということを金井塚務さんは指摘されております。

保護するどころか皆伐が進められ赤土流出が進むやんばるの森
樹齢40年以上のウロのある木がなくなると、ノグチゲラは巣をつくれなくなる
再植林の際の補助金目当ての「やんばる型林業」

低空飛行の熱風と騒音

　さて、それで軍事基地を作る。辺野古に作られる基地は、オスプレイ専用の基地です。そして高江のヘリパッドを使って、オスプレイがやんばるの森の上で低空飛行訓練を行ないます。これがやんばるの森にとんでもない悪影響を与えるはずです。

　やんばるの森は湿った森です。オスプレイの低空飛行はとんでもない熱風をやんばるの森に叩きつけ、乾燥させます。また凄まじい騒音と低周波音がまき散らされます。これがやんばるの森に悪影響を与えないはずはありません。巣立とうとしているノグチゲラの雛（ひな）が騒音におびえて飛び立てないでいるのは、宮城秋乃さん撮影の映像が示すとおりです。このように北部訓練場と、それから高江のヘリパッドの存在、そのことを IUCN の報告書は全く述べておりません。

ジュゴンが消えたホープ・スポット

　それだけではありません。ジュゴンが棲む辺野古大浦湾は沖縄の素晴らしい自然、やんばるの自然を構成しているわけですけれども、生物多様性のホットスポットです。世界自然遺産の知床で確認されている生物は約4,200種。辺野古・大浦湾の海で確認されている生物は絶滅危惧種262種を含む5,800種以上です。

　そのため大浦湾の環境保全を求める19学会の合同要望書というのが、ここに書いてありますように平成26年、2014年に日本政府宛てに出されました。19学会となっておりますけれども、提出後に日本動物行動学会と日本哺乳類学会の賛同がありましたので、実質的には21もの学会がこんな素晴らしい、生物多様性豊かな大浦湾を埋めないでくれと要望しているんですね。日本全国に素晴らしい自然はいっぱいありますけれども、21もの学会が埋めないでくれ、と要望するような自然はそんなに多くないと思います。

　ということで、辺野古・大浦湾一帯の海は日本初のホープ・スポット、希望の海にも認定されております。この素晴らしい辺野古・大浦湾の海を象徴する生き物がジュゴンなんですね。このジュゴンも含めた沖縄の素晴らしい、大浦湾の素晴らしい自然を守るために、辺野古の新基地建設が環境に悪い影響を与えないようにと作られたのが、環境監視等委員会です。環境監視等委員会は、しかし、実は御用委員会で、この素晴らしい環境を

守るためには何もやっておりません。ジュゴンが3頭はいたはずでした。しかし、そのうちのジュゴンBはエイのトゲに刺されて死んでしまった。他のジュゴンは恐らく工事の騒ぎを嫌って、どこかに行ってしまったんです。今はジュゴンは見当たりません。ジュゴンは絶滅寸前なんですね。この環境監視等委員会は御用委員会だと申し上げましたけれども、その中の委員はなんとイギリスの学会誌に、ジュゴンは絶滅した、と。ジュゴンを守るのではなく、ジュゴンが絶滅したというようなことを学会誌に発表するというようなことまでしているんです。

辺野古・大浦湾の環境破壊

　さて、みなさん、今、我々がどういう局面にあるかというと、沖縄防衛局はこの辺野古岬の辺野古側を埋立てております。しかし、大浦湾側には軟弱地盤がある、という理由で当初の設計概要の変更が迫られております。この軟弱地盤は非常に深いです。深さが90mあります。日本の工作機械では 70 mまでしか埋められません。ですので、この軟弱地盤、工事ができるはずないんですね。そして活断層もあります。活断層に挟まれて辺野古の弾薬庫があり、それは将来核弾頭の貯蔵の可能性もあります。工法的に埋められるはずもない。また、無理やり埋めれば辺野古・大浦湾の環境破壊がさらに進むはずだというこの設計概要の変更申請が去年の 4 月に出されました。それに対して承認するかしないかは、沖縄県知事の権限です。玉城デニー知事は、この設計概要変更申請を間違いなく不承認にするでしょう。そこで新たに出てきた問題は、この埋立地をどこの土砂で埋めるかという問題です。当初の計画では、沖縄防衛局は本土の土砂で埋める計画でした。7 割方本土の土砂。しかし、その本土の土砂を入れると生物多様性を乱す恐れがある。本土の土砂は温帯の土砂。沖縄は亜熱帯。外来種が入ってくる恐れがあるという理由で沖縄県は土砂条例というのを作りました。この土砂条例にブロックされて、工事がストップする恐れがあるということで、この設計概要の変更申請を去年の 4 月に出すにあたって、沖縄防衛局が新たに打ち出してきたのは、ここに埋める土砂は基本的に県内で調達する。県内調達も主に沖縄本島の南部の糸満の土砂を使う、ということなんです。そこで大きく問題になってきたのが、そこには遺骨混じりの土砂があるということなんです。

遺骨混じりの土砂の埋立利用に反対するガマフヤー具志堅隆松さん

遺骨交じり土砂

　ここにおられるのはガマフヤーの具志堅隆松さんです。具志堅隆松さんは遺骨混じりの土砂の埋立て利用に反対しています。遺骨が混じった土砂を埋立てに利用するのは、これはとんでもない。亡くなった方々に対する冒瀆であるという主張は沖縄県民のみならず、日本国民、世界中の人々の同感を得られております。

　そこにまた新たに出てきたのがこれです。6月16日という日付を見てください。6月16日、国会は駆け込みで土地規制法を成立させました。重要土地利用規制法というとんでもない法律です。これはもの言う者たち、例えば宮城秋乃さんのようにもの言う者たちへの規制を強めていこう、という法律なんですね。我々沖縄に暮らす者は未来世代への責務、この素晴らしい自然、地球の奇跡が生み出した素晴らしい自然を未来に引き渡していかなければならない。それに対する規制が、土地規制法立法というかたちで来たわけです。我々は「森と海の繋がりを大切に」という未来世代への責務を果していかなければならない。それを例えば今生息数が数百羽と言われるやんばるのノグチゲラが見つめているだろうと思うんです。是非とも我々は全力を尽くして、全国のみなさんのご協力も得ながら、この未来世代への責務を果していきたいと思います。ご清聴ありがとうございました。

　緒方　大変素晴らしい講演ありがとうございます。よくわかりました。非常に疑問なんですけれども、これは米軍基地のまさに隣というか、そこに世界自然遺産が成立してしまうという、まことにおかしなことと思うんですけれども、これはそういう例がほかにあるのですか？

桜井　不勉強なんですけれども、私はフィリピンのスービック、クラーク基地によく通っていた頃があるんです。あのスービック、クラークはどうなのか。スービック、クラークは素晴らしい自然があるんですよ。何故、素晴らしい自然があるか、というと実は基地があったからという側面もあるんですね。北部訓練場があったんで自然が守られた、というような言い方もあるんだけれども、まあそれに近い言い方をしていたんです。ほかの所はルソン島の森は日本がどんどん木を伐ってしまったので、日本が自然を破壊した。ところがスービック、クラークの基地の中の木は伐れなかったので、そこで自然が残ったという。これはそういうことであって、基地が守ったというのでは必ずしもないんです。しかし、フィリピン政府の場合は、基地返せ、とやったんですよ。ですからクラーク基地も、スービック基地もいまやフィリピンに返還されて、これは今非常に経済的にも潤う。沖縄であれば新都心が返ってきたら、大変経済的に潤う、雇用も生れる、というのとまさに同じことがスービック、クラークで起きているんですね。ということで素晴らしい自然もそういうかたちで基地がなしの状態で考えることができるようになったということですが、そういう事例はよくはわかりません。知りません。

　ただですね、言えるのは世界遺産条約は、世界自然遺産に登録すべきところが、そこを管理している、まあ国家と言いますか、主権を持っているのはどこかということが２国に跨る事例は当然ある。その場合にはそれぞれが話し合って守るべきものを守る、ということは世界遺産条約にあるんですよ。もちろんこの北部訓練場は日本の土地であるはずなんだけれども、実質上、日米地位協定で、主権は及んでいない。そうだとしても日本政府が米軍と話し合って、この守るべき場所を守るということは世界遺産条約の中ではできるはずなんですよ。そこをきちんと日本政府がやっているのか、ということを我々は見ていかないとならないと思うのです。

　緒方　最初、その森と海との連携と言いましょうかね。例えばほかの自然遺産で知床なんかの場合は、陸地から３キロくらいが全部バッファーゾーンにして成り立っているわけです。今回の辺野古・大浦湾なんて、まず目の前ですよね。そこを一方で埋め立てておいて自然遺産の理念と矛盾しないか。

　桜井　そうですよね。しかもそこで作られる基地はオスプレイ専用の基地であって、オスプレイがガンガン飛ぶ。飛ぶ場所は、というと、かなり

低空飛行訓練でやんばるの森を飛ぶということですので、辺野古が指定できないというだけじゃなくて、そこに作られるものがもたらす悪影響というものまで考えないといけない。これが両立できるのか、ということが問われているわけですね。

　緒方　最後におっしゃったガマフヤーの具志堅隆松さんが言っているのは、防衛省は何も答えていないと。あなた方はそれを知っていたんですか、ここに、要するに戦友と言うのかな、昔亡くなった、同じような日本の軍隊の骨もあるでしょう。アメリカ軍の骨もあるでしょう。それをまた海に捨てるつもり、と一番、具志堅隆松さんが気にしてね、アメリカの『ネーション』とかイギリスの『ザ・ガーディアン』というような有名な雑誌等も大きく取り上げている。みんなそういう気持ちでいると思うんです。

　桜井　そうですね。あと私、別のものに書いたときには、ここでは沖縄戦で亡くなられた日本の兵士の遺骨と血だけじゃなくて、アメリカの兵士だけでもなくて、朝鮮半島から朝鮮人軍夫１万人が沖縄に連れてこられたと言われていますので、その中の少なからざる人たちは、やはり亡くなられているはずだと思うのです。そういう意味では、やはり米軍兵士、日本軍兵士、朝鮮半島から連れてこられた人、それと沖縄戦に巻き込まれた沖縄の人たち、この人たちの遺骨、そして血があるはずだということ。それを使っていいはずはないと思いますね。

　緒方　なんかこれ恨みが籠って、罰があたるんじゃないかという気もするんですよね。

　桜井　ですよね。もう絶対できないと。作らせてはならないと思いますけれどね。

　緒方　富士山が世界文化遺産になりましたよね。あのときにやっぱりICOMOSと、決定権を持っている人たちが見に来て、霊峰富士に砲弾を撃ち込んでいる砲声を聴いているわけですよね。一方では、富士山に対するいろいろな宗教的な感情があったとか言ってね、それも大事にしている。一方で砲弾を撃ち込む行為って何なのだと。非常におかしな、大きく言うとユネスコの自然遺産の決め方も何か米軍を別扱いにしているのか。

　要するに今回の世界自然遺産登録は、軍事基地と自然遺産が隣接している。自然遺産の理念からいうと、軍事基地をなくして、海の方も全部自然遺産の範囲を広げるべきじゃないか。その辺の展望はいかがでしょうか。

　桜井　やはり今暮らしている、今現在沖縄で暮らす我々の未来世代に対

する責務として、軍事基地のない、森と海の繋がりをそのまま生かせるような、そういう世界遺産登録を目指すべきだというのが我々の責務だと思います。

緒方　ありがとうございました。

※この講演は、ウィークリー沖縄スペシャル第65回で見ることができます。

<table>
<tr><td>講演</td><td></td></tr>
</table>

みんなで活かそう2つの世界遺産

琉球弧世界遺産フォーラム代表 **花井正光**

2021年7月17日

緒方 皆さん、こんにちは。昨日から今年の世界遺産委員会が始まりました。今回の会合で奄美大島、徳之島、沖縄島北部、そして西表島が自然遺産に決定する予定です。沖縄島はもともと文化遺産が20年前に登録されましたけれども、文化遺産と自然遺産と両方持つことになります。自然と文化の融合と言いましょうか。そういうことを琉球弧世界遺産フォーラムの代表・花井正光先生にたっぷりとお話を聴きたい、と思います。

花井 今、先生のお話にありましたように、いよいよ奄美・沖縄の自然遺産が世界遺産リストに登録されることになります。2003年から始まっていますので、時間がかかった分だけ、のちのちうまく地元が、これを活かしていく上での仕組みについて、皆さんお考えになる時間もあったんじゃないかなと、期待しています。

まず、何枚かスライドを用意しました。

この世界遺産は、自然遺産なので、生物多様性とか絶滅危惧種だとか、生き物たちに光が当たるのは当然のことではあるのですが、一方では世界遺産というのは、その地域に住んでいる人たちにとって、これから先々の暮らしに役立てていく仕組みでもあるので、そのあたりについて、少し今日はお話をさせていただこうと思っております。

さて、第44回の世界遺産委員会は新型コロナウィルスの影響で会合の運営がいつもと違い、開会式と閉会式だけが中国の福建省福州で行われますが、新規登録案件などの一連の審議はオンライン会合によって行われます。

ご存知のように、世界遺産は、これまで1121件登録されており、1000を超えています。文化遺産が869、自然遺産が213、複合遺産が39です。この数についてですが、今、167の国、地域がなにがしかの世界遺産を登録しているので、そういう点から言うと、広く世界遺産が行き渡っているというところは、この条約の運用上うまくいっていると言ってもいいかもしれ

ません。しかし、一方では、こんなに増えていいのか。ちゃんと守れるか。活用できるか、という心配事がかなり早い時点から問題視されてきています。今回の世界遺産委員会で、また30数件、新たに加わることになるわけで、平均すると年ごとに25、6件ずつ増えて来たことになります。そういう状況を今後どうしていくのかが大きな課題になっているということも、見ておかないといけません。

さて、自然遺産ですが、文化遺産が900近くある中で、200ちょっとですから、4分の1弱です。数の上で均衡が取れていないという問題も早くからあったのですが、上の図でご覧のように自然遺産では数ある様々な保護地域のうち顕著な普遍的価値を有するベスト・オブ・ザ・ベスト、選ばれるべくして選ばれるという運用がなされている結果、このような登録件数になっているのです。

文化遺産の方はなかなか格付けが難しいということもあるんだろうと思いますけれども、自然遺産のようなルールがまだできていないため、今後も増え続ける可能性がありますね。

自分たちの宝物という考え

折角登録されたのですから、これをしっかりと守り、かつうまく活用することによって、結果的に末永く残せるといいですね。そのためには身近にある世界遺産を、自分たちの宝物というか、あるいは資産として受け止めて、できるだけ関わっていくというような関係が望ましい。あるいはそのためにまた努力をしなければいけないのではないか、というところがもう一つの近年の世界遺産の仕組みの課題となっています。

IUCNの評価ですが、レポートを見て、ちょっと気になったのはコミュニティ、地域の人たちがこれをどう受け止めているかというのを非常に気

にしていて、要は日ごろから地域の人たちと行政は絶えず交流、意見交換をして、進めていく必要があると指摘しています。このことは大事なことで、登録後の取り組みのポイントであるだろうと思います。

　今回のこの四つの島で、いわゆる世界遺産として登録するのは、緑の一番濃いところですね。その周辺の色の薄いところは緩衝地帯で、登録資産のうちには入らないですけれども、登録資産に周辺部の影響が直接及ばないように、このバッファゾーンを設けるわけです。もう一つ注目すべきは、その外に周辺管理地域を設けている点です。ご覧のように、対象地域全体に広く設けられています。守るべき価値のあるものと、長い歴史を通じて地域の暮らしが密接に関わってきた関係は、今後も変わらないだろうから、関わり方の伝統的な智恵や技術を保護や活用に活かしていこうという考えに立って、この周辺管理地域は設けられたのだという理解です（口絵3頁参照）。

ユネスコエコパーク

　この考え方は、実はユネスコエコパークとよく似ています。このエコパークですが、この図を見ていただくと、真ん中に核心地域があって、その

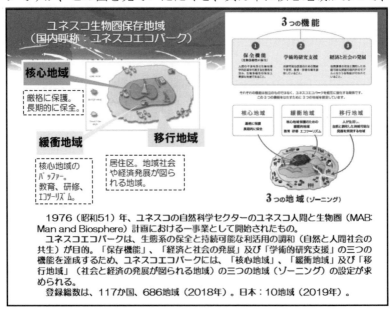

外にバッファーゾーン、緩
衝地帯を設け、移行地域と
書いていますけれども、も
う一つその外にある。考え
方としては、この移行地域
を周辺管理地域と捉えられ
なくもなく、このユネスコ
エコパークの考え方を、世
界遺産の登録された地域、
やんばるであれば、やんば
る三村に住む人たちが参考
にされる、ということもい

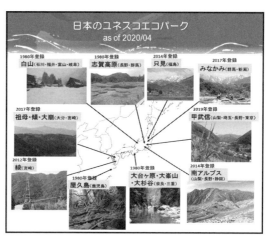

いのではないかと思います。今国内にはエコパーク10か所あります。世界
的にはもう700ぐらい登録されています。ユネスコのエコパークと世界遺
産が重なっている例も、世界に結構数多くあります。地域の人たちが身近
な、自分たちの宝である世界遺産を役立てていこうというと、観光であっ
たり、その結果オーバーツーリズムと言われるような負荷を心配する受け
止め方がされるわけですが、地域の人たちにとって、世界遺産は誇りにな
ることでもあり、いい状態で保存しながらやるという考え方があれば、そ
う心配することにもならないんじゃないかなと思います。管理の仕方の問
題だと思います。

　緒方　エコパークというのは、バッファーゾーン、要するに緩衝地帯よ
りもさらに外を含むということであるとするならば、やんばる全体がエコ
パークと考えられるということですか。

　花井　かたちの上ではそういうふうに考えてもいいのではないか。もち
ろんエコパークと世界遺産は、もともと趣旨目的も違うと言えば、違うも
のですが。

　緒方　世界自然遺産を万々歳に受け止められないと思っている人は、全
員がその近くにある辺野古の埋め立てはどうなっているのか、と思う。な
んか巧みに IUCN は陸地側の分だけ切り分けて、海と陸との関係を断ち
切って、世界遺産を無理に決めているんじゃないか、という見方があると
思うのですけれども。

　花井　IUCN は締約国が推薦した内容について、良し悪しを判断するわ

けです。今回世界遺産に登録された資産を末永く保存していく上で、例えば海との繋がりが大事であるなら、知床が参考になる。知床は海と陸上の繋がりを大事にし、知床の生態系の特徴と言いながら、最初は陸地から1キロだけの海面だったのが、それではちょっと少ないんじゃないか、ちゃんと陸と海との、両方との関わりを将来にしっかりと保存していこうということであれば、やっぱりもうちょっと広く必要とするんじゃないかと、IUCN が指摘した結果、最終的には3キロまで広がった。

　奄美・沖縄の場合は、最初から海域は入っていない。陸域に限って生態系とか、あるいは進化のプロセスについて着目して適合するクライテリア（基準）を検討してきた経緯があります。今後、海と陸域との関わりが重要視される可能性が皆無とは言い切れないと思います。なればなったで、いいことだと思います。

　緒方　沖縄県は最初の文化遺産と、今度の自然遺産と両方持つことになりました。講演のタイトルも「みんなで活かそう2つの世界遺産」です。

文化・自然との関わり

　花井　今、ご指摘の自然遺産と文化遺産は、それぞれの基準によって登録してきているわけですけれども、かなり以前から、折角自然と文化の両方を一体的に扱っていこうという、ユニークな仕組みができたにもかかわらず、やれ自然だ、やれ文化だ、と言うのは、如何なものかという問題意識を受けて、双方の統合に向け、新たな取り組みがなされてきている。その辺りをちょっと紹介したいと思います。

　まず、いわゆる文化的景観です。その土地の制約を受けながら、世代交代をずっと重ねて、文化なり、あるいは自然との独特の関わり、といった関係を築いてきた、その総体を景観として普遍的な価値を求められないかという考え方が、文化的景観だと言える。

　世界遺産条約ができるときに、実はそれと並行して、それぞれの国にある自然遺産とか文化遺産、これは世界遺産ならずともですね、そうしたものについてしっかりと今後活かしていく。保存し、活かしていく。そういう考え方をこれからはちゃんとやらないといけないという勧告（※）が出されています。

　　※勧告では、文化及び自然の遺産に対し、社会生活における役割を与えること並びにこの遺産の保護を総合計画の中に組み入れることを目的とする一

般的方針を採択する。

　目の前でどんどん様子が変わっていく中で、なによりもそうしたことについて、自分ごととしてしっかり捉えて、それに対してちゃんと適切に対応できるように取り組もうとすると、普段から当事者として、それを考えるだけの資質が必要なんだということを、この仕組みでは大切にしていこうではないか、と呼び掛けている。

　そのことは非常に大事なことです。自然遺産としての絶滅危惧種は確かに価値のあるものですし、長い目で見て、人間にとっても必要なものであるということは間違いないことなのですが、なによりも日々の暮らしの中で、そうした自然がどうあればいいかといったようなことを、しっかりと考えられるような人を作っていく。これは人材育成（Capacity building キャパシティ・ビルディング）とよく言いますけれども、ひとつの課題とされてきました。条約でも第5条に、文化・自然遺産に対し、社会生活の中でちゃんと役割を与えないといけないと書かれています。飾り物にしておくとか、どこか奥の方に仕舞って隔離しておく、アンタッチャブルな保存ではダメなのじゃないか。やっぱり地域の暮らしの中でちゃんと役割を持つものであることが大事なのです。これは何も特別なことではなくて、かつてであれば当たり前のことで、裏山から自然の恵みとしていろいろなものを享受してきたわけです。そうした関係性をしっかりとこれからも持っていけるような仕組みづくりを世界遺産を通じてやるんだということを、ここで言っているわけです。

　その考え方は、この条約ができて40年経った2012年に京都で開催された「40周年記念国際会議」で採択された「京都ビジョン」でもポイントとして再確認されています。緒方先生とご一緒したあの会議です。持続可能な開発への取り組みの中に、世界遺産をちゃんと組み込んでいく上では、コミュニティの役割は非常に大事で、誰かがやってくれるだとか、行政に任せておけばよいといったものではないだろう。自分たちで、当事者として取り組まなければいけない。そのためには日ごろから、そうした受け止め方、あるいは場合によっては取り組みをするための能力を、ちゃんと培ってもらわないといけない。京都ビジョンではこの二点を基本的な認識として改めて掲げています。

　ところで世界遺産は、動産はダメで、不動産に限られています。要はか

たちのあるものですよね。ところが今の様な日々の生活の中で、世界遺産になるような価値のあるものを捉えようとすると、必ずしも眼に見えるものだけではなくて、いわゆる無形遺産と言われるような技術だとか、お祭りとか、そうしたかたちにならないものも、長年培われてきたわけで、実はそれにまつわる無形のもの、これらの無形遺産についても、大事なものとして、しっかり関係付けていこうという流れになってきています。こうした考え方は、かねてはありませんでした。世界遺産登録が始まったころは、荘厳で重厚な建物とか、建造物がほとんどでしたが、今では、世界遺産は裾野を広げつつあります。

　こうした変化を背景に、文化と自然を一体的に捉えて地域の社会生活に落とし込んでいこうとするとき、はじめに先生がおっしゃったように、沖縄は、文化と自然、両方の遺産が身近にあることになるので両遺産を関係付けて、活かしていこうという考え方に立って、今後、関係者でいろいろ工夫したり、取り組みをやっていければなと思っています。

　今回の世界遺産が四つの島を一括りにした「連続性のある資産」であるということも大事な点で、ぜひ捉えておきたい。我が島、自分のところということでなく、四つの島の登録資産がきっちりと保存されていく、あるいは役立てられる、地域の人たちが、ここにいてよかったなと言えるようなところにしていっていただく、という意味で、今後ぜひみんなで工夫して持続可能な地域づくりのツールとして活用されるといいですね。SDGsの取り組みにもつながります。

文化・自然融合のモデル

　緒方　例えば国頭村は昔から国頭さばくいという歌があって、当時の木遣り歌ということになるのでしょうかね、そこから伐りだした木材を首里城に運ぶわけですね。それから自然の景色を歌ったものがあります。

伝統は未だに残っている。あるいはそれを再興しようとしている。歌碑巡りなども、やっています。これこそ「文化と自然の融合」ではないか。

国頭村奥間にある記念碑

花井　まあ理想的というか、多分今回の歌碑を巡ったときに案内をして
くれた人たちは、特段変わったことを言っているわけではなくて、国頭村
の認証ガイドの方にとって歌碑巡りは普段の生活の延長として歌があり、
歌い込まれている情景や自然が別々にあるわけじゃなくて、文化と自然が
一体的なものとして認識されているのではないでしょうか。西表島あたり
も、非常に色濃く人と自然の関係を織り込んだ歌がたくさんありますよね。
奄美にもあるし、徳之島だってあるでしょう。だからかつては自然と人の
暮らしは、とにかく一体的だったわけで、それが普通だったわけでです。
そういう受け止め方なり、対処の仕方が今後とも普通にできれば、もう優
等生で、いわゆるベスト・プラクティスと言えるのではないかと思います。
世界遺産を生活に取り込むという観点からすれば、他の地域に対し「あー、
そうなんだ」と納得できますよね。5、60年前の、自然や暮らしぶりを振
り返る機会になるだけでも足を運ぶ価値があるというものです。
　緒方　さっき、ユネスコのエコパークの話がありましたけれども、ラム
サール条約登録湿地も沖縄県には5か所もある。ちゃんと守らなければ、
自然環境が保護できないとか、今危ないから、慌てて条約を適用したんで
しょうか。
　花井　ラムサール条約が対象にしている湿地は以前であれば、本当に日
々の生活の中でなにがしかの関わりがあったところが多いのです。生産性
に乏しく、蚊が発生したりして弊害が問題視され、湿地はどんどん埋め立
てられてしまいました。ただ生き物の側から言うと、湿地がなくてはなら
ない生き物たちがたくさんいるし、河口湿地は水質浄化の役割を担ったり
もします。もともとラムサール条約は、海を越えて渡る渡り鳥にとって欠
かせない湿地を守る仕組みとして始まりましたが、今では必ずしも渡り鳥
だけの話ではなくて、それぞれの湿地が多様な生き物たちの住処であり、
周辺に暮らしている人たちが、生活の上で様々な目的で利用してきたとこ
ろでもあるので、ラムサール条約ではワイズ・ユース、賢く使うという考
え方を大事にしています。生き物たちを守ってやるけれども、そこで暮ら
している人たちもそこを上手に使って、うまく共存していこうという考え
方です。
　この他によく聞くのは生物多様性条約です。最近だと気候変動が非常に
深刻な問題ですし、SDGs なども世界遺産の仕組みを上手に運用していく
上では不可欠だということで、しっかりと連携を深めることも重要視され

◆ ユネスコ無形文化遺産
　　登録：・組踊り（2010）
　　　　　・宮古島のパーントゥ（2018）
　　取組み中：・琉球料理・泡盛
　　　　　　（泡盛は日本酒・焼酎とともに登録手続き進行）
　　　　　　・沖縄空手

◆ ラムサール条約登録湿地
　　　　　・漫湖（1999）
　　　　　・慶良間諸島海域（2005）
　　　　　・名蔵アンパル（2005）
　　　　　・久米島の渓流・湿地（2008）
　　　　　・与那覇湾（2012）

ています。

それから世界無形文化遺産ですね。沖縄で言うと組踊が登録されていますし、宮古島のパーントゥ。これは単体ではなくて、全国のよく似たパターンのお祭りと一緒にして登録しているものです。

今話題になっているのは泡盛を、日本のお酒、焼酎とか日本酒と一体にして、これを世界無形遺産として登録しようという手続きが文化庁で進められているようです。新聞にも出ていました。空手もその動きがありますよね。かつて、普通の暮らしの中で身近だったものをもう一度見直して、これらを組み合わせて地域固有の文化や自然との関わりを再認識して、これからの社会や自然環境の保全につなげていければいいと思います。

緒方　世界遺産が二つになった、ということで、特に沖縄は非常に意識をしてやる必要がある。世界遺産条約は、ユネスコの条約の中で最も成功した条約と言われています。そもそもが戦争を起こさない、人々の心の中に平和の砦を築こうという理念があったというのに、そちらの方が忘れられて、観光に役に立つとか、という方に行ってしまったら、将来はないなという気もするんですけれどね。

花井　そうですね。今の先生のお話で、特に誰でも「あっそうか」と思うのは、「負の遺産」、日本で言うと原爆ドームとか、有名なアウシュヴィッツ収容所などがその例ですけれども、ああいったものを見ると、やっぱり我々人類が犯した愚かなことを、これから先繰り返していいのか、そういった想いを突きつけるものが目の前にあるということは、何にも換え難い遺産です。

緒方　私に言わせれば在日米軍なんか、最も負の世界遺産にふさわしいんじゃないか。そういう感じもいたします。

世界自然遺産も沖縄が、二つも大事な人類の宝を持つ。先ほど先生もおっしゃったけれども、奄美もそう、徳之島もそう、俺の島だけではない、外に目を向けながら自然を守るとか、文化の大事さを、こちらに問いかけ

てくるものがあるな、という感じがするんです。

　花井　そうですね。その点で言うと、先生がかねてからおっしゃっている、国境を越えた遺産。これも世界遺産としては、このところずっと取り組んでいるわけで、国境を越えた、連続した資産というのは段々増えてきています。この島国で、確かに海で隔てられているとは言っても、長い歴史の中で振り返れば、必ずや外とつながっていた、そうしたところにも思いを及ぼすこうしたタイプの世界遺産が沖縄に今後出て来てもいいのかなという気がします。

　緒方　蛇足ですけれども、福州にある福州琉球館は何だろう。あそここそ、琉球の世界文化遺産と繋ぐ、一番大事なところではないかと思っているので、ユネスコの考えでいくと、大陸を跨いだ世界遺産にすべきだと、勝手に私は思っています。

　花井　もう一点大事なのは、世界遺産の仕組みは、世界遺産として登録したものでなくとも普遍的な価値をもつ遺産であることに違いはないと最初から言っているわけですね。ですので、とりあえずそういうことを考えてみてもいいわけで、あるいはそのことを通じて、海を隔てた向こうと共有できるような、歴史に由来するファクトがあるならば、世界遺産になろうがなるまいが、共有できる人たちの間で、うんと交流するとか、関係性を繋ぐとかして、その上で何年か経って、結果的に世界遺産ということになるかも知れない。沖縄の今度の自然遺産も、登録されたところだけが価値があって、その余はそうではない、という話ではない。自然と文化というものは、沖縄島の南の端にいても、同じくその考え方で、南城市には斎場御嶽という自然と文化を結びつけた世界文化遺産がありますし、そうした考え方が段々と広まっていく機会として、今回の自然遺産登録を捉えていただければいいのではないでしょうか。

　緒方　どうも長い間、ありがとうございました。

　　※この講演は、ウィークリー沖縄スペシャル第67回で見ることができます。

❖ 沖縄の文化力
歴史と風土から生まれるもの

日本と沖縄の特異な関係、沖縄戦、米軍基地、次の戦争の脅威。苦難の歴史と現実に向き合い民衆が培ってきた「沖縄文化の力」とは何か。その源泉と発露のありようを「沖縄文学の力」、「アートの力」、「島うたの力」の視点で特集する。死者の声を拾い、状況に対峙し、闘い、「日毒」「ワイドー」の言葉を産み、倫理的で国際的な普遍性を志向する文学の営み。アジアと連帯し頭の中の植民地の克服と自立を目指すアートの試み。苦しみを歌に、喜びを踊りに、血と土から生まれた島うたは、おおらかにしたたかに時代を紡いでいく。時代と状況に対峙し「汝の立つ所を深く掘れ」の教えに行き着く。

沖縄文学の力

2021年7月24日
俳人・沖縄国際大学非常勤講師 **おおしろ建**
詩人・作家・元琉球大学教授 **大城貞俊**
歌人・名桜大学国際学群上級准教授 **屋良健一郎**
《司会》作家 **崎浜 慎**

 崎浜慎 みなさん、こんにちは。これから「沖縄文学の力」座談会を行います。司会の崎浜慎です。沖縄で物書きをしています。
 さて、本日は、おそらく「日本文学」とはちがう独自の展開をしてきた「沖縄文学」について、さまざまな論点から見ていきたいと思います。そもそも「沖縄文学」とは何か、と思う方も多くいらっしゃるかと思います。ここにいる私たちは沖縄で暮らしていて、あたりまえのように「沖縄文学」をみなしているところがあります。たとえば、沖縄で書かれている小説や詩や短歌や俳句だ、といえば簡単なのかもしれませんが、そんなに単

純なものでもありません。日本と沖縄の関係—政治・社会・歴史的なもの—が大きく関係していますし、76年前の沖縄戦の体験、あるいは、中国やアメリカとの複雑な関係など、さまざまなものがあります。そのあたりの事情も含めて、「沖縄文学」について解説的なものも含めながら、見ていきたいと思います。

　本日はお三方をお招きしています。作家の大城貞俊さん、歌人の屋良健一郎さん、俳人のおおしろ建さんです。お三方に私の方で用意している質問をしながら、そこから話をひろげて、各自ふだんから考えていることなどを自由に語ってもらいたいと思っています。まずは「沖縄文学」について定義的なところから貞俊さんに話していただきます。

　* 「沖縄文学」とは

　大城貞俊　沖縄の文学を考えるときに、明治時代以降に沖縄県となった時期の「沖縄文学」とそれ以前の琉球王国時代の文学を「琉球文学」というふうに分けて考えるのが一般的な見方であろうと思います。今日、私は「沖縄文学」と呼ばれている明治以降の文学、その中でも戦後文学を中心にして、詩や小説について話をしたいと思います。

　まず、沖縄の文学はその時代や状況と密接に関わっています。文学が社会やその時代の人々と深く関わっているのであれば、沖縄の歴史はヤマト（日本本土）とは異なる歴史を歩んできた。琉球王国から沖縄県になって以降もそうですが、また現在にも沖縄には米軍基地があり、県民の大きな負担になっています。

　ヤマトとは違う歴史や文化や特異な言語を有しているわけで、それゆえにそういう状況が文学の対象となるのであれば、やはり沖縄文学はヤマトとは違う特異な文学として成立すると思います。そして日本文学との違いを言えば、一つは状況に対して非常に倫理的であるということ。二つ目には、作品世界が国際的であるということ。それから三つ目には、沖縄戦の記憶の継承がテーマの一つであるということ。それから四つ目には地方語としての「シマクトゥバ」をどのように文学作品に取り入れるかということの挑戦・模索が挙げられると思います。これが沖縄文学の特徴であり、このことから考えて沖縄文学という

大城貞俊

175

概念は成立すると思います。

　崎浜　ありがとうございます。貞俊さんが言われているように時代や状況と文学は密接な関係があるわけで、日本と沖縄の歴史体験の違いは明らかにあるわけですから、文学もおのずと違ってくるのかなと思います。ここに本を一冊用意しています。『沖縄文学選』（勉誠出版）です。戦後の沖縄文学を中心に要領よくまとめていて、入門書として最適です。

　このアンソロジーを読むと、「沖縄」という状況と文学作品が密接に関わっていることがよくわかりますが、これは1990年代後半のものまでをまとめたものなので、ここ20年の文学の状況はどうなのか。特徴的なものがあれば教えてください。

　貞俊　小説の世界では、先ほど挙げた四つの特徴は持続されていると思います。ただ、どちらかと言うと「大きな物語」というのが後退して「小さな物語」「個人的な世界」、そういうところへシフトしていっているように見えます。

　崎浜　私もそう思います。現在、日本で書かれているものと沖縄の若い人たちが書いている小説の差異がなくなっていると思います。それは、たとえば沖縄戦の記憶の継承がうまくなされていないということも要因の一つであると思いますが、そうなると、いわゆる沖縄文学というのは今後衰退していくのか、そこのところはどうお考えですか。

　貞俊　沖縄のことを考え続けている間は、沖縄文学の衰退というのはないと考えています。言葉について考えるだとか、沖縄のことを考え続けるのは、自分の生き方につながることです。それは一つの視点にとらわれないダイナミックな動きを持っているということです。沖縄文学はその意味で多様な作品を持ちながら、未来へ一歩一歩前進していくのだと思います。

　崎浜　とても励まされる言葉です。屋良さんはこの中で一番お若いです

屋良健一郎

が、沖縄文学を貞俊さんが言われたように意識して読んでいますか。

　屋良健一郎　私は沖縄文学を読むようになったのが、『沖縄文学選』を知ったのがきっかけです。そこから入ったので、沖縄文学という存在を自明なものとして思ってしまっていて、沖縄文学が何なのかということはそこまで深くは考えこなかったなと思います。ですので、沖縄文学をどう定義するのかというところが気になりなが

ら貞俊さんのお話を聞いていました。自分の中では定義の答えが出ず迷っているところです。

崎浜 私も屋良さんと同じ意見で、貞俊さんは明確に沖縄文学の定義をされていて、本当にその通りだなと思いますが、ただ、私自身、沖縄文学とは何だろうなと考えたときによくわからない部分もあります。わからないというよりも範囲がどこまでも広がっていくのではないか。たとえば、沖縄生まれじゃなくても、沖縄文学を書

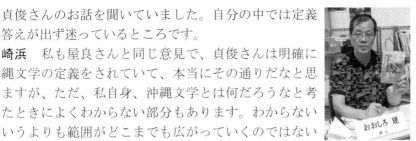

おおしろ建

けるのではないかとか、沖縄から移民で世界に広がっていった人たちの書いた文学もその範疇に入るのではないかとかいうことです。簡単に定義できるようでいて、難しい部分や曖昧な部分もあるのかなと。

おおしろ建 貞俊さんは多様性ということをプラスに考えていますが、沖縄の文学を考えたときに、はたしてそれがプラスになるかどうかは違うかもしれない。私の中では60代後半から70代の芥川賞作家と崎山多美あたりがメインかと思います。日本復帰後は若者たちがいろいろなジャンルに取り組んでいて、確かにある意味では日本とあまり変わらないという感じがしていて、沖縄の文学と言えるかどうか。個人それぞれが視野を広げていくというのは良いことだと思う。ただ、文学というのはある意味では足元を掘るということで、そういう面がないと多様な作品をつくるにしても、やはり沖縄の歴史や文化、先人たちがつくってきたものを踏まえたほうがもっと膨らみのある作品ができると思います。

　貞俊さんは沖縄文学の特性として倫理的ということをおっしゃいますけど、どういうところを言うのでしょうか。

貞俊 倫理的というのは、状況から目を逸らさない、状況に対峙するということです。その姿勢を堅持しているのが沖縄文学です。たとえば沖縄文学作品には笑いの文学とかファンタジックな文学というのは少ないんです。状況に対峙する言葉、詩とか俳句とか短歌とか沖縄は他府県以上に盛んだと思いますが、短い言葉でいうなれば世界を変える、そのような方法もあると思います。

　戦後、日本国家から切り離されて国を失った民として生きていく。そして、基地被害とも言われ、人権を抑圧されたような状況の中に追いやられる。その中で大城立裕の「カクテル・パーティー」をはじめ、四人の芥川賞作家の作品は、沖縄でいかに生きていくか、沖縄のアイデンティティを

崎浜 慎

探すというのが大きなテーマになっています。私は文学はもっと多様であってもいいと思っているし、もっと笑いがいっぱいあってもいいと思っているのですが、時代の状況を沖縄の先人たちは引き受けてきた。

＊状況と文学の関係性

崎浜 状況から目を逸らさないというのは創作をする上で大切な姿勢です。そのときちょっと気になるのが、若い沖縄の書き手たちは、たとえば基地問題を取り上げることは少ないのではないか。まるで見えない物のように扱っています。それは状況から目を逸らしているということにはならないのでしょうか。

貞俊 状況としては今述べられたことはあると思います。私はいつも自分に言い聞かせているのですが、沖縄戦のことや沖縄に関する諸々のことを自明のこととしてはいけないと思います。

自分の足元を見ることによって、そこから突き抜けるような普遍的な世界につながるのではないかと思います。あるいは沖縄の今の私を見つめることによって、基地とか沖縄の歴史にたどり着くと思うんですよ。若い人たちはまだそこまで行っていないということであって、可能性は大いにあると思います。

建 ノーベル文学賞作家の作品も自分の足元を題材にしているものが多いです。先人たちが自分の足元を掘れと言ってきていますが、やはりそうすることによって大きな文学作品が生まれるのではないでしょうか。ただ、掘り下げるという作業ほど苦しいものはない。誰にも評価されないまま死んでしまうかもしれないし。

崎浜 屋良さんに質問です。沖縄で詠まれる短歌と日本で詠まれる短歌に違いはありますか？

屋良 先ほど貞俊さんから状況と密接に関わっているというお話がありましたが、やはり沖縄の短歌の特徴もそれが大きいのかなと思います。たとえば、歌人の玉城洋子さんは『短歌往来』（2003年4月号）で、沖縄の歌人の作品には時事詠（基地詠）が多いことを指摘しています。それを基地のフェンスに向かう「バリケードのように、時事詠が立ち並んでいる」と表現しています。時事的なことや社会を詠うということ、もっと言えば、

生活を詠うということが「基地」につながっていくということだと思います。目の前のことを詠むときに基地がどうしても避けられないものとしてあるのかなと思います。

　一方、歌人の小高賢さんは『短歌往来』(2013年8月号) で、こう述べています。琉球王国の時代があって、それから琉球処分に始まる近代、戦後の沖縄という三層の上に沖縄の現代短歌があると。沖縄の現代短歌を考えるときにこの三層の存在を理解しないといけないだろう、と。この三層から強烈な思いが噴出するのが沖縄の作品であると指摘しています。また、小高さんは沖縄の「地名や言語、民俗、風習、行事」が作品に取り入れられている点に特徴があり、「他の地域に比べ、独自の文化を、矜持とともに大事にしている」と述べています。もちろんそれぞれの地域の言語や風習を取り入れるというのは沖縄以外にもあります。たとえば東北の歌人の作品にも方言を取り入れたものがありますが、沖縄はその傾向が特に強いという感じがあります。

　ただ小高さんはこうも言っています。独自の文化に対する愛情が非常に強い作品であるがゆえに、沖縄以外の人が読んだときに、なかなか理解や共感を得られないのではないか、と。独自の歴史と文化を詠むというのは沖縄の短歌の強みでありながらも、一方でどう表現するのかという点で課題もあるのかなと思います。

　以上の点に加えて、私が指摘したいことがあります。新城貞夫にこういう歌があります。

　なにゆえにわが倭歌〔やまとうた〕に依り来しやとおき祖〔おや〕らの声つまづける

『朱夏』(1971年)

　この歌も非常に解釈が難しく、どういうふうに読めばいいのかいつも迷いますが、倭歌、つまり短歌や和歌を詠むことに対する違和感というのを詠んでいる。また當間實光にこういう歌があります。

　日本語も和歌も捨てたし差別のみ続く琉球〔レキオ〕に基地の轟音

『大嶺崎』〔うふんみざち〕(2012年)

　日本語や和歌を捨てたいのだけれども、やはり日本の言葉で、そして短歌の形式で自分の心情を表現しつづけないといけない歌人がここにはいるわけですね。ですから、沖縄の作品の特徴の一つとしてはやはり、短歌と

179

か日本語とかいうものを必ずしも自明のものとしない、それとの緊張関係を抱えている作者もいるということです。

　崎浜　重要な指摘が二つありました。一つは沖縄の人の独自の文化に対する誇りというのがそれ自体大切なものではあるけれども、それが逆に沖縄以外の人が短歌を理解することを妨げるおそれがあるということ。もう一つは、日本語の問題です。新城貞夫の歌にあるように、日本語に対する違和感がありながらもそれを使わざるをえない複雑な心境。屋良さん自身は日本語で短歌をつくる際にそういった抵抗はないでしょうか。

　屋良　私は全然ないですし、むしろ琉球語の方がほとんどわからないので、自分の中には日本語（標準語）以外で書くという選択肢がありません。もちろん琉球語の一部を取り入れたりすることはありますが、新城さんや當間さんのような歌はなかなか自分の中からは出てこないのかなという気がします。

　＊「言葉」の問題

　崎浜　私と屋良さんは世代的に近いですが、言語の狭間にいるのかなという気がします。私自身はシマクトゥバと日本語の真ん中にいると思います。どちらもうまく使いこなせないという感覚がつきまとっています。表現するときにしっくりこないというのか。屋良さんもどこかでそういう感覚をお持ちではないかと思います。

　建　私は日本語しかできない世代です。しかも宮古島出身なので沖縄本島のシマクトゥバはまったくできません。その意味では沖縄の言葉に対する負い目みたいなものがあります。

　貞俊　日本語と沖縄の表現者たちとの関係というのは近代以降、ずっと沖縄文学の大きなテーマの一つでした。差別と偏見との闘い、そしてシマクトゥバをいかに創作に取り入れていくかということは今日までつづく課題です。先ほどの発言にあった、言葉に対する違和感が文学の種になっていくと思います。

　金時鐘という詩人がいます。済州島出身で四・三事件を機に日本に脱出していく。彼はこういうことを言っています。自分の思いを詩で表現していく上で、自分は日本の植民地下にあって、母国語は使えない。それで日

本語でしか表現できない。このジレンマですね。彼の表現者としての格闘は、日本語の持つ抒情からいかに逸脱するかだったと述べています。日本語を押し付けられて母国語を奪われたわけですから、母国の悲劇を語るのに母国語で語れない、これをどう克服していくかというのが彼の大きなテーマです。その表現は日本語と方言のカテゴリーをボーダーレスにしていくものです。やはり言語は文化や生き方と密接に関わっているので、言葉との格闘というのは、表現者にとって一番大きな課題だと思います。私はその言葉との格闘がはっきり見えているのが沖縄文学の特徴の一つだと思います。

　崎浜　現在、沖縄で話されている言葉というと、日本語やシマクトゥバというより、「ウチナーヤマトグチ（注：琉球語と日本語を混ぜ合わせた独特の言葉）」というのが正確なのかなと思います。ただ、小説で「ウチナーヤマトグチ」で書かれているのは少ない気がします。崎山多美がいろいろな言葉をまぜこぜにした実験的な小説を書いていますが、そういう試みは意外と少ないという気がします。

　貞俊　詩は盛んですよ。シマクトゥバはもちろんのこと、たとえば上原紀善は「上原語」とでも呼ぶべき新たな創造言語を使っています。方言の範疇にとらわれないものが多いです。

　崎浜　その意味では詩は実験や取り組みがしやすいのかもしれません。琉歌はいかがでしょうか。屋良さんはつくられますか。

　屋良　琉歌っぽいものはこっそりつくったりしていますが……。（一同笑）

　崎浜　琉歌や短歌はシマクトゥバと日本語の違いでもあるわけですが、琉歌をつくるときに何かしっくりこないというのがあるのでしょうか。

　屋良　自分の中では琉歌よりも短歌が自然につくれるというのがあります。琉球語が分からないので、琉歌は作るのが難しいというのもありますが。

　建　琉歌と言っても、方言でつくるものと日本語でつくる琉歌があり、琉歌から借りた形式でつくった日本語のものを読んでいると楽しいですね。

　貞俊　そういうものは近代期にすでに始まっていて、五七五七七の中に琉球の言葉や八八八六のリズムを取り入れた世禮國男の挑戦などもありますよね。

　崎浜　言葉の問題に戻りますが、おそらく外部の人たちが沖縄文学に期

待するのは、沖縄らしさだと思うのですが、そのときシマクトゥバの使用というのを当然とみなすところがあるのではないでしょうか。また私たち沖縄の人間もシマクトゥバが話せるのが自然だと思うところもあるのではないかと。しかし、それは本当にそうなのでしょうか。屋良さんは将来的には琉歌にも取り組みたいという気持ちがおありですか。

　屋良　琉歌に興味はあるのですが、言葉のハードルが高いところがあって。ただ短歌も高齢者が多いので今後どうなっていくのかという不安はあります。漠然とですが、沖縄で短歌がつくられなくなっても琉歌はつくられるのではないか、と思っています。琉歌はやはり沖縄のアイデンティティに直接関わってくるところだと思いますので。

　貞俊　土地の文化と文学の言葉の力ということを考えると、生活の言葉、いわゆる方言といってもいいと思いますが、自分の生活に根差した言葉（文学的な言葉ではなくて）、土地の言葉、そこに生きる人の言葉、それを見つけることに沖縄文学の可能性があるのではないかと思います。

　たとえば、村上春樹は土地の言葉はあまり使用していないのではないかという気がします。非常にスマートでどの国でも読めるような作品が多いです。一方でノーベル文学賞作家、たとえばスヴェトラーナ・アレクシエーヴィチは『チェルノブイリの祈り』で、土地に根差した悲劇を描いていく。あるいは莫言は日本国家に蹂躙された中国のことを描いていく。フランスの作家パトリック・モディアノはユダヤ人として生きる自分の出自をしっかりと見ていく。そのように自分が生きている場所から言葉を発する。もっと具体的に言えば、沖縄の詩人に八重洋一郎、それから与那覇幹夫がいますが、八重洋一郎が最近出版した詩集に『日毒』というものがあります。日本に毒される沖縄という「琉球処分」のころの話で、琉球王国が滅びるときに、今は日毒の時代だけれども耐えていこうじゃないかという文章を先祖の言葉の中から探しだしている。そして、「日毒」という言葉は琉球処分の時代だけではなくて、現在にもそれは該当するのではないか。そういう言葉を詩の言葉として甦らせているわけです。

　また、宮古の詩人である与那覇幹夫の『ワイドー沖縄』という詩集についてですが、「ワイドー」は宮古の方言で、

『日毒』

『ワイドー沖縄』

「がんばれ」という意味です。その中に宮古で実際にあったとされる事件を題材にしている「叫び」という詩があります。ある日11人の米兵がやって来て、夫を羽交い締めにし、夫の前で愛する妻の加那にのしかかっていく。そして最後の一人がのしかかったときに、「ワイドー加那、あと一人」と絶叫したという。この言葉に万感の思いを込めているのです。もちろん、がんばれだけでなく、夫のやりきれない思いや他の多くの感情も混じっていると思うのですが、加那という一人の女性を突き抜けて、ワイドー沖縄へ。加那のように強姦され、殺されていった人が大勢いるのではないか。ワイドー加那からワイドー沖縄へ繋がっていく言葉、土地に埋もれたこのような言葉を探していくこと、これこそが文学の力ではないでしょうか。私たちは「日毒」なり「ワイドー沖縄」なりの言葉を探し、スポットを当てながら文学作品をつくり上げていく必要があるのではないかと思います。

　建　「日毒」という言葉はショックだった。先島には琉球王国に人頭税など搾取されたわけだから「琉毒」という言葉もある。首里城が炎上したときに大騒ぎだったが、意外と先島の人たちは醒めた感じだった。でも私は目の前で燃えているのを見たものだからショックでした。娘は首里城の側の小学校を出ていたものだから大泣きでした。

　貞俊　私たちは表現者として、権力に隠蔽された言葉とか、あるいは沖縄戦で亡くなった人たちの言葉を探るというのか取り上げるというのか考える必要があります。ジャンルは違えども、それぞれの立場から考えたいですね。

　崎浜　「土地の力」というキーワードが出ました。沖縄の創作者は意識して取り組むべきテーマなのかと思います。ところで、屋良さんの先ほどのお話の中で、沖縄の独自の文化が沖縄以外の人たちの理解を妨げているという指摘がありました。そういう危うさもあるなと私は思っていて、沖縄の文化それ自体はすばらしいものだと思いますが、たとえばそれを外に向けて発信するときに、沖縄の人間が使う言葉自体が内向けになっているのかなと。だからいかに「開いて」いくかが大切だと考えるのですが、弱い立場の人には権力的になって、外に向けては閉鎖的になってしまう言語の性質には常に気をつけながら創作していきたいと思います。屋良さんは短歌をつくる上で気をつけていることはあるでしょうか。

　屋良　私自身は、「日本本土の人にもわかってもらえないし、沖縄の人

にもわかってもらえないだろうな」と思いながらつくっています。（一同笑）短歌に限って言えば、「沖縄詠」といわれるときにやはり基地とか沖縄戦というのが多いのですが、もちろんそれも大事なことなのですが、そのときに基地は詠われるのだけれども、基地の街が詠われないんですよね。基地の街の様子や米兵相手に商売をしている人々があまり詠われてこなかったと思います。平山良明がコザの街の歌をつくっていたりはするのですが、私は短歌で沖縄を詠むようになってから、意識してコザの街の歌をかなりつくってきました。今まで沖縄の人たちが短歌であまり詠んでこなかったものを詠んできたというのはあるかもしれません。

　建　詩集『ソールランドを裸足の女が』（仲地裕子）は風俗の街を描いていますよね。

　貞俊　ええ、基地を描くというよりも、基地の周りで生きる女たちのエレジーを描いたものでした。

　崎浜　「沖縄」がいろいろ発信されていくと思うのですが、そのときにそこから零れ落ちていく見えない人たちがいるはずです。それを掬い上げて表現していくのが文学の役割なのかと思います。

　次のトピックに移りますが、沖縄の俳句の特徴を教えてください。

✳ 沖縄の俳句と短歌

　建　まず、俳句は大きく分けて、2つに分けられます。季語があって定型を重視する伝統俳句。そうでなくてもいい、型に嵌めずに自由に作ればいいとする俳句とがある。伝統俳句を重視する俳句団体に「俳人協会」「日本伝統俳句協会」などがあります。自由な表現を認める俳句団体に「現代俳句協会」「新俳句人連盟」などがあります。沖縄にも「俳人協会」に入っている人たちは結構います。

　沖縄で俳句を作るとき気になるのは、季語の問題です。沖縄は、亜熱帯ということもあり、四季折々の季節感がありません。ですから「俳句歳時記」に載っている季語は当てはまらないことが多いです。沖縄では季語を使っての俳句は、制限がかかるし、難しい面があります。しかし、季語は一つの文化と考えれば、「俳句歳時記」で季語について学ぶことは、楽しい面もあります。ただ、私自身の実感として季節を感じ俳句を作ることには、「俳句歳時記」にうまく当てはまらず、違う季節感を纏って俳句を作

るということになる場合があります。季語は京都や東京辺りを中心とした、季節感が元になっているのが多いです。それは、京都や東京（江戸）が歴史的に政治や文化の中心であったからでしょう。それを重視し、季語がなければ俳句でないというという立場の俳人が多いのです。そんな京都や東京の季節感を押し付けるのはどうだろうと考え、そういう意味でも季語は中央集権的であるという言い方をする人もいます。

　沖縄では、なぜか伝統俳句が主流です。県外の伝統俳句の結社の支部という形が多いからなのでしょうか。沖縄での俳句の歴史は浅いので、俳句の勉強は県外の結社からという形になったのかと考えます。

　季語について、最近は面白い流れがあります。それぞれの地方で独特な季語があるのではないかということで、長野県松本市の俳句結社「岳」の代表で信州大学の教授であった宮坂静生氏が「地貌季語」を提唱しています。宮坂氏は「地方の貌がことばに映しだされている」とし、地方の季節に馴染んだことば「地貌季語」と称して、各地の「地貌季語」を収集して紹介しています。例えば沖縄での「二月風廻り」（ニンガチカジマーイ）などが、そうです。三月中旬ごろ雨をともなう突風が吹き大時化になることがある、陰暦の二月に起こるので「二月風廻り」と呼ばれる。これらは「沖縄俳句歳時記」などに載っています。沖縄関係の歳時記がすでに、いくつか発行されています。私もよく活用しています。

　もう一つは、沖縄の歴史や状況を詠んだ句が多いことです。地上戦が行われた悲惨な沖縄戦を扱った俳句。戦後75年以上が経った今でも、沖縄戦の後遺症のようなものが残る現在を詠んだ句、戦後０年（ゼロ年）と言ったのは目取真俊です。さらには復帰50年を迎えようとする今でも、復帰前のままの米軍基地の居座り、基地からの被害、辺野古の新基地建設、石垣や宮古での自衛隊基地建設。いまだ日本や米軍の植民地のままの沖縄。これら状況を詠んだ句が圧倒的に多いのが特徴でしょう。もちろん日常の機微を詠った句も多いです。

崎浜　考えたことがなかったのですが、沖縄で俳句を詠む上で季語の問題があるんですね。桜は4月ですが、沖縄では1月か2月ですね。そうなると季節を実感するのが難しいかと思いますが。屋良さん、短歌は季語を気にせずにつくることができますが、その意味では自由に創作ができるとお考えですか。

屋良　短歌でも沖縄の季節を示す言葉が使われますね。「うりずん（注

：春分から梅雨入りまでの時季。旧暦の2月から3月に当たる）」とか「すーまんぼーすー（注：小満芒種。梅雨の時期にあたる）」とかですね。私自身は使うことはそんなにないのですが、そういった言葉で沖縄の季節感を表現する人もいます。

崎浜 俳句で沖縄の若い人たちがやっていきたいと思うときに、季語がネックになるということはありませんか。

建 若い人たちは歳時記の季語から勉強するから抵抗なく入っていけますね。

崎浜 なるほど。今、若い人たちが多く創作していると聞いています。

建 特に、高校生の活躍が多いのは、俳人・野ざらし延男の「俳句の種蒔き」の活動が上げられるでしょう。野ざらしは高校教師でもあり、各高校で生徒や教師たちに俳句指導を行ってきました。複数の勤務高校で発行した「高校生句集」や「生徒と教師の合同句集」は、なんと18冊、生徒が創作した俳句数は13万余りだそうです。昨年発行した野ざらしの俳句指導の集大成『俳句の弦を鳴らす─俳句教育実践録』は500ページもの労作です。40年に及ぶ「俳句教育の実践記録」であると同時に「俳句入門」の書としてもすぐれていると思います。俳句に興味のある方にはお勧めの本です。その本によると、「学生俳句大会」など、全国レベルでの俳句コンクールでの入賞は、全国1位が個人では7回、団体で1回。2位が33回、3位以下は200回以上もあるといいます。また、野ざらしは各勤務校で「教師のための俳句入門講座」や地域の人たちへ「俳句入門講座」を開催していました。薫陶を受けた先生方がまた、各学校で俳句指導を行って来たから、俳句熱が広がったのだと思います。

もう一つには「小林一茶全国小中学生大会」や「おーいお茶」などさまざまな小中高向けの大会が多くなり、応募が容易になったのもあるでしょう。大きいのは、愛媛県松山で行われる高校生の大会「俳句甲子園」です。団体で俳句とディベートで競う大会は新しいスタイルの大会で、高校生にとってスポーツ感覚もあり、新鮮な大会であろうと思われます。県内でも予選大会が盛り上がっていましたね。コロナ禍のため、昨年、今年とリモートでの大会となったのは残念でした。また、この大会を立ち上げた一人が、俳句の人気テレビ番組「プレバト」の夏井いつきさんであると聞いています。夏井さんといえば、昨年の夏、「夏井いつきのよみ旅！ in 沖縄」に家族で出演し楽しい時を過ごさせてもらいました。

崎浜　俳句の裾野がどんどん広がっているという印象を持ちます。若い人たちは、沖縄の歴史や状況を詠んだ俳句もつくりますか。
　建　いえ、それはないです。高校生は高校生の感性でつくっていきますから。ただ、沖縄の歴史や状況を詠んだ句が出てくると、ワーッとみんな騒ぎますね。
　崎浜　屋良さんは琉球新報の歌壇の選者をされていますが、若い詠み手も増えているという感じはありますか。
　屋良　やはり年配の方が多いですね。若い人も少し出てきてはいるのですが、新聞に投稿するというよりは自分でつくって活動しているのかなと思います。話は戻りますが、先ほど小説で若い人が基地を題材にして取り組まないというお話がありましたが、短歌の若い人も前面に出してくる人は少ないです。ただ、作品には出てこないのですが普段の会話の中では基地に関わることが結構出てきます。ですから、表現として「沖縄」を前面に出さない若手が増えてきているのかなという気がします。沖縄という独自性を前面に出さずに、純粋に一人の表現者として表現で勝負していくんだということです。
　建　基地を当たり前のものだと見なしているのですね。生まれたときから基地に囲まれているのだから当然となってはいないかという心配はありますね。私などは、沖縄の文学は今でも植民地文学だと思っていますが。（笑）
　他の都道府県の人からすると、沖縄はある意味どうでもいいところだろうし、夏になると観光地として見ているだけで、沖縄の置かれている立場のことはまったく考えていないのだと思います。だから政治的なものでは埒が明かないので、文学的なこと、沖縄からノーベル文学賞作家が出た方が一番いいわけです。（一同笑）
　崎浜　やはり沖縄文学が日本に対するある種の物言いになると思うのですが、どうしても日本から見たときに観光地としての沖縄が前面的に出てしまいます。ところが沖縄に暮らしている私たちからすると良い部分だけではありません。そこを敢えて見せていくのが文学の役割であり可能性なのかもしれません。時間が限られているので話題を変えますが、貞俊さん、沖縄の代表的な詩や小説を紹介ください。

＊ お勧めの作品

貞俊　沖縄文学の可能性については、言葉の力がいつも試されているということを述べましたが、もう一つ特徴として、沖縄文学が国際的であること。これは詩を読んでいるときには気づかなかったことですが、小説を読んでいくと非常に顕著にわかります。それはどういうことかと言うと、沖縄は基地があるゆえに基地被害も書きますが、その基地に住む人々との交流をも描いている。これが結構あるのです。

それから、戦前から貧しさゆえに県外や国外へ移民もしています。国外を舞台にした作品もあり、これはヤマトの文学作品にはない特徴だと思います。その特徴は沖縄の作家が人間を描く際に、人種とか国籍では描かない。それをボーダーレスにして描いているということに反映されています。これは世界や東アジアに向けて発信する文学の大きな力になりえるのではないかと思います。

たとえば戦後沖縄文学のスタートを飾った作品はインドネシアを舞台にした「黒ダイヤ」（太田良博）でした。また、大城立裕に「ノロエステ鉄道」という南米を舞台にした作品があります。さらに、長堂英吉のニューヨークを舞台にした「エンパイア・ステイトビルの紙ヒコーキ」、あるいは崎山麻夫の「ダバオ巡礼」。これらは国境をボーダーレスにする作品ですね。人間を全方位的に書いた作品だと言ってもいいです。私はそこにもまた沖縄文学の可能性があると思いますね。

それで先ほど詩については沖縄の代表的な詩人を二人紹介しましたが、小説についてはやはり四人の芥川賞作家の受賞作品（大城立裕「カクテル・パーティー」、東峰夫「オキナワの少年」、又吉栄喜「豚の報い」、目取真俊「水滴」）が代表的なものです。他には又吉栄喜「ジョージが射殺した猪」「ギンネム屋敷」。それから吉田スエ子「嘉間良心中」。沖縄の女性たちは被害者として描かれることが多いですが、この心中物の作品では被害者としてではなくて、米兵をこちらに引き寄せて一緒に心中する、加害者として反転しているというのが面白いです。年老いた主人公が娼婦として生きなければならないという沖縄の貧しさと同時に、基地被害として泣き寝入りするだけではない、という視点はとても興味深いです。

このように芥川賞作家以外にも優れた作家はいますが、沖縄自体がなかなかそれを発信できていない。それを評価して押し出す評論家の不在もあ

る。沖縄の人間はそういうのが苦手なところがあるのかもしれませんが。

　崎浜　沖縄文学は国際的であるということを述べられましたが、東アジア特に韓国で沖縄文学が盛んに翻訳されています。貞俊さん自身も韓国のシンポジウムに招聘されています。韓国での状況を教えてください。

　貞俊　沖縄文学へ関心を寄せているのは、日本の大学や大学院で日本文学を学んできた韓国人です。それを契機にして沖縄文学に触れて、韓国の文学と歴史的にもまた社会の状況も似ているなというところから沖縄文学へ関心を持っているようです。たとえば済州島の作家であれば、済州島の言葉は韓国本土のそれとは違う。沖縄もヤマトの言葉とは違う。沖縄とヤマトの文学の関係は、アイルランドとイギリスの文学の関係にたとえられますけど、そういう差別や言葉や偏見の問題から、沖縄の文学に韓国の人々は関心を寄せているようです。

　ソウルに慶熙大学というのがありますが、そこに去年、「グローバル琉球・沖縄研究所」が開所されて沖縄理解や沖縄との文化交流が企図されています。沖縄文学も盛んに取り上げられ、学生たちのテキストにもなっているようです。センターの開設のときに私は招聘され、沖縄文学について話をしました。韓国全体が沖縄文学について広い関心を持っている。私のような日本文学の端にいる者の作品まで翻訳するくらいですから。俳句はもっと世界的に大きな広がりがあると思いますけど。

　建　外国での俳句は三行詩が多いです。ただ、俳句が世界的な文学になる上では、季語が足かせになるかもしれません。季語にもたれかかると詩語としての言葉が機能しないことがあります。また、翻訳の難しさがあります。翻訳する人は地域の習慣や文化に通じていなくてはなりません。

　崎浜　屋良さん、沖縄の代表的な短歌をご紹介ください。

　屋良　三首選んできました。まず一首目ですが、

　　月桃の白き花びら口にふくみ感傷ありて君に逆らふ
　　　　　　　　　　　比嘉美智子『月桃のしろき花びら』（1974年）

　この歌は「月桃」で沖縄らしさが出ていますし、若い女性の清らかな感じが月桃から感じられると思います。沖縄らしさが強すぎるわけでもなくて、むしろ恋の歌として普遍的な力を持っていると思います。これは沖縄を超えて広がっていきそうな感じがあります。

　二首目が、

沖縄戦かく戦えりと世の人の知るまで
　　　真白なる丘に木よ生えるな草よ繁るな
仲宗根政善『蚊帳のホタル』（1988年）

　かなり字余りで短歌の代表として選ぶのはどうだろうかというところも
あるのですが、ただ、やはり沖縄戦で激しい攻撃を受けた沖縄を詠ってい
るものとして印象深い作です。普通であれば元通りになってほしいという
思いを、作者は「木よ生えるな草よ繁るな」と。それはやはり沖縄戦とは
こんなにひどかったということをわかってほしいために表現しているのだ
と思います。そこには強いメッセージ性があり、その強い思いが字余りに
あらわれています。この歌は体の底から出てきたような迫力があります。
これはひめゆり学徒隊を引率したこの作者ならではのものだろうと思いま
す。
　　三首目は、

　　くすのきのトンネル抜けるＹナンバーそのまま空へイラクの空へ
比嘉美樹子「日差し」第4号（2005年）

　これは三十代の作者で、二十代の時の作品です。「沖縄を代表する短
歌」と言えるほど知られている歌ではありませんが、良い歌だと思うので
挙げました。おそらく沖縄市にある「くすのき通り」のことで、その通り
を基地に向かって米兵が運転するＹナンバーの車が走っていく。そして、
それがそのままイラクの空へ飛んでいって空爆するのだろう、という歌で、
沖縄市の日常が戦争と一続きであるのだ、と。沖縄市を行き来している米
兵たちが、やがて戦争へ飛んでいき、外国の誰かを攻撃するのだ、と。こ
れは非常に衝撃を受けました。現代の沖縄の生活が世界的な問題につなが
っていくという歌です。

　崎浜　建さん、沖縄の代表的な俳句をご紹介ください。

　建　代表的な俳人と言うと、野ざらし延男、岸本マチ子、三浦加代子で
す。野ざらし延男の代表的な俳句として、

　　黒人街狂女が曳きずる半死の亀

　たぶんベトナム戦争が激しいころだと思うのですが、コザには白人街、

黒人街がありまして、黒人は同じ米兵でも差別されていました。その差別される側の黒人街を気の狂った女性が半分死にかけた亀を引きずって歩いているという情景です。半死の亀というのは、実は沖縄のことなのだというのを聞いたことがあります。狂った女＝狂った米兵が半分死にかかった沖縄を引きずっているという感じがします。

　それから、

　　　火の粉浴びわれら向日葵の黒種吐く

　ヒマワリの種が真っ黒になるとは意外と意識にはないのですが。この句は「教公二法」（注：「地方教育区公務員法」「教育公務員特例法」のこと）のデモか何かの時のものだったと思うのですが、われわれは常に火の粉を浴びている。そして黒い種を吐いているのだと。負けるものかという感じなのではないかと思います。

　　　光年の涙線上のかたつむり

　「涙線」の「線」が「涙腺」ではないんですね。これは要するに光年のずっと先まで涙の線が伸びていて、その上をカタツムリがのろのろと歩いていると。まあ、イメージするとカタツムリは宇宙の果てにいつ届くかなど、不思議な感じがします。

　　　満月や森は地球の耳となる　（おおしろ建）
　これは宮古島にいるときにつくったものです。高校生と夜のハイキングに出かけた時の句です。高校生といっしょに高い所にのぼって、森を見下ろしたら、満月の光に森がキラキラと輝いていて、その瞬間にこれは地球の耳だと感じた。月や星のささやき、宇宙のささやきを聞いているのだなと思いました。

　　　太古からまどろみ孕む卵かな　（おおしろ建）

　卵の中には命が詰まっているのですが、この命というのは過去からの命でもあるし、現在、そして未来につながるものでもある。生命は昔からず

っとトロトロと眠っているような状態で、そういうものを卵は隠し持っているのではないかなと思います。

　　河は静脈マスクメロンの地球抱く　（おおしろ建）

　河が流れているがそれは地球の静脈のようなもので、マスクメロンの模様が地球の静脈に見えたんですね。そんな地球を抱きしめたいなという思いがあってつくりました。

　岸本マチ子の、「鞭のごと女しなえり春の雷」などは上手だなあと思いますね。

　崎浜　建さんは沖縄にこだわった俳句をつくっているものと思っていましたが、意外と自由につくられていますね。
　貞俊　私は黒人街の俳句には思い出があります。これはとても素晴らしい俳句なので授業の中で子どもたちに紹介したいと思いました。作者に私の解釈を伝えたことがあります。狂女とは、米軍にレイプされたり精神に病を持った女性、その女性が半死の亀を引きずっているのではないかと。これは非常にやりきれない沖縄の状況だなと。すると作者は、そういうふうに理解してもいいけれど、私の意図では、狂女とは米軍で、半死の亀とは沖縄のメタファーなんだと。これはもうスケールの大きい作品ですよね。

＊沖縄で書くことの意義

　崎浜　そろそろ時間です。最後にみなさんから一言。みなさんは実作者でもありますが、沖縄で創作をする意義を述べてください。あるいは自身にとって「沖縄」とは何でしょうか？
　屋良　沖縄は歴史にしろ文化にしろ言葉にしろ、日本本土とは違った独自の物がたくさんあると思います。表現者としてはそういった物と向き合うことができるという意味では、贅沢な環境にいるという気がしています。ただ、そのときに気を付けないといけないのは、それとうまく向き合って真剣に付き合っていかないといけないということです。表面上だけで言葉とか文化を簡単に取り入れてしまうと、それに作品が呑まれてしまうのか

なと思います。

　沖縄とは何なのかというのは難しいところですが、結局、逃れられない
ものかなと思います。私は、短歌の総合誌から依頼が来たときには沖縄の
ことを書くようにしていますが、それは外の人に沖縄を発信したいという
思いもありますし、逆に沖縄で短歌をつくっている人たちに沖縄はこうい
う切り口でも詠めるんだよとわかってもらえるといいなという思いもあり
ます。私は「心の花」という短歌結社に所属しているのですが、総合誌の
場合とは逆に、結社の雑誌に作品を出すときには沖縄の歌をつくらないよ
うにしてきました。それはやはり沖縄というものに頼らずに自分の力を磨
きたいからです。そういうこだわりがあって私は作品をつくっているつも
りなんですけど、お酒を飲んで酔っ払って、翌朝起きると机の上に沖縄を
詠んだ歌があったりするわけなんですね。（一同笑）それを見たときに自
分でも衝撃を受けたのです。自分の中で沖縄を抑えていても、やはり出て
くるものがあるんだなと。やはり沖縄からは逃れられないのだという感じ
があります。

　建　作品を作るということは、沖縄であろうと、どこであろうとたぶん
行っていたと思います。ただ、この沖縄の地の歴史や置かれた現状を考え
ると、天に向かって唾を吐き、抗いたくなる。そんな抵抗文学のような作
品が作れたらと思います。だが、日常生活は思うようにいかないというの
がありましてね、今でも、コロナ禍において自粛して、巣籠もり状態です。
己の不甲斐なさを噛みしめています。

　沖縄の植民地的な状況を抉り出して顕わにし、沖縄の自立をうながすよ
うな作品が書くことができればと思います。

　貞俊　私にとって沖縄で創作をすることの意義ですが、ここでは二つに
まとめて話します。まず一つは、かけがえのない命を見つめること。奪わ
れた言葉を拾うこと。それは沖縄戦での死者たちの言葉でもあるし、基地
被害の死者たちの言葉でもある。また無名の死者たちの無念の言葉でもあ
る。そんな言葉を拾い集めることです。

　二つ目は、沖縄で創作するということは、沖縄で生きることにつながっ
ていくと思います。沖縄を考え続けること、ここに私にとって大きな意義
があります。それから私にとって沖縄とは、もっとも愛すべき土地、誇り
にすべき出生地ですね。沖縄の歴史、さまざまな出来事、そして沖縄の今
を考えると、ナダグルグルーする（涙がこぼれそうになる）ことが多いです。

このことは同時に、つらい状況にも負けずに闘い続けてきたこと、闘い続けている間は負けたことにならないという先人たちの姿が浮かび上がってきます。この先人の努力に共感し、闘いに敬意を表したいと思います。私たちは私たちにできることでそれぞれの場所での闘い方があると思いますが、私は文学の力を信じて文学という方法で沖縄という場所で闘い続けたい。もう一度生まれ変わるのなら、私はやはり沖縄で生まれたいと思います。

友人で法政大学教授の鈴木智之さんが、私の作品について死者の土地の言葉を探す文学だと評してくれました。私は意識していませんでしたが、言われてなるほどそうだなと思いました。(笑)

編集部　たとえば『宝島』(真藤順丈)や最近出た『琉球警察』(伊東潤)というのがありまして、よく沖縄を消費しているという批判がありますが、舞台を沖縄に取っているというだけではなく、かなり中に踏み込んだ形で書いています。そのことを感じつつも、なおかつ量としてはそちらの方が読まれているだろうと思います。沖縄を取り上げている作品は圧倒的に本土に住んでいる人たちが書いているものですが、そういう物は何なんだろうという気はします。

貞俊　沖縄以外の作家が沖縄について書いた作品は結構あります。たとえば、田宮虎彦『沖縄の手記から』や、吉村昭『殉国 陸軍二等兵比嘉真一』などいろいろあります。これらは純文学系統の作品で、戦場でいかに生きるか、などということをテーマに書かれています。

いまおっしゃられた『宝島』はある意味エンターテインメント的な作品です。沖縄の作家たちはエンターテインメント的な作品はあまり書いてこなかったのです。池上永一の登場は非常に画期的で、これまでの沖縄文学のシーンを変えました。

先ほども言いましたが、沖縄の文学世界はとても倫理的で、いかに生きるかというのが大きな命題としてあって、エンターテインメントとか笑いの文学からは遠い距離にあったのではないかと思います。『宝島』はエンターテインメントだから価値が低いというわけではなく、このようなテーマを沖縄の作家もたくさん書いていいのではないかと思います。ただ、読んでいて沖縄に住んでいる者として、歴史的な背景や細部の事実など違和感はありました。

建　よそから見ているから、ある意味書きやすいのではないでしょうか。

沖縄に住んでいると難しいですね。

　貞俊　沖縄の作家には、戦場を舞台にした作品もなかなかないですよ。証言集などはありますが。本土の人たちは戦場を舞台にした作品も結構書くんですよね。

　崎浜　今のお二方の言われたことがそのまま回答になっていると思いますが、又吉栄喜さんも言われていました。沖縄の作家は現実が重すぎて、それに押しつぶされてしまって逆に作品が書けないと。やはり重い現実を前にしたときにエンターテインメントはなかなか書けないのではないか。ある程度距離感がないと書けないですよね。

　編集部　状況がそんなにも厳しいので、たとえば目取真俊は時評的なものを書いています。小説を書いているよりも政治的な行動をすべきだというふうに迫られているところがあるのではないか。創作者の方も創作だけしている立場にとどまるよりも、現場に出て体を張るべきだと突き詰められる場合もあるのではないかと私は想像したりするのですが。

　建　目取真俊は辺野古の新基地建設反対運動をしている。そのこと自体は反対ではないが、一ファンとしては、小説を書いてほしいという気持ちはあります。いま辺野古での闘争運動がうまいこと小説に結実してくれたらいいなと期待しています。

　貞俊　今、編集部からあったご意見は、特に私たち全共闘世代・団塊の世代にとっては大きなテーマでした。学生のころサルトルを読んでアンガージュマンとか、コミットする文学、文学者の姿勢としてどうあるべきかということはよく問われていて、書いてなんかいられないんじゃないか、ということもありました。

　ただ、私自身学んだことは、こうあらねばならない世界というのはないのではないかということです。「こうあらねばならない」ということに私は学生時代とても困惑しました。しかし、よく考えてみると、「こうあらねばならない」ではなくて、一方に「こうあってもいい」という生き方を許容する世界があってもいいのではないか。現場に立つ人の生き方があってもいいし、それができない人は、たとえば俳句や短歌をつくったり、小説を書いたり、あるいは政治の道へ踏み出していくということがあってもいいと思います。文学についても「こうあらねばならない」文学なんてないと思いますよ。いろいろと挑戦をして、沖縄文学の殻を突き破り、ダイナミックに自分の思いを表現していく。ここに文学の力があると思います。

アートの力
　アイデンティティーに根ざす表現の可能性
　沖縄平和創造プロジェクト　沖縄アジア国際平和芸術祭2020

沖縄アジア国際平和芸術祭2020実行委員会・写真家　**比嘉豊光**

　来年、沖縄の施政権が72年に米国から日本に返還されて50年となる。米軍基地から派生する事件事故はなくならず、8月26日には米軍普天間飛行場から PFOS 汚水放出が行われた。いまだに平和と基地のない沖縄を取り戻そうという願いはかなっていない。

　基地負担は変わらず、辺野古新基地の建設は進んでいる。米中対立の煽りを受けて、台湾の有事で沖縄が戦争に巻き込まれる可能性も取りざたされている。

　50年がたち、県民が求めた「基地のない平和な島」という言葉はもうほとんど聞かれなくなった。沖縄人の平和の心はどういう形になるのか、考えなければいけないだろう。50年たっても日本にゆだねる沖縄振興ではなく、自立した文化・平和をつくらなければいけない。沖縄の平和を思う心をアートで表現し、アジアと連帯や協働する未来に向けての１つの平和創造プロジェクトとして報告する。

　アジア国際平和芸術祭─沖縄・韓国・台湾を結び「戦争と戦後」を表現
　戦後75年の2020年、6月〜12月にかけて、沖縄アジア国際平和芸術祭を実施した。沖縄の作家に加え、韓国・済州、台湾の作家が参加し、「戦後75年平和と鎮魂〜共生〜」をテーマに、それぞれの地域の戦争と戦後をアートで表現すると同時に、弾圧され、犠牲や差別を強いられてきた歴史を共有した。

　沖縄アジア国際平和芸術祭は、戦争とトラウマ、軍事基地、植民地構造、無自覚な被植民者、主体と自立などのテーマが内在する。それらが絡み合う各地域の異なる多様な歴史性と場所性を深く掘り、アートから得られる

196

「気づき」を語り合う。戦後美術を媒介とする沖縄とアジアの対話と協働は重要な意味を持つ。

2014年5月「状況―Identity」トークセッション

　全ての始まりは2014年5月、南風原町にある画廊沖縄での、通年企画展「状況― Identity」のオープニングに合わせて、県立博物館・美術館で行われた美術トークセッション「状況― Identity　失われる自覚・問われる自覚」だった。企画展に出展した4人の作家―金城満、新垣安雄、高良憲義、比嘉豊光が討論者となり、画廊沖縄主宰・上原誠勇がコーディネーターを務め、翁長直樹と豊見山和美がコメンテイターとして参加した。

頭の中の植民地をどうするのか

　この時のトークセッションで、1972年の「日本復帰」から今に至るまで、沖縄の美術界で日本への系列化が進んでおり、事実上の植民地状態に対する無自覚や無批判であることへの問題意識を共有した。上原氏は「今の若い人たちの作品にはグローバルをキーワードにしていて造詣主義的な作品が多く、着地点が沖縄にないもどかしさを感じる」と述べ、場所を通したリアリティーやアイデンティティー、認識が問われていると訴えた。翁長氏は「頭の同化政策をどうとどめるのか、どうやって自分たちのもとに取り返していくのか。頭の中の植民地状態をどうするのかが大きな問題だ」と提起した。

光州ビエンナーレ―国家権力への抵抗の表現

　われわれの危機感は、韓国光州市で確信へと変わった。トークセッションから3カ月後の14年8月、第10回光州ビエンナーレ特別展「甘露―1980年その後」へ沖縄から３人の招待作家（金城実、比嘉豊光、金城満）が依頼を受けた。展示作業とオープニング参加のため佐喜眞美術館の佐喜眞道夫館長、金城満、翁長直樹の4人で光州を訪れた。光州ビエンナーレはアジア最大の国際展である。光州市は、1980年5月に国家の横暴に抗した学生や活動家、それに呼応した市民が韓国軍と衝突し、虐殺された場所だ。われわれは抵抗の表現としてのパフォーマンスや、市の真ん中で100点余りの絵画のワークショップが夜通しで行われているのを見て、心を打たれた。民主化を求め、反権力の激しさを美術にも反映し、その「光州精神」を民

衆芸術で引き継ごうとする市民やアーティストたちの姿に刺激を受けた。翁長氏は、日本は長期の自民党体制の中で美術が社会的表現から離れ自閉し、沖縄では日本の体制的な美術を無意識に受け入れ、頭の中で「沖縄の劣った美術」として自らを卑下している状況を指摘した。「自立する美術というのもあり得るだろう。批評的スタンスの弱い日本の自閉的なポストモダンは受け入れられない」と沖縄の美術を展望した（N27『時の眼―沖縄』批評誌第4号、2015.1）。

琉球・沖縄ルネサンスを目指す

　沖縄の美術が日本の系列化から自立し、沖縄に根差すものへと変わるべきではないか。自らの手で文化的発展の自由を再構築しようと呼びかけ、14年10月、美術トークセッションに参加したメンバーに加え、沖縄の憲法、歴史学者などの文化人10人を呼び掛け人として「琉球の島々文化連絡会」を設立し、琉球・沖縄文化プロジェクト保全・回復・創造・継承を提唱した。趣意書では近代国家の権力者たちによる政治的暴力や植民地差別に屈しない力の源泉は、島々の文化的アイデンティティーにあるとして、次の世代のためにこの力の泉を守り、伝えることを掲げた。連絡会を中心において、文化に関わる人々がそれぞれの文化プロジェクトを展開し、島々の多様性を認め合いながら、ゆるやかにつながる琉球・沖縄ルネサンス（文化運動）を目指した。

沖縄美術を「すでぃる（孵化する）」

　そのうちの一つのプロジェクトとして、沖縄戦から70年の節目にあたる15年、「戦後70年・沖縄美術すでぃる　REGENERATION」を立ち上げた。沖縄の「場所」を踏まえ、表現を豊かに開花させ、沖縄美術の現在と次世代を切り開いていく動きになればとの願いを込めて「すでぃる（孵化する）」と名付けた。

　2015年、「戦後70年・沖縄美術すでぃる」実行委員会）は「平和と鎮魂」をテーマに5つの企画の美術プロジェクトを実地した。①読谷村立美術館、「沖縄戦・読谷三部作」丸木位里・丸木俊、「島クトゥバで語る戦世―読谷編」（4月）、②県民ホールなど、「表象としての肖像―王権・主権・自己決定権」（5月）、③県立平和祈念資料館など「平和・鎮魂　そして

未来へ」、④浦添市立美術館、「社会と芸術」、⑤佐喜眞美術館、「記憶と肖像」。各会場では、各テーマでシンポジウム、上映会を行った。

　5つの企画は、沖縄の文化的アイデンティティー、アートと社会のかかわりを見つめ直し、創造と表現の可能性を広げることを企図して始められた。われわれは「幾多の歴史の困難に見舞われる中でとりわけ1945年の沖縄戦を経験してから、沖縄の人々がつないできた『平和を求める心』は世界に誇るかけがえのない文化資源（文化的アイデンティティー）である」と見いだした。この文化資源を「戦争と基地の島・沖縄」をアートで拓く・アートでつなぐ「平和の要石（いしずえ）・沖縄」のロードマップを描くものであると意義付けた。報告書1では「沖縄の土と時から生まれ、水平に世界へ広がり、垂直に世代をつなぐ、沖縄を新しい未来を拓くムーブメント」と今後の展望に願いを込めた。

アート表現が当事者性を獲得

　沖縄戦最後の激戦地の場所性を突き詰めた、私たちのアート表現は当事者性を獲得した。琉球・沖縄の文化的アイデンティティーと社会を繋ぎ、20代から70代まで13人の美術家が多彩な表現で「平和・鎮魂　そして未来へ」をテーマに挑んだ試みを、琉球新報記者の米倉外昭氏は「『未来を考え行動するエネルギーを次世代へ継承していくことを目指す』というプロジェクトの狙いは、その混とんとしたエネルギーを混とんのままではあるが、一つの場に持ってきたという点で、成功したのであろう」と評価している（『時の眼―沖縄』N27、第5号）。

　16年のテーマを「響く・つなぐ・創造する　いのち」とし、17年「忘れない― Remembrance」、18年「平和への灯台　The Lighthouse of Peace」、19年「平和への共鳴〜その先へ」と5年間、プロジェクトは続いてきた。参加作家も年々増え、韓国や台湾からも参加して発展していくことになった。

国際平和芸術祭2020―「平和と共生のアジア」創造プロジェクト

　2020年、戦後75年マブニピースプロジェクト（MPP）は5年間のプロジェクトを深化・発展させ、「平和と鎮魂」をテーマに「沖縄アジア国際平和芸術祭2020」として実施した。しかし、新型コロナウイルス感染拡大の影響で沖縄県立美術館など県内での展示場所、日程の変更や延期を余儀な

くされた。その後コロナの状況が落ち着いたので、例年通り6月23日の摩文仁でのオープニング展示を行い、オンラインで発信した。6月〜12月コロナ禍の状況でほぼ全ての会期を終えることができたことは、沖縄アートシーンの成果ともいえるだろう（口絵4頁参照）。

　一昨年から韓国・済州との「沖縄・済州交流美術展」が始まり、台湾も加わった。戦争や国家暴力などの共通点を有する3島のアーティストたちは、それぞれ島の歴史、文化、社会性、場所性を意識したアート表現の可能性を共有している。MPP は地域と平和にこだわり、作家が自主的に参加するプロジェクトであり、トップダウン型の芸術祭とは異なる。MPPの目指す国際平和芸術祭は、沖縄という場所性にこだわり、宗主国あるいは国家による暴力、戦争、植民地支配、弾圧、基地、文化問題など類似する経験を持つ国・地域の作家たちと交流、対話し、さまざまなプロジェクトを展開する。そして、その場所性から湧き出る豊かな「表現力」を得て、過去から学び未来へつなぐ「平和と共生のアジア」創造プロジェクトである。

　芸術祭の企画を紹介する。

★「project1　沖縄から発信する・創造する平和」

　沖縄・韓国・台湾交流美術展は、12月那覇市民ギャラリー、琉球新報ギャラリー、南風原文化センター、キャンプタルガニー、ひめゆりピースホール、各アトリエサイト（黙々100年塾蔓草庵、ギボアトリエ、Studio YAKENA）の会場で台湾11名、済州5名、沖縄55名が参加し行われた。MPP の企画としては最大規模の展示で、韓国、済州、台湾の作家は国際展体験者が多く、レベルが沖縄側より高かった。このような芸術祭を企画出来たことは沖縄にとって大きな経験になったと思われた。

沖縄から発信・創造する平和
（那覇市民ギャラリー）

陳浚豪作「陳彦霖」＊1
（那覇市民ギャラリー）

光州・済州・OKINAWA抵抗の表現展
*2

首里城の破損瓦を利用した「平和を
守る」まぶいぐみ瓦シーサー

　今年の次世代プロジェクトはコロナの影響で校外学習活動が制限された。「つながる思い・祈りの輪」展示会として10月知念中学校展、11月具志頭中学校展が行われた。2中学生徒141名の作品は、沖縄戦体験者の平和の思いをアートで表現し、つなぐ小さな輪が大きな世界平和になるよう希望が見える展示会であった（口絵4頁参照）。

★「project2　沖縄アジア戦後民衆の抵抗の表現」

　7月3日から1か月間、佐喜眞美術館で「沖縄の縮図伊江島の記憶と記録」阿波根昌鴻「人間の住んでいる島」と「しまくとぅばで語る戦世」伊江島編、8月には「光州・済州・OKINAWA 抵抗の表現展」が行われた。さらに11月には、「沖縄の縮図伊江島の記録と記憶」の追加展示パート2として「伊江島米軍 LCT 爆発事件、伊江島に降りた白い鳩・緑十字機」が那覇市民ギャラリーで、伊江島米軍 LCT 爆発8・6の会、伊江島緑十字機を語る会との共催で、伊江村役場、郷友会の人々などの協力を得て行われた（口絵4頁参照）。

★「project3　大浦湾ピースアートプロジェクト」

　10月17日の瀬嵩区の墓前広場で「平和を守る」まぶいぐみ瓦シーサープロジェクトと親子漆喰シーサー作りが山原ものづくり塾メンバーの指導でおこなわれた。11月緑風学園でマブニピース参加作家の校内作品展と、教室でのギャラリートークが行われた。

★「project4　平和学シンポジウム」

　12月8日、那覇市民劇場で、1フィート運動の映画と島クトゥバで語る戦世を上映。石川元平さん、親川志奈子さん、元山仁士郎さんが登壇した。

沖縄戦記録フィルム１フィート運動の会の30年にわたる県民に発した教訓と、しまくとぅばで語る戦世などの証言記録の次世代への継承課題などを議論した。第二部は若い平和学のメンバー6名と作家2名が参加、オンライン会議の報告と、沖縄戦体験者の方が目にした、一人一人の戦世『記憶』を通して、戦後時代の私たちがどのように向き合うことができるのか、そもそもなぜ向き合わないといけないのか、を考える討論が行われた。

★「project1 追加　**首里城再興まぶいぐみアートプロジェクト（琉球ルネサンス）**」

復元した大龍柱

　10月那覇市民ギャラリー。これまで MPP とのかかわりがない作家や沖縄のアートシーンでは扱われてこなかった社会問題、新聞記事を含め、絵画、彫刻、工芸、映像など総合的な現代アート展ができた。その中でも、平成の首里城の大龍柱を復元した西村貞雄氏の石膏原型や復元当時の記録資料展示、「龍柱問題」（大龍柱の向きの異論）に多くの作家や来場者の賛同を得た。首里城の地下に眠る第32軍司令部壕の保存と公開を求め、若者たちが GAMA:project32nd を立ち上げ、首里城と戦争の歴史を学び参加してくれた。

★「project5　**沖縄×台湾オンラインワークショップ**」

　11月琉球新報ギャラリー。台湾では、植民地統治時代の軍事基地を現代アートセンターに生まれ変わらせ、植民地に強いられていたものやその後の欧米を模倣する文化から、自分たちの原点を考え、自国の文化を創り出し、共有するものへと変化させていった。　沖縄でも大規模な返還基地跡地利用や戦争遺跡の平和学習利用、社会課題とつながる現代アート運動をどう展開していくかなどが今後課題となっている。沖縄における平和を発信する現代アートの可能性について議論ができた。

★「関連企画　**平和の原点・精神文化の継承　—失われていく祭祀文化**」

　11月那覇市民ギャラリー、1978年最後のイザイホーを撮影した比嘉康雄と上井幸子の写真展を行い、新報ホールで民族学者、映像研究学者、女性ライターを招いて失われた祭祀文化とイザイホーの残照などについてシンポジウムを開いた。

尚、久高島宿泊交流館での2021年1月22日（金）からの展示会は沖縄県の緊

急事態宣言で延期となり、再展示は久高島みなさんと非常事態解除後９月に再調整中です。

★「関連企画コザ暴動50年」

　12月琉球新報ギャラリー那覇展において、歴史の記録と記憶をテーマにする取り組みの中から、「抵抗の表現」として写真展と外車をひっくり返すという当時の状況を追体験するパフォーマンスを若い人を中心に行うこ

コザ暴動50年プロジェクト
（琉球新報社玄関広場）

「コザ暴動50年を問う」シンポジウム
（琉球新報ホール）

とができた。そのパフォーマンス終了後にアーティスト喜納昌吉即興ライブが行われ参加民衆の歓喜が湧いた。那覇展とコザ展両方においてシンポジウムが行われ、両場所で当時の体験者、学者、アーティストが参加し、コザ暴動を検証し、戦後の米軍支配27年間、暴力と差別に抗う沖縄の民衆の抵抗の表現が確認できた。しかし沖縄市で「抵抗の表現」であるパフォーマンス作品に対し、市から「公共の福祉に反する」との理由で撤去命令が出さ、指定管理者から会場の使用許可取り消しが言い渡された。コザ暴動プロジェクトメンバーで根拠ない市の不当な行政行為に抗議し、声明文を会場で配り、最終日まで展示を続けた。

　若い世代が積極的にワークショップ、パフォーマンス、シンポジウムなどの企画立案に携わってくれた。コロナの状況下でネットに強い若い世代の力が大いに発揮された。コロナ禍だからできないではく、コロナ禍でもできるという可能性を感じさせてくれた。それから各プロジェクトで作家や批評家、関係者など（登壇者）64人参加したシンポジウムが11大中小会場で対面、対話やオンラインで行われた。それは琉球・沖縄の文化力が「平和と共生のアジア」創造プロジェクトとして共振したことも特徴的で

あると思われる。

アートと文化の共振—沖縄を「平和の要石」に
　日本各地でさまざまな芸術祭があるが、その基軸に平和を据えるものは必ずしも多くない。沖縄アジア国際平和芸術祭は、アートの力と琉球・沖縄の文化力が「共振」し、われわれが求める戦争のない平和な世界を創造し、沖縄を「平和の要石」として再生させる取り組みだ。
　沖縄が平和とアート発信の交流拠点として、アジアや世界に平和のシマ沖縄の心が一層浸透していくことを希望する。

（『琉球新報』2020年4月「戦後75年アートでつながる—沖縄アジア国際平和芸術祭—」の連載文を修正、追加）

＊1　芸術祭台湾作家　陳浚豪 Chen Chun-Hao　作品「陳彦霖」。2019年9月に香港で発生した陳彦霖氏の死亡事件。香港での社会事件やアジア全体の情勢を受けて、中国共産党は国際的な試練に直面した。作家の陳浚豪氏は、この事件を民主主義を求める民衆の上げた声、その確かな実践と捉えポートレートを作成した。
＊2　作家　洪成澤　韓国全羅南道生まれ　軍の武力弾圧によって多数の市民が犠牲となった1980年「光州民衆抗争」において、文化宣伝隊として活動。たび重なる弾圧や投獄に屈せず、80年に生まれた民衆美術運動のもっとも先鋭的な担い手となる。

《島うたの力》
時代の中を駆け抜けた、島うた

島唄解説人・沖縄音楽プロデューサー **小浜　司**

人頭税のわらべ歌

　与那国島に「北ぬさんあいてぃ」というわらべ歌がある。この歌は人頭税時代の過酷な生活を描写した、珍しいわらべ歌である。人頭税とは、近世、先島諸島（宮古・八重山）に課せられた制度で、15歳から50歳までの男女（身体障害者、精神疾患者も含む）全ての人数に割り当てた税制。1609年、薩摩の琉球侵攻後に、首里王府が薩摩への貢租の穴埋めのために考え出した悪税制度（1637〜1903）である。つまり王府の収入を一定不動ならしめるための差別的税制であった。この差別的税制によって引き起こされる、先島諸島の目をおおいたくなるような多くの「島ちゃび＝孤島苦」の悲劇は歌や伝説となって語り継がれている。それが与那国では「わらべうた」としても歌われているから驚きというより何だか恐ろしい。

　わらべ歌は簡単な言葉を単調なリズムに乗せて歌うもの。また、わらべ歌はその土地の自然や景色、日常の出来事に敏感に反応する。子供自身が歌って広まるものと、大人が子供に与えるものとがあり、この歌は後者といえる。下記に歌詞と訳を記す。

♪北ぬさんあいてぃ　　与那国のわらべ歌	訳
一、北ぬ　さんあいてぃぬ　たーりん	北のガジュマルの木の下で
牛ぬ鞍や　山羊に　掛ぎてぃ	牛の鞍は山羊に掛けて
馬ぬ鞍や　牛に　掛ぎてぃ	馬の鞍は牛に掛けて
かしん足らぬ　ぬてぃん　足らぬりゃ	縦糸も横糸も足りないから
雨や降いひんなよー　たんでぃ　たんでぃ	雨は降らないでね　お願いお願い
二、鶏ぬ　時刻とぅる　でぃーぶん	鶏が夜明けを告げる時刻にも
朝露　ふみ　夕露　かみ	朝露を踏み夕露をかぶり働く

天ぬ声　御主ぬ声んでぃ　　　　　　天主様の命令だから
　　生てぃゆん　ならぬ　死にゆん　ならぬりゃ　生きることも死ぬこともできません
　　雨や降いひんなよー　たんでぃ　たんでぃ　雨は降らないでね　お願いお願い
　（「風の吹く島〜どぅなん、与那国のうた〜」リスペクトレコード　RES-326）

　このわらべ歌がいつ頃から歌われているのかはよ
く分かっていない。そんなに古くはないのではない
かと思う。牛の鞍を山羊にかけるように、馬の鞍を
牛に乗せるような税に喘いだ。どんなに働いても織
物の糸が足りない。だからだから、雨は降らさない
でね、と懇願する。こんなにも切ない、やるせない
歌を子供達が歌わなければならなかったのである。
　もちろん、与那国には「遊び歌」や「子守歌」（特に「ハララルデー」と
いう与那国語で歌う独特の「子守歌」には感心させられるが）なども広まり、20
曲以上もの「わらべ歌」が今でも島の暮らしの中で子供達によってイキイ
キと歌われている。まさに絶海の「歌の宝庫」である。

悪税撤廃に立ち上がる宮古農民
　さて、人頭税。この悪税制は文明開花の時代までも続き、明治36年（19
03）にやっと撤廃されるのであるが、撤廃へと強かに動いたのは宮古農民
であった。宮古では「うた＝民謡」を「あやぐ（あーぐ）」という。また
集団で踊る「クイチャー」と称する巻踊り歌が在る。クイチャーとは「ク
イ（声）をチャー（合わ）す」という意味があり、雨乞いで歌われたり、
御嶽の前で司（神女）が舞ったり、若者が歌遊びの場で盛り上がったり、
祝い席で踊ったりと、宮古独特の歌踊であることはよく知られている。
　「漲水のクイチャー」という宮古民謡がある。「クイチャー」の中でも有
名な、この歌が、別名「保良真牛があやぐ」または「人頭税廃止のあや
ぐ」とも称されて、人頭税廃止運動の最中に生まれた曲だという史実を知
る人は少ないと思う。宮古の農民は、クイチャー踊りのように、その苦し
みを常に共同体の集団性で跳ね返してきた。だから、「宮古の歌は陰にこ
もることなく、むしろ旋律は明るく、おおらかで生き生きとしている」
（仲宗根幸市著「琉球列島　島うた紀行」）。

♪漲水ぬクイチャー～
一、保良真牛が沖縄から上りむみやばよヤイヤヌ

　　ヨーイマーヌーユ　上りむみやばよ
二、宮古皆ぬ三十原ぬ男　達たやよヤイヤヌ

　　ヨーイマーヌーユ　男達やよ
三、漲水ぬ舟着ぬ　白むなぐぬよヤイヤヌ

　　ヨーイマーヌーユ　白むなぐぬよ
四、粟んななり米んななり上りくばよヤイヤヌ

　　ヨーイマーヌーユ　上りくばよ
五、釘とらだカニヤ押さだゆからでだちよヤイヤヌ

　　ヨーイマーヌーユ　らくすぅでいだらよ
六、大神后ふじ並び折波小ぬやよヤイヤヌ

　　ヨーイマーヌーユ　しる波小よ
七、かしんななり糸んななり上りくうばよヤイヤヌ

　　ヨーイマーヌーユ　上りくうばよ
八、島皆ぬ三十原ぬ姉　達やよヤイヤヌ

　　ヨーイマーヌーユ　姉小たやよ
九、ぶやむまだ糸掛だゆからだらよヤイヤヌ

　　ヨーイマーヌーユ　らくすうでだらよ

　　　　　　　　　　訳　一、保良の真牛が沖縄に上っていく

　　　　　　　　　　　　二、宮古の島中の男達が

　　　　　　　　　　　　三、漲水港の船着場の白い砂が

　　　　　　　　　　　　四、粟になり米になり上がってくる

　　　　　　　　　　　　五、へらも鍬も使わなくてもよくなる

　　　　　　　　　　　　六、大神島の近くのフデ岩に寄せる白波が

　　　　　　　　　　　　七、糸になり布になり上がってくる

　　　　　　　　　　　　八、島中の女性達は

　　　　　　　　　　　　九、糸紡ぎも枷かけ仕事も必要なくなる

（「松原忠之　清ら海、美ら島～あやぐ、宮古のうた～」リスペクトレコード
RES-335）

地響きを立てるクイチャー

　　この歌は沖縄近代の歴史で、はじめて大がかりな民衆運動が高揚した際

に生まれたクイチャーであった。この税制撤廃には
たまたま外から来た二人の情熱も関わった。一人は
那覇出身の農業指導員・城間正安。もう一人は新潟
出身の真珠養殖事業家・中村十作である。

　1884年（明治17）キビ栽培の指導員として宮古島
に派遣された那覇出身の城間正安は、農民の暮らしと過酷な税制に忿懣や
るかたなさを感じていた。そんな折、真珠採取を夢見て宮古島を訪れた新
潟県出身の中村十作と知り合い意気投合し、人頭税の廃止運動に加担する。
城間と中村の二人は、上京して直訴する以外方策はないとし、その準備を
すべく農民達と何度も何度も話し合った。問題は資金の調達。その間の権
力側からの妨害と弾圧は激しく、とりあえずいったん宮古から離れる事に
した。農民代表の保良村の保良真牛と福里村の西里蒲、城間と中村の4人
は先ず那覇へと向かう。

　いよいよ出発という日、宮古の農民にとっては、権力や警察の妨害もな
んのその「全島各村の農民達は夜明け前からぞくぞくと漲水港に詰めかけ
て代表団を見送り、「保良真牛があやぐ」を謡って一行の壮途を励ましそ
の成功を神に祈った」（新川明著『琉球処分以後』）。「漲水のクイチャー」は
保良真牛が宮古へ帰って来て、迎えられ歌われたものとされているが、そ
うではなく、一行が出発する門出に歌い出されたもの。つまり、宮古を出
て、東京の議会で訴えて、それが成功したあかつきには、「漲水の砂浜の
砂が米になり、粟になり、へらも鍬も必要なく、白波は絹糸となり、女性
達は糸紡ぎの労苦から解放され、農民全ての生活が豊かになるだろう」と
港中に溢れた農民たちが、地響きを立てるほどに歌い踊ったのだ。

　話はまだ終わらない。4人を支えるための宮古農民の決死の行動、これ
またすごい。資金不足により那覇で足止めを食らっている一行を助けよう
と、砂川村番所の穀倉番人・砂川金と与那覇番所の穀倉番人・池村山の二
人は、上納のために集められた粟を倉から盗み出してこれを売り、代表団
の資金に当てたのだ。二人はすぐに捕らえられ取り調べられた。警察の厳
しい拷問にも頑として口を割らなかった。

　上京した4人の行動は大きな反響を呼び、中央の各新聞によって大々的
に報道され世論を突き動かした。有力な政治家達とも面会し、税制改革の
確約を取り付けたものの、議会の解散によって流れた。その後、農民代表
の二人は宮古に戻り、城間と中村は東京に残り活動を続けた。更なる成果

もあり税制が改革され、人頭税は撤廃されるのであるが、それは4人が漲水港を出発してから10年後の事であった。

レコード―時代が民謡を求める

　この悪しき人頭税が廃止された同じ1903年、日本では「平円盤」と名付けられたレコードが発売されている。蓄音器で再生する、いわゆる SP 盤レコードである。英国人技師が日本の芸能（落語）を録音して英国にて作製されたもの。レコード音楽が商業としてスタートした年である。ただ、1900年の「パリ万博」にて出演した、川上音二郎一座の公演が、ベルリナー社によって録音されたレコードが残っていて、1997年、東芝 EMI よりデジタル音源（「甦るオッペケペー　1900年パリ万博の川上一座」TOCD-5432）としてリリースされている。日本に関わるレコード録音の濫觴といえよう。その後、蓄音器やレコード盤の需要が高まっていき、1925年、電気録音が開始されると、その高まりは加速し、大手のレーベルが競合してレコード制作に取り組んで行く。

　沖縄ではどうか？　それが意外と早い。高知大学教授・高橋美樹によると、「1915年、那覇市石門通りにある森楽器店の主人が大阪から録音技師を呼び寄せ、那覇市内の奥武山公園内で録音した」（「高知大学教育学部研究報告」第80号）。これが沖縄でのレコード録音の始まり。琉球芸能が日本の音楽文化の一ジャンルとして確立していたといえそうだ。その当時録音されたレコード音譜目録（高橋作製）を見ると、古典音楽に組踊、舞踊曲に八重山古典民謡、そして歌劇など、多種多様な琉球芸能の題目がある。その中にあって、とりわけ筆者の目を引いたのは「八重山恋の花節」（宇利地小カメ）と「宮古の子」（富原盛勇）のいわゆる宮廷音楽ではない、民謡＝島うた。

　前者は八重山民謡の「くいぬぱな節」が遊郭において「恋の花節」という歌に変化し、曲調もバラード風な情歌となる。その「恋の花節」を最も得意とし、人気を博した歌い手として知られたのが”恋の花カミー”こと、宇利地小カメである。後者は、いわゆる「トゥンバルナークニー」と呼ばれ、長い間”幻の音源”として知られ、後世の歌い手に多大な影響を及ぼした音曲だ。黎明期（大正5年）において、高価なレコードが、庶民の毛遊びなどで歌われる民謡も、商業ベースの娯楽音楽としては無視できないものとなっていたということである。富原盛勇歌う「トゥンバルナークニ

一」！。現代沖縄音楽はここから始まったと言っても過言ではない。時代が民謡を求めていたことは、後の三絃音楽に及ぼした影響を見ても明らかである。

♪富原盛勇のナークニー	訳
一、湧川山見りば　歌すゆる美童ヨ	湧川山で歌を歌っている娘達
しゅらし思姉達が　タムン取いが	素敵なお姉さん達が薪拾い
二、今日は名護、羽地　明日は仲泊ヨーイ	今日は名護羽地、明日は仲泊だ
明後日首里上てぃ　我沙汰みしょらヨーイ	明後日の首里に着く頃、私の噂
三、月ん入り下がてぃ　港潮や満ちゅさヨーイ	月も西に落ち、港の潮も満ちてきた
でぃちゃよ立ち戻ら　我島十七	さあ帰ろうぜ、青年達
四、舟や渡地ぬ　前ぬ浜に着きてぃヨーイ	舟は渡地（遊郭）の前の浜につけて
綱や荒神ぬ　浦に結でぃヨーイ	綱は荒神様の浦に結ぶ
五、越地川ぬ水や　砂からどぅ湧ちゅさヨー	越地川の水は砂地から湧いているのか
しゅらし姉小達が　声ゆ拝ま	砂水からのお姉さん達の声に耳を傾ける
六、屋我地姉小達が　タムン取い山やヨーイ	屋我地のお姉さん達の薪取る山は
ミッチリーとサラゲー　馬ぬカンジヨーイ	ミッチリー山とサラゲー山に馬の鬣山
でぃちゃヤッチー　ハンタんかい	さあ兄貴、見晴らしの良い所へ

（「富原盛勇のナークニー」キャンパス BCY-8）

　富原盛勇（1875～1930）は、明治5年、那覇市繁多川に生まれる。大城學著『沖縄新民謡の系譜』によると、富原は「10歳の頃から三絃を覚え、14、5歳の頃には寝ている富原を棒でつついて起こして毛遊びに誘って三絃を演奏させた」とある。その後、寒川芝居（1892年に建てられた首里演芸場）の団員になる。地謡をつとめながら組踊にも出演し、女形は定評があった。従来の古典音楽にはない、サグ（装飾音）を多用する奏法で人気を博したという。

　上記の歌詞を見ると、今でも「ナークニー」などで歌われる琉歌が散りばめられているのに気付かされる。「ナークニー」とは前掲の目録では「宮古の子」と当てて宮古民謡とされているが、「宮古根」と当て、沖縄本島の民謡の代表ともいえる歌謡のひとつ。宮古根とは宮古風という意味で、宮古民謡に触

発された「うた」。そもそも宮古の「うた＝あやぐ」はすべて「素歌（す
うた＝アカペラ）」であった。三絃の伴奏が添えられたのは1950年代から60
年代にかけてである。富原が「ナークニー」として三絃を伴奏に歌ってい
た背景には、宮古風な民謡が沖縄民謡として根付いていたという事実が分
かる。「遊び歌」として、とりわけ「毛遊び」の場で歌う即興歌として、
大正年間にはすでに、沖縄中至る所で広く歌われていたというのである。

チコンキーフクバル

　その「トゥンバルナークニー」を11歳の幼少期に聞いて三絃を本格的に
弾き始めた人がいる。マルフクレコードの創始者・チコンキーフクバルこ
と普久原朝喜（1903〜82）である。普久原は明治36年、越来村照屋に生ま
れる。青春時代を毛遊び〝頭〟として名を馳せ、歌遊びの場で、三絃の腕
前をいかんなく発揮したという。20歳の頃、大阪へ。築港工事の底辺労働
から身を起こし、2年間の紡績工場勤務を経て、行商を始める。1926年
（大正15＝昭和元年）喫茶店を経営し大成功をおさめ、翌27年、マルフク
レコードを設立。以後、沖縄音楽はマルフクレコードを中心に回転し歩ん
で行く。
　当時、沖縄音楽を製作するレーベルは、ツルレコード、トンボレコード、
ヤマキレコードなどとの競合があり、歌手の引き抜きなどもあった。普久
原朝喜は、プロデュースから製作まで一人でやって、プレスしたレコード
と蓄音器を自転車に乗せて訪問販売までこなした。1930年代には朝喜の作
品（オリジナルを含めて）として次々とヒット盤をリリース。それを関西沖
縄県人の家々を訪問し蓄音器で聴かせ販売した。こうして「チコンキーフ
クバル」の異名は関西中のウチナーンチュに轟いた。そんな朝喜の最初の
オリジナル作品が「移民小唄」である。「『脈』第48号　普久原朝喜年譜
（備瀬善勝作製）」によると、「1927年、処女作『移民小唄』を作詞作曲」
とあり、33年になってプレスされている。

　　♪ 移民小唄　（作詞作曲／普久原朝喜　歌／普久原朝喜、普久原鉄子）
一、なれし古里沖縄の　想い出深き那覇港
　　泣いて別れて両親と　八重の潮路を押し渡り
二、海山越えてはるばると　来たる月日も夢の間に
　　も早一年越しました　油断するなよネー貴方

三、立てし志望の一筋は　岩をもつらぬく覚悟あれ
　　金は世界の回りもの　かせぐ腕には金ばかり
四、無理なお金も使わずに　貯めたお金は国元の
　　故郷で祈る両親に　便り送金も忘れるな
五、人に勝りて働けよ　勤倹貯蓄も心がけ
　　錦をかざって帰るとき　親の喜び如何ばかり

　　　　　　　（「チコンキー　ふくばる」マルフクレコード ACD-3006）

三弦のエネルギー

　沖縄は出稼ぎ、移民の邦である。ハワイ、南米、南洋諸島へと出たウチナーンチュの郷愁を誘う三絃音楽の需要は大きなマーケットであった。移民地から一時帰国した際に、大量のレコードを購入して持ち帰ったり、彼の地からの注文で商売が成り立っていたといってもよい。それが、第二次大戦が近づいてくると、輸出も販売も困難になってくる。他のライバル社が経営に苦しむなか、訪問販売のマルフクレコードだけは何とか経営を成り立たせることができた。しかし、戦争の激化に伴い、ついに、戦時下での琉球レコードの制作は中断を余儀なくされた。
　再開されたのは46年。沖縄を出たウチナーンチュにとっての最大の関心事は、先の大戦によって、玉砕された沖縄のことであった。

　　♪懐かしき故郷（作詞作曲／普久原朝喜　歌／普久原朝喜、普久原京子）
一、夢に見る沖縄　元姿やしが
　　音に聞く沖縄　変わてぃ無らん
　　行ちぶさや　生まり島
二、此処や彼処ぬ心配　彼処や此処の心配
　　心配ぬ果てねさみ　彼処ん此処ん
　　行ちぶさや　古里に
三、平和なてぃ居むぬ　元ぬ如自由に
　　沖縄行く船に　乗していたぼり
　　行ちぶさや　生まり島
四、何時が自由なやい　親兄弟揃てぃ
　　うち笑い笑い　暮すくとぅや
　　行ちぶさや　古里に

（「チコンキー　ふくばる」
　マルフクレコード ACD-3006）

普久原朝喜が1947年に作詞作曲した「懐かしき故郷」。関西沖縄県人会の集まりには朝喜は必ずこの歌を歌ったという。参加した誰もが「行ちぶさや生まれ島（行きたいな生まれ故郷）」のフレーズに望郷の念を抱き「最後のハヤシに朝喜は『行ちゃびらや沖縄かい（沖縄へ行こうよ）』と結んだ時、聴衆は啜り泣き号泣し拍手すらできなかった」（備瀬善勝作製「普久原朝喜年譜」より）。

　以上、時代を駆けた、島うたの音楽シーンの幾つかを断片的に描写してみた。ここでは、先の大戦までの、現代沖縄音楽の先史というより、21世紀の、現代のコロナ禍にあっても、脈々と続いている三絃音楽のエネルギーが、我々の足下には変わらずに在るというドキュメントと思っていただければ幸いである。

島うたを継ぐ「血」と「土壌」

　筆者は昨年から今年にかけて与那国民謡と宮古民謡の2枚の CD をプロデュースした。すなわち、與那覇有羽歌う「風の吹く島～どぅなん、与那国のうた～」（2020年9月）と松原忠之歌う「清ら島、美ら海～あやぐ、宮古の歌～」（21年6月）。どちらもリスペクトレコードからリリースされた。與那覇有羽は1986年、与那国生まれ与那国育ちで、与那国島で与那国の民具を制作しながら与那国の歌を歌うという異色の歌い手である。後者の松原忠之は1993年、浦添出身の宮古タッキィイ（血筋）の宮古民謡歌手。今年5月に亡くなった宮古民謡の功労者・国吉源次の傍らで8歳から20歳まで宮古民謡＝あやぐの手解きを受け、ヒップホップを経て宮古民謡に戻るという、これまた異色の歌い手である。

　ふとしたことから彼ら二人の若い「歌さー（歌人）」と関わり、アルバム制作にたずさわった。彼らが与那国や宮古の「島ちゃび＝孤島苦」の歴史を経験してなくとも、島の「うた」が彼らの細胞に語りかけて、二人はそれを受け取り、表現する能力を持っているということを知らされた。つまり、ウチナーンチュの御真人（うまんちゅ）の調べの活力は、したたかに継承していくのであるということを。今、沖縄にはそういう若者があちこちに存在する。沖縄にはそういう土壌が確かにある。

❖ 朝鮮戦争は終わっていない

　　　　　　　　　　　東アジア共同体研究所　琉球・沖縄センターは
　　　　　　　　　　　韓国、中国の研究所と提携を結んでいる。今回、
　　　　　　　　　　　韓国から貴重なレポートを寄せて頂いた。。朝鮮
　　　　　　　　　　　戦争が引き起こした虐殺事件の一つに、北朝鮮
　　　　　　　　　　　の信川（シンチョン）での出来事がある。これ
　　　　　　　　　　　をフランス共産党党員であったパブロ・ピカソ
　　　　　　　　　　　が描いた。南北朝鮮の争いに米中が加わり、原
　　　　　　　　　　　爆の使用も企てられた。この戦いは一時休戦の
　　　　　　　　　　　まま、火種が残り再燃しそうな気配だ。東アジ
　　　　　　　　　　　アは米のほかヨーロッパまで加わった武器・軍
　　　　　　　　　　　隊が踏み込む戦場になるのではないか。既に日
　　　　　　　　　　　本の南西諸島を舞台にミサイル戦争の準備が進
　　　　　　　　　　　んでいる。

朝鮮戦争における民間人虐殺
—信川大虐殺を通して見た朝鮮戦争の性格

又石大学校東アジア平和研究所長　徐　勝（ソ　スン）

1．「朝鮮の虐殺」（ピカソ）の初展示

徐　勝

最近芸術の殿堂でピカソ展が開催されている。その中で中心作品は70年ぶりに韓国で初めて公開される「朝鮮の虐殺（Massacre in Korea）」*1である。今回、莫大な費用を投じ飛行機4便をしつらえての大々的な輸送で、パリ国立ピカソ美術館所蔵の傑作110点が搬入された。営利を主とした民間の企画ではあるが、展示はコロナ禍の中でも異例の大盛況となった。中でも作品が生まれて70年ぶりに韓国で初めて公開された『韓国での虐殺』はピカソが1950年6月25日に勃発した朝鮮戦争と同年7月のソ連の原子爆弾開発を見て彼の反戦平和意志を表現するために構想に入ったと伝えられている。ピカソは朝鮮戦争勃発直後に作品を構想し、翌1951年1月に作品を完成させ、同年5月パリ「サロン・ド・メ（Salon de Mai）」で発表した。今回のピカソ展最大の話題作で、多くの美術愛好家の注目を浴びている*2。6月22日、又石大学校東アジア平和研究所でも「朝鮮戦争と北朝鮮地域の民間人虐殺ーピカソ誕生140周年特別展にちなんで」と題してシンポジュウムを開催したが、次は、その趣旨である。

　　……ソウルで行われるピカソ展では、「この作品の素材がなにか、なぜ虐殺が起きたのか、なぜ70年もの間、韓国で公開されなかったかに対して特に説明がない。『韓国での虐殺』の背景になった事件は朝鮮戦争中、1950年10月米軍と（韓）国軍によって3万5千人余りが虐殺され、北朝鮮で「信川大虐殺」（シンチョン）と呼ばれる事件だといわれてきた。韓国ではその事件とピカソの作品さえもダブー視されて長い分断時代に封

印されてきた。

　戦争は暴力それ自体だが、前方も後方もない現代戦になればなるほどますます戦争と直接関係ない民間人、民間施設が大量に破壊され、それらの行為は「戦争に関する国際協約」違反の戦争犯罪とされてきた。ナチスや日帝の民間人大量虐殺はもちろん、韓国でも近来、麗水・順天事件や済州4.3事件、光州5.18事件など、公権力による大量の民間人虐殺として問題になってきた。ところでこのような国家暴力による無慈悲な破壊行為は韓国だけに限定されたことでなく、戦争が襲った朝鮮半島全域で起きたことだった。南北統一と和解を指向するなら、その被害に対しても南北を分かつことなく真相究明と救済がなされなければならないだろう。

　韓国で信川虐殺は余り知られておらず＊3、特に朝鮮戦争において以北地域で起きた婦女子を中心にする凄惨な虐殺に対しては一層知られていない。信川虐殺に対しては2001年に黄晳暎作家が『ソンニム（お客さん）』という優れた小説を出し、女性に対する戦時暴力に対しては金貴玉教授の先駆的研究がある。ちょうど北朝鮮地域の民間人犠牲に対する実状の一部を明らかにした「国際民主女性連盟（Women's International Democratic Federation, WIDF）朝鮮戦争調査委員会」の調査報告書（1951年）と調査活動に対する金泰雨教授の緻密な研究書である『冷戦の魔女たち』（チャンビ、2021）が最近出版された。

　歴史的な考証はより一層徹底してなされねばならないが、老斤里事件や慶尚道一帯の米軍爆撃による民間人虐殺事件と共に38度線以北で起きた米軍の非人道的な蛮行も民族の傷痕として記憶されなければならないだろう」＊4。

　つまり、今回、国会で「麗順10.18事件の真相究明・補償法」が通過したことで、済州4.3事件から光州5.18事件まで、これまで問題提起されてきた韓国現代史における重要な民間人虐殺事件はほぼ解決されたと言えるが、北朝鮮地域での米軍・（韓）国軍による民間人大量虐殺事件については、ほぼ手つかずのままできた＊5。今後、南北和解・朝鮮半島平和体制を構想するうえで、朝鮮戦争における非人道的民間人大量虐殺の解決が議題に上せられることも予想されうる。

2．『朝鮮の虐殺』

　私がこの作品に初めて接したのは半世紀余り前、ソウルの社稷洞（サジク）にあった小さい本屋でのことだった。三坪ほどの書店の主人は植民地時代に立命館大学を出たK詩人で、日本から来た私を可愛がってくれた。ある日、ふらっと書店に立ち寄った私を書店の奥のオンドルの小出しに招じ入れて、作り付けの本棚から大事そうに日本語版のピカソの画集を取り出し、『朝鮮の虐殺』の絵をそっと見せてくれた。当時、韓国ではその絵を所持しているだけで、反共法違反で逮捕される不穏表現物であり、作家のピカソも禁忌の人物だった。ピカソを奇矯な抽象画家ぐらいにしか認識していなかった私にとって共産主義者としてのピカソも意外であっただけではなく、逆にピカソの絵を通じて私自身ぼんやりとしか知らなかった朝鮮戦争と戦争における米軍の民間人虐殺や細菌戦について知る契機にもなった。

　しかし、今回のシンポジュウムで「信川博物館と『韓国での虐殺』─右翼治安隊と米軍、そしてピカソ」という報告をした韓成勲（ハン・ソンフン）によると事情は少し異なっている。韓国では『韓国での虐殺』が信川虐殺を告発したものと知られているが、1944年フランス共産党に加担したピカソは朝鮮戦争が勃発して、アメリカが介入する国際戦に対して他のヨーロッパ知識人らと同じように反戦の平和運動に参加する。1950年9月フランス共産党はピカソに朝鮮戦争を告発する作品を描いてほしいと要請する。ピカソはその年の9月に作品を構想し始めて翌年1月18日完成する。ピカソの作品は当時『左派にかなり傾いていた知識人の感情と一致』した。

　『韓国での虐殺』はピカソがフランス共産党の「平和闘争」にともなう作品の中の一つとして、彼が戦争の残酷さにインスピレーションを得て朝鮮戦争に介入したアメリカを批判したことは確かだ。この作品のためでなく、ピカソのフランス共産党での活動でアメリカは彼の入国を許可しなかったし、連邦捜査局は彼を監視対象とした。北側の公式主張のように1950年10月17日から12月7日まで52日間米軍がやったという信川虐殺が海外に知らされることになったのは、1951年4月、（朝鮮民主主義人民共和国の）外相であった朴憲永（パク・ホンニョン）が国連に米軍の残酷な行為を提起してからであった。

　このような前後関係から、今回の展示にあたって、各報道では、『朝鮮の虐殺』は信川大虐殺を直接主題としたものではないという説が有力である。例えば、『朝鮮日報』（チョソンイルボ）（2021年5月3日）では、「反米色薄い…共産党も嫌

うピカソ作『韓国での虐殺』－完成から70年にして韓国で初めて展示」という記事を掲載して、展示の歴史的意義を縮小ないしは歪曲しようと試みている。

『中央日報_{チュアンイルボ}』では、「ピカソが題名に韓国と明記した唯一の作品であり、理念対立の渦中で絶えず非難されてきた作品でもある。1960年代にピカソを賛美すれば反共法が適用され、2011年になっても高校の歴史教科書に作品の写真が掲載されると賛否両論が激しくぶつかり合った。何回か韓国での展示が試みられたものの、予算不足などで果たせなかったこの作品が、ソウル「芸術の殿堂」の「ピカソ生誕140周年特別展」で8月29日まで公開される

　　　……　この作品は6.25戦争（朝鮮戦争）を扇動に利用しようとしていたフランス共産党の要請で、共産党員だったピカソが制作することになったというのが定説だ。……作品は大まかに言うと右側の武装兵士たちが左側の女性・子どもたちに銃を向けている構図だが、米軍だという識別は全くつかない。共産党がひどく失望した理由はそこだ。一方、このようなあいまいな表現でも米国は激怒した。当時、ニューヨーク近代美術館（MoMA）のアルフレッド・バー館長は「ピカソが言い訳しても明らかな反米宣伝作品だ」と一喝した。……「信川虐殺事件」を描いたという話もあるが、北朝鮮が事件を攻勢の目的で世界に知らしめたのは作品完成の翌年からなので説得力に欠けるし、学界でもこの事件は米軍の介入ではなく、地域内の左翼・右翼闘争の結果だという解釈が支配的だ。……ピカソ美術館のキュレーター、ヨアン・ポプラル氏は「ピカソが表現しようとしたのは特定の戦争ではなく、戦争そのものだった」と話す。

『中央日報』＊6は、この絵の展示の意義を「韓国という国号が美術大家のタイトルに使われた唯一の絵画……で、多くの美術愛好家の注目を浴びている」と歪曲する。絵の原題、（Massacre in Korea, Massacre en Corée）の Korea または Corée は虐殺がほしいままにされた朝鮮を指しており、韓国の国号を意味するものではないのは言うまでもない。その上、そもそも韓国という国家の名をもって、『朝鮮の虐殺』のみならず、ピカソの存在そのものも「アカ」だと罵倒し続けてきたのではなかったのか？　もしも、今回、韓国での展示がピカソとその作品の復権を意味するものである

なら、呪詛と悪罵の歳月を省みることから始まってしかるべきであろうが、あたかも自分たち反共メインストリームがピカソの芸術家としての存在意義を認識してきたかのような、自省抜きのピカソ展示興行大礼賛のすり替え論はいったい何だろうか？　今になって、各界の権威を動員して『朝鮮の虐殺』は信川大虐殺を描いたのではないと言いつのっているが、70余年の間、「韓国」という国家こそがピカソは「アカ」で、その作品は北朝鮮における米軍の蛮行を描いたものだというフレームを作って、反共抑圧体制の都合の良い宣伝道具として利用し続けてきたのではなかったのか？

3．信川大虐殺と国際調査団

　朝鮮戦争は1950年6月25日に北朝鮮の攻勢によって本格化し、3日間でソウルが陥落し、朝鮮人民軍は一瀉千里に米軍事顧問団と国軍を大邱・釜山の橋頭堡にまで追い詰めたが、攻めあぐねるうちに9月15日、マッカーサーの仁川上陸作戦によって伸びきった人民軍戦列は分断され雪崩を打って後退を重ねた。国連安保理によりマッカーサーは「国連軍」の金看板を戴いたものの、北朝鮮の攻勢を打ち砕き反攻に転じるや、国連やアメリカの内部で参戦目的をめぐって対立が露呈した。つまり、内戦として始まった朝鮮戦争がアメリカと国連軍の名を掲げた連合軍の参戦によって局地的国際戦と化した後に、戦争の目的をどうするのかという問題であった。38度線を国境に準ずるものと見なして、国連憲章が謳う（侵略）戦争禁止の立場から、侵略された部分だけを押し返し、戦争が始まる前の38度線の原状回復を目指すのか、はたまた当時、李承晩が唱えていた「北進統一」の名分に加担し38度線を越え、北朝鮮地域を占領し反共統一を実現するのか＊7、さらに第二次世界大戦後に露呈した「冷戦」の観点から満州・中国に原爆投下して、「アカ」を殲滅しロール・バックによるアメリカの反共世界覇権を実現するのか、その場合、第3次世界大戦を前提とするのかなど、様々な立場が対立した。元来、内戦として始まったものに外部勢力が介入したことから問題が紛糾するのだが、38度線以南の日本軍の武装解除を目的とする駐韓米軍が「反共十字軍」に変身して、さらにアメリカ陣営の失地回復にまで乗り出すのは、そもそも無理があったと言わねばならない。朝鮮の立場では朝鮮の統一を賭けて李承晩と争う内戦であったし、途中から参加した中国の立場は、新生中国の命運をかけた戦いになるしか

なかったので、露骨にソ連・社会主義陣営との対立を意識して、世界的ヘゲモニー掌握を意図するマッカーサーとは自ずから戦争の意味するところが異なっており、その意味でも、アメリカにとってこの戦争は「勝利なき戦争」になるしかなかったともいえよう。

　北朝鮮が先制攻撃したことで、38度線の原状回復までは必要だが、38度線を越え報復攻撃を加えることは国連軍の権限を越えると反対した英国の立場を無視して北朝鮮地域の占領、ひいては満州に対する原爆投下までを視野に入れた「反共聖戦」を企図していたマッカーサーは国連軍と国連軍の指揮下に入った国軍の進撃を命じ、11月に中国人民志願軍によって手痛い敗北を喫するまでは破竹の進撃を続ける。

　米軍の仁川上陸後に38度線北側で米軍の北上と人民軍後退の噂が伝わり、北朝鮮の統治に動揺が走るとすぐに、黄海道信川地域をはじめ戴寧と安岳で国軍と国連軍が進駐する前からキリスト教徒、右翼青年団員など反共青年たちが武装蜂起を決行した。「10.13反共義挙」である。この時点から右翼武装団体と北朝鮮側の散発的な戦闘が広がり、10月17日米軍が信川を占領すると、形式的な統治は米8軍民事処管轄になったが、3日後米軍がさらに北に進撃し、これら地域は治安不在状態になり、民間の反共青年たちが公権力不在の空間を思うままにした。私怨のある人間や「共産主義者」と疑われる人民を虐殺したのである。解放と北朝鮮政府樹立、親日派粛清、土地改革、キリスト教に対する統制などにより数年間持続した38度線以北における左右翼葛藤が戦争を機に爆発したのだった。この機に右派が主導して、この地域一帯のみならず、北上してきた人民軍の敗残兵や民間人なども含めて3万5千余名を虐殺したのが、信川大虐殺の真相だというのが、大方の研究者の立場である。

　しかし中国人民志願軍の参戦で統治地域を回復した北朝鮮は1952年5月25日から29日まで信川虐殺に関連した人民裁判を開催した。5日間の公判で北朝鮮側は信川虐殺を主導した人物としてウィリアム・ケリー・ハリスン William Kelly Harrison 中尉（第24師団第19連隊第3大隊の中隊長、信川米占領軍司令官）を取り上げアメリカの責任を暴く。裁判によればハリスン中尉は1950年10月17日警察と武装隊、治安隊を組織して18日から大量虐殺に突入する。10月18日信川郡で900人、19日320人、20日520人が死亡したと記録している＊8。12月7日、米軍が信川から撤収する直前、ハリスン中尉は彼の部下であった米軍と国軍将校に撤収は「一時的」であり、住民たち

に米軍と共に南に降りて行くことを指示しろと命令した。残った者は全部敵とみなし原爆が投下されるだろうと言い、すべての「アカ」の支持者のせん滅を指示した。すべての人民軍兵士の家族らと北朝鮮政府支持者および家族はアカと見なされた。彼の命令はそのまま実行された。その日、信川郡猿岩里（ウォナム）の倉庫二ヶ所で900人の男女虐殺が発生した。建物の中には子供たちも200人余りいた。米軍はこれらにガソリンを浴びせて火を付け、窓から手榴弾を投げこんだ*9。

　信川博物館は53年朝鮮戦争停戦後、金日成（キムイルソン）主席が虐殺現場に博物館を作ることを提案し、1958年3月26日に信川博物館が開設され、6465点の遺物・証拠資料と450余件の写真資料が展示された。「金日成主席は……1958年3月26日、国の初めての階級教養拠点である信川博物館を創設した」*10とあるように、初めから歴史博物館というよりは、階級的イデオロギー教育場として構想された。現在まで累積観覧客数は全1800万人（2014年）。2005年8月16日には、信川郡猿岩里において、この事件は国連の看板のもとでなされた米国の戦争犯罪であるとの国際弾劾大会が開かれた。

　1館16室、2館3室の2棟の建物で、合計19個の展示室を備えた「信川博物館」は、1947年信川郡に建てられた旧人民委員会の建物にあって、1950年10月人民軍が退却した期間、米軍司令部として使われ、残酷な虐殺の中心であった場所である。

　蛮行は次のように行われた。「氷倉庫に1200人余りを閉じ込めて飢死させ、女性を凌辱して局部に杭を打ち込む。頭に釘を打ち込んで銃剣で目をえぐり取って、胸をえぐり取って皮をはがす。糸車の軸を鼻に通して引きまわし、妊娠9ヶ月になった妊婦の腹を裂く。牛二匹に両腕を縛って引き裂きにする。防空壕に人を集めておいて爆発物を投げる。　娘を背負った母を生き埋めにして、橋から人々を川に突き落とす」。博物館から5分の距離にある旧火薬庫。　倉庫のそばに二つの大きな墳墓の碑石にはそれぞれ「400オモニ（母）の墓」、「102子供の墓」と刻んでいる*11。

　2015年、信川博物館は改築・開館された。「祖国解放戦争勝利62周期をむかえて信川博物館が改築された。7月26日、開館式が行われたのに続き数多くの人民が博物館を参観している。信川博物館が時代のニーズに合うように新しくなり、軍隊と人民の中で反帝反米教養、階級教養をより一層強化するための頼もしい担保が準備された。

新しく立ち上った信川博物館は従来、外部参観地として区分された「400オモニの墓」、「102子供の墓」、愛国者墓、火薬庫がある猿岩里栗の木部落に位置している。参観地が一ケ所に集中することによって参観事業をより円満に進められるようになった。敷地面積が従来の3倍である4万 8,000㎡、延べ建築面積が1万1,800㎡で2階建ての新しい博物館には図書館と15個の展示室、録画放映室、総合講義室などがある。周辺には旧信川郡党防空壕、復讐決意決起集会場があって、休憩所、駐車場、野外トイレなど参観者などの便宜を図る施設も組みこまれている*12。

　1952年5月25日から29日までの信川虐殺に関する人民裁判 が開かれた。この裁判で北朝鮮側は虐殺を主導した人物として、第24師団第19連隊第3大隊のウィリアム・ケリー・ハリスン William Kelly Harrison 中尉に注目する。裁判によるとハリスン中尉は1950年10月17日、警察と武装隊、治安隊を組織して18日から虐殺に突入したと言う、北朝鮮の主張に対して大方が懐疑的である。また、信川博物館には右翼テロリストたちの関与を示す資料が展示されているにもかかわらず、直接、右翼の責任を追及せず、アメリカの責任に帰している。上記韓成勲は、「信川博物館は人民の階級意識を教養する場所として戦争記憶と反米感情の伝統を作る空間であり「『革命陣地』」、「『階級陣地』」の礎石にまで格上げされる」としている*13。つまり、北朝鮮政府は朝鮮戦争の性格を初期の内戦から米軍の参戦によって、帝国主義侵略に対する「祖国解放戦争」に変化したと規定し、信川大虐殺の性格も52日間続いた無政府状態の中での右翼の蛮行というよりは、米軍の帝国主義侵略の責任に帰そうとするのである。さらに米軍責任論に対する反駁が提起されていることを意識しての事か、アメリカ責任論に対する追加的な主張も行われている。

　「金日成総合大学チャン・ギョンイル研究士 (35歳) によれば、……猿岩里栗の木部落火薬庫周辺の7カ所で51体の遺骸がまた発掘された。発見された遺骸の一部には建築用の鎹や大釘が打ち込まれたのもあり、口中にレンガが突っ込まれたまま残っている遺骸もあった…… 火薬庫周辺では米軍の 野蛮な蛮行を示す、100kg時限爆弾と30kg、15kgの爆弾も続いて発見された。戦争時期米軍は栗の木部落で敢行した彼らの蛮行の跡を消すために無差別爆撃を行ったと、チャン・ギョンイル研究士は指摘する。彼によれば、博物館の学術研究を深化させる過程で、信川一帯で活動したアメ

リカ宣教師ウィリアム・ハントに対する資料も発掘されたという。ハント
は朝鮮侵略の斥候兵、道案内であった。彼らは平壌、元山、宣川、載寧、
信川をはじめとする全国のあちこちに教会をたてた。『1897年にアメリカ
宣教師の中の1人であるウィリアム・ハントは朝鮮の交通要衝である載寧、
信川一帯に教会と「済衆（救貧）病院」をたてて崇米思想を伝播して、こ
の一帯に侵略の黒い魔手を深々と伸ばした凶悪な敵であった』としている。
　チャン・ギョンイル研究士によればハントは……将来アメリカの侵略野
望を実現するのに価値ある者たちを選抜して、専門的な宗教教育を与え、
アメリカ留学もさせて徹底した崇米思想と無条件服従精神を持った親米の
走狗を育てた。太平洋戦争を控えて1939年本国に追われたハントは1945年
8月、日帝が崩壊するとすぐに米軍の道案内になって再び南朝鮮に入り込
んだという。……人民軍が戦略的に一時的後退した時期である1950年10月
13日載寧、信川、安岳などの地で……親米反動分子に政権機関を占拠する
よう指示したウィリアム・ハントはその日の夜、米軍のヘリコプターに乗
って載寧、信川一帯を回って暴動を直接指揮したという。今回発見された
資料にはハントが対共放送を通じて信川一帯で敢行される反動分子の暴動
をアメリカが見守っていると言って、『アメリカが大兵力で遠からず北朝
鮮を完全に抑え込むことになる』、『その日のために全部焼き払い、アカを
絶滅して無慈悲な殺りく』を広げろと叫んだという。チャン・ギョンイル
研究士は栗の木部落で新しく発掘された遺骸らと遺物、資料に対する学術
研究を通じて米軍が罪のない人民をどれくらい巧妙で残忍に虐殺したかを
今一度はっきりと確認することができると話した*14。ハリスン中尉虐殺指
揮説に対する疑問提起とアメリカの戦争犯罪説に対する補強資料の提示の
ように思える。
　つまり法的に詮索するなら、犯行の具体的な証拠による個人的実行犯の
特定という原則から離れて、米軍に責任を帰するのは飛躍だと言えるかも
しれない。また、信川博物館においても信川地域における米軍の民間人虐
殺とその責任を丁寧に説明すべきであると言えよう。ただし、北朝鮮人民
軍と中国人民志願軍対国連軍（米軍）と国軍という対立構図の中で米軍は
圧倒的な責任を負わねばならない。まず朝鮮の内戦に介入した責任である
が、介入以降においても、「北朝鮮の先制侵略」に対する反撃という名分
を立てるとしても、38度線を越えての攻撃が正当化されるものではないし、
ましてや中国領域への原爆投下が正当化されるものではないだろう。なに

よりも戦争犯罪となる民間人・民間施設に対する破壊を系統的に進めた点である。「1950年10月末、勝ち誇る米軍と国軍に対する予期せぬ中国人民志願軍の攻撃で手痛い打撃をこうむったのみならず、戦争目的にも混乱をきたしたマッカーサーは1950年11月5日、民間地域無差別爆撃と攻撃を命じた。マッカーサーの「焦土化政策（Scorched Earth Policy）」命令である。マッカーサーは『これから北朝鮮地域のすべての建物と施設、村（village）は軍事・戦術的目標物と見なす』と命令していた。「第2次大戦期ドイツと日本地域で悪名を馳せた人口密集地域に対する焼夷弾大量爆撃の復活」であると、金泰雨教授は指摘する＊15。つまり米軍は北朝鮮地域で、国際法で禁じられている反ファシスト戦争でのナチスの犯罪と同じ重大な人権侵害、「人道上の罪」を敢行したのである。また、金教授の指摘によると、10月17日以降、12月7日米軍撤収以降においても、黄海道九月山に右翼テロ部隊を支援・指導するために米軍の情報部隊が常駐し、テロ・破壊行為を指導したという。

　このようなアメリカの戦争犯罪に対して北朝鮮は国際世論の喚起に努める。国際司法団体である国際民主法律家協会は1951年と1952年の二度、調査団を北朝鮮に派遣する。1952年3月3日から19日まで調査団は黄海道で信川と安岳、沙里院の現場を訪問した。彼らは平壌が提供した報告を土台に100人を越える証言者に会って陳述を聴取する。国際民主法律家協会は調査結果を根拠に『朝鮮におけるアメリカの犯罪に対する報告書』で、米軍が女性と児童を含む「朝鮮民間人」に犯した大量殺傷と個別殺害行為に対する証拠は圧倒的な犯罪を示すと指摘した。国際民主法律家協会の調査報告書は大量虐殺と同じ残酷行為だけでなく化学武器使用と細菌戦に関する内容まで記述している。

　1951年5月国際民主女性連盟調査団がやはり北側地域で発生した残酷行為を調査する。17ヶ国21名の女性たちが調査団を設けた。参加した女性たちはアメリカ、ヨーロッパ、アジア、太平洋、アフリカで国連軍に参加した国を含んで多様な政治的立場を持っている人々だった。調査団は四個班に分けて黄海道、平安南道、江原道、慈江道地方で5月16日から27日まで調査を遂行し報告書を残した。
　国際民主女性連盟が調査した信川地域では洞窟と倉庫で大量虐殺が行わ

れた。調査団は洞窟の壁についた血痕と洞窟の内側が火に焼けた跡、そして残っている骨の残骸で現場を確認して生存者の証言を聴取した。各地域の調査を総合した調査団は次のような報告で締めくくっている。

　米軍と国軍は一時的に占領した期間の間、市民、老人から児童に至るまで数千、数万人を拷問し、殺害した＊16。

　この国際民主女性連盟の調査に対しては、本シンポジュウムで金泰雨教授が報告＊17した。報告書の核心は、以下である。

　①都市と農村とを問わず、全国土の全面的破壊。 灰と石の小山に変わった都市、山裾の洞窟で原始人のように生きていく多数の女性と子供たち、最小限の米と豆の配給でかろうじて命だけ持ちこたえていく平凡な人々の描写。

　②集団虐殺被害（黄海道信川と安岳地域中心。黄海道集団監禁場所と埋葬地調査・発掘。虐殺の主体としてアメリカあるいはアメリカ命令下の韓国軍を強調(右翼治安隊の存在を否定)。

　③性暴行（北朝鮮全域。江原道で特に強調）。多くの女性たちが家族あるいは自身の性暴行被害事実に対して実名証言。 主な類型： 戦時強姦、セクハラ、性拷問、拉致、「遊郭」監禁後長期間集団性暴行。

　次に、女性連盟の報告にもあるように、この調査は「北朝鮮当局者や通訳の制止なしで、どこでも訪問して誰ともインタビュー実行可能」＊18だったと、述べている。

　問題は深刻である。激烈な冷戦は全ての理性や常識を吹き飛ばし、女性連盟調査の報告書は全く顧みられなかっただけでなく、調査員たちは「アカ」の濡れ衣を着せられ、職場からの追放など、激しい迫害を受けた。金教授によれば、「国際女性同盟の北朝鮮現地調査結果は『私たちは告発する（We Accuse）』という題名の小冊子で全世界同時に発刊され、国連にも公式に提出された。英国、西ドイツ、キューバ調査委員などは帰国した後、職場から解雇、テロの威嚇暴力的強制連行と調査、訴訟、拘束、亡命などの苦難に会わなければならなかった。しかし国際女性同盟調査委員は……誰も報告書の内容が虚構だったと翻意しなかった。『侵略者は処罰を受けなければならない』という正義だけでなく、その戦争の持続（continuation）と形式（form）に対しても責任を全うする必要があるとい

う平和意識に忠実であろうとした」*19。理性が介在する余地がほとんどなく、決めつけと臆断だけが幅を利かせる状況は70年が経ってもほとんど変化がないように思われる。

4.『ソンニム（客人）』*20

　2001年、小説家黄晳暎は朝鮮戦争の時発生した信川虐殺を背景に『ソンニム（客人）』を発表する。虐殺が起きることになった原因を「ソンニム」という用語に形象化している。「ソンニム」とは、かつて朝鮮で突然流行して治療法もなくただ通り過ぎるのを待つしかなかった疱瘡を指す別称であった。黄晳暎は疱瘡のように外部からやってきて村共同体を蹂躙して荒廃させる外来思想、「キリスト教」と「マルクス主義」をそのように称した。彼は朝鮮半島に伝来した「キリスト教」と「マルクス主義」理念が信川地域で大規模虐殺が起きることになった背景だとしている。作家によれば、「キリスト教」と「マルクス主義」は朝鮮半島で植民地と分断を経る間、自然発生的に近代化を成し遂げられず、他意によって導入されたモダニティー modernity（現代性）ということができる。この小説は、それまであまり知られることのなかった朝鮮戦争下の黄海道一帯でキリスト教徒・地主たちの反共右翼によって行われた農民・労働者・貧民たちの虐殺事件を極めてリアルに描いて注目を浴びた。この事件は上述したように韓国においてすでに反共主義の立場からは大衆媒体で取り扱われたが、基層民衆の惨憺たる被害を描いた点で新しいものであった。

　私が初めて作家黄晳暎に会ったのは、出獄した翌年の秋、ニューヨークでだったと思う。黄晳暎は社会性の強い作品を高校生のころから書いて注目を浴び、民族民衆作家としての地位を確立して1989年3月20日には朝鮮文学芸術総同盟の招請で東京を経由して平壌に入った。その5日後には文益煥牧師が訪北し、6月30日には漢陽大学校の林秀卿学生が全国大学生代表者協議会（全大協）を代表して入北して、民間の統一運動はいやがうえにも盛り上がった。文牧師と林秀卿は帰国と同時に逮捕されたが、黄晳暎は1年半ほどの滞在の後、1990年にドイツに亡命した。その年の秋、私がアムネスティ・インターナショナルの招請で1カ月のヨーロッパ巡回公演をする途中にベルリンで講演をした時、黄晳暎の夫人、金明水が幼児を連れて現れた。『黄作家は平壌訪問中で来られないので、代わりに来た』と

227

のことだった。それから、彼は翌年、アメリカに居を移し、ブロードウェイの街角にある韓国食堂で私と会った。その時、小説『ソンニム』の構想を語りながら、『魚が水を離れて棲めないように、作家は民衆を離れて小説を書けない』と、もう3年にもなる異国生活の中で思うように創作に没頭できない苦悩を漏らしたことがあり、帰国の意思を披瀝したことがあった。

　92年の年末に黄晢映の景福高校同窓生で63抗争（日韓会談反対闘争）を共に闘った金得龍議員が彼を訪れ、彼の反国家行為を不問に付すからと帰国を慫慂した。金議員はソウル大学校総学生会長を経て除籍され、政界に入って1988年に国会議員に当選し、当時は金泳三大統領当選者の最側近として知られていた。黄晢映作家は、金議員の言にすがって、93年4月の大統領就任に合わせて帰国すれば、少なくとも8月15日、光復節には赦免されるだろうと楽観していた。私は大いに懐疑的で、『金日成主席と7回も会ったのに、少なくても5, 6年は苦労することになるだろう。ちょうど友人の弁護士たちがアメリカに来ているので、聞いてみれば』と助言した。黄作家は早速、ハーバードで研究していたL弁護士とワシントンDCにいたP弁護士に電話したが、彼らも何年かの投獄は覚悟しなければならないだろうし、情報部で黄作家が北朝鮮で行ったすべての出来事を吐かざるを得ないだろうとの意見だったが、彼は『帰心矢の如し』で何物も彼を押しとどめることはできなかった。4月に『金泳三政府に協力し、祖国の発展に益する』という声明を出して帰国するや、情報部へ直行し、5年刑を打たれそのまま監獄に直行した。彼の出獄後に5年の獄中生活で醸成された小説が次々と出てきたが、白眉は構想から10年を経て世に現れた『ソンニム』だった。

　韓国では信川虐殺について朝鮮戦争後、南に逃避した連中の反共武勇談として膾炙され、犠牲になった農民や庶民の立場から描かれたものはほとんど無かった。黄作家は平壌滞在中に信川博物館も訪れ、信川大虐殺に関する情報も持っていたが、小説『客人（ソンニム）』の構想が具体化したのは、ニューヨークで柳泰榮牧師に会ってからのことだった。　柳牧師から当時の目撃談を聞いて、ファンタジー小説の形式を取りながら、信川で虐殺事件の中心人物となった柳牧師の兄、柳長老の死霊の口を借りて、無残に虐殺された民衆の姿を生々しく再現した。人間性を徹底的に踏みにじる右翼キリスト教徒・地主の農民・貧民に対する壮絶な殺戮を微細に描いた。

同書は、信川における虐殺は北朝鮮政府が公式に伝えるような米軍によるものではなく、プロテスタントの右翼民族主義者たちによるものであり、朝鮮戦争は南北の軍や米軍・中国軍の戦争であっただけでなく、同じ村人たちの殺し合いでもあったとしている。黄は、北朝鮮政府の見解を支持する人々からも米軍の犯罪を描いていないということで、韓国のキリスト教関係者からも容共だと指弾された。

　三代牧師の家柄で3男として生まれた柳牧師は朝鮮戦争当時、に平壌で神学生であったが、故郷に逃避して、兄が中心となったキリスト教青年の治安隊の残忍な暴挙を目撃し、韓国に逃走して軍牧（従軍牧師）生活の後に1960年代初めにアメリカに移民して神学校を出た後にニューヨークで教会を設立して活動をしていたが、故郷訪問団で平壌を訪問し、殺されたものと思い込んでいた兄嫁と甥っ子に会う。南北の和解・民族の統一に覚醒した彼の話の核心は虐殺の単純な対立構図と残酷さだけではない。1951年、韓国に逃避し、40年余りの歳月が流れて1990年、北朝鮮で姉や甥に会った彼は驚かざるを得なかった。北朝鮮政府が虐殺者の家族に報復・処刑したと思っていた彼の予想ははずれたからだった。1952年5月北朝鮮は信川虐殺の主導者4人を処刑したが家族は無事で、甥っ子は共同農場の職員をしていた。柳牧師と会った兄嫁は北朝鮮でキリスト教の信仰を守り続けた。彼女は自分たちを救ってくれたのは、『イエスと金日成主席だった』と吐露した*21。

　1967年3月、金日成（キム・イルソン）は党活動家が群衆との事業で形式主義を清算することを強調して、朝鮮戦争時の治安隊の組織背景と加担した人々に対する理解の必要性を強調した。彼はある演説で『党幹部たちが治安隊がどのように組織されて複雑な階層ができたのか、社会歴史的環境をよく知らない』と叱責した。

　　私たちが解放直後から党員たちと勤労者たちをこのような革命闘争経験と革命精神で教養したならば、後退時期にそんなに多くの私たちの党の核心が奴らに捕えられて無惨に死に方はしなかったでしょう。ところが私たちの党組織が党員たちと勤労者たちを革命精神で教養できなかったために、40日しかならない後退期間に多くの人々が敵に虐殺され、少なからぬ人々が、共和国が滅びたと思って、生きるために敵について彼らが言うがままに、《治安隊》にも入り、蛮行もするこ

とになったのです。

　上記の内容は唯一思想体系確立のための措置が発表される直前である19
67年に出されたが、後退時期の治安隊活動に対する党次元での抱擁政策を
金日成は話している。虐殺に加担した右翼治安隊員の家族、少なくとも柳
泰榮牧師の兄の家族は全部無事だった。柳牧師が言いたかったのはキリス
ト教とマルクス主義の対立よりは、事件以後の北朝鮮当局と韓国キリスト
教系界が取った態度の違いにあった。彼はセメント工場に通って労働党員
になった甥を見て、北朝鮮側が加害者の家族を見守ったことに感銘を受け
た。これと比べて韓国のキリスト教徒が虐殺に対して反省しないことを彼
は指摘した。柳泰榮は韓国のキリスト教が虐殺に対して「罪の意識も呵責
も後悔もなしで生きてきている」ことを明らかにしたくて証言に応じた*22。
　信川で‘共産主義者’と人民を直接殺した加害者は右翼治安隊であった。
だが事件の本質は解放以後から持続した南北政権樹立と戦争、体制内部の
階級・階層・宗教問題、最後に外部勢力として最も重要なアメリカの介入
まで立体的な要因が存在している。
　今回のシンポジュウムで明らかになった事は、いまだ停戦協定のままの
臨戦状況にある南北朝鮮はアメリカという「ソンニム」の圧力のもとに朝
鮮戦争の真実が歪曲され、南北の対立だけが際立ち民族自主は遼遠なまま
に、核問題までが介在しアメリカとの矛盾が激化し、文在寅政権の掲げる
「朝鮮半島平和体制」の確立はますます難しい課題になっているというこ
とであった。

　　　＊インターネットで「信川博物館」と入力するといくつか該当する記事が出て来る。
　　　そこで建物や館内の模様、絵を20点近く見ることが出来る。

註
＊1　韓国では「韓国での虐殺」と訳す。
＊2　「ピカソ展示会の最大の話題作『韓国での虐殺』、韓国に到着」中央日報日本
　　語版　2021.04.27
　　https://s.japanese.joins.com/JArticle/278098?sectcode=700&servcode=700
＊3　本シンポジュウムの韓洪九討論者が明らかにしているように、黄海道一帯の
　　民間人虐殺の問題は虐殺後、南に逃げた反共テロ団の連中によって手柄話とし
　　て、印刷物や漫画、放送・映画などの形で宣伝されてきた。しかし、それはど

こまでも真実とは程遠い反共プロパガンダとして行われたものであり、韓国で出版されたものとして民衆の被害と南北分断の視点から踏み込み込んだものは、2001年の黄晳暎の小説『ソンニム』を嚆矢としなければならないであろう。

＊4　「6.25戦争（朝鮮戦争）と以北地域における民間人虐殺」シンポジュウム趣旨文

＊5　台湾における民間人虐殺事件に対する真相究明・補償法である『戒厳時期不当審判補償条例』で「被害者の家族が台湾にいない場合、大陸（中華人民共和国）の姻戚に一定の補償をする規定などが参照されよう。

＊6　上掲『中央日報』日本語版　2021.04.27記事。

＊7　この場合、朝鮮戦争で内部でのヘゲモニーの分裂・対立を外部の武力で解決する内戦介入の立場に立ち、米軍の介入自体が国際法違反の自家撞着になる。その後、人道介入という論理もあらわれるが、当時、その論理は存在せず、検討されなかった。

＊8　韓成勲(ハン・ソンフン)「信川博物館と「韓国での虐殺」-右翼治安対と米軍、そしてピカソ」上掲シンポジュウム資料集、2021.6.22.　15頁。

＊9　韓成勲上掲シンポジュウム資料集、2021.6.25.　15頁。

＊10　「信川博物館創立60周年記念」『朝鮮新報』2018.03.27。

＊11　金保根(キム・ボグン)「子供もオモニも残酷死！死んでいった1950年の悲劇、生々しく」『ハンギョレ新聞』2003.08.06。

＊12「反帝国反米教養の拠点として立派に改築された信川博物館」『朝鮮新報』Posted By kyh1014 On 2015/08/06

＊13　韓成勲、上掲論文 15 頁

＊14「米軍の蛮行資料と遺骸と遺物の発掘信川博物館の発掘過程7か所で」Posted By tesun On 2015/08/05 @9:24 AM In 共和国

＊15　金泰雨『朝鮮戦争期国際民主女性連盟の北朝鮮地域調査と信川虐殺』上記シンポジュウム ppt 資料

＊16　韓成勲、上掲論文

＊17　金泰雨、上掲資料

＊18　金泰雨、上掲資料。

＊19　金泰雨、上掲資料。

＊20　原作は図書出版「チャンビ」から2001年06月01日に出たが、日本では『客人（ソンニム）』（岩波書店、2004/04/27）として出版。

＊21　金日成「党事業を改善し、党代表者会議決定を改善することについて1967.3.17 24.『金日成著作集21』平壌、朝鮮労働党出版社、1983、156～157頁。韓成勲、上掲論文19頁から再引用。

＊22　上掲書19頁

❖ 東アジア共同体研究所
琉球・沖縄センターの活動報告

東アジア共同体研究所が毎週月曜日午後8時からインターネットで発信する「UIチャンネル」が400回を超えた。第400回は鳩山友紀夫理事長、孫崎享所長、高野孟理事が、内外の情勢や日本の進路について討議、提起してきた歩みと東アジア共同体構築に向けた今後の方向性を、また第401回は琉球・沖縄センターのオスプレイ墜落の現場報道、米国、韓国などの国際交流、自衛隊南西シフトシンポ開催などの活動を振り返った。沖縄センターは2020年4月から毎週「ウイークリー沖縄」のニュース動画の発信を開始。基地問題、世界遺産など多様な情報発信についても報告する。

＊400回のゲストの顔ぶれ

高野　こんばんは。UI チャンネルの時間です。今日は400回記念ということで、私が司会役を務めまして、鳩山理事長と孫崎所長で、この400回を振り返りつつ、さらにこれからこの活動をどう広めていくか、ということにお話が及べればと思っております。

東アジア共同体研究所が発足したのは2013年3月15日です。早くもその2か月半後の月に、インターネットを通じて毎週月曜日夜8時から動画で情報とトークの番組を発信し続ける、「UI チャンネル」を立ち上げたわけです。

第1回の13年6月3日は鳩山理事長と孫崎所長の対談「鳩山普天間移設問

高野　孟　　　　　　鳩山友紀夫　　　　　　孫崎　享

題の真実」というタイトルで始まりました。それから8年間弛むことなく、最初は毎月曜日ということで、5週目もやっていましたが、途中から月4回というペースになりました。

　この400回分をおおざっぱにですが、分析をしてみました。鳩山さんの出演回数は276回。これはもうちょっと多いかも知れない。例えばシンポジウムの記録をそのまま放映するときには、ここに座っているわけではないけれど、シンポジウムに出ている。これは孫崎さんや私も同じです。はっきり確認できただけで276回ということはちょうど70％出ておられる、本当に頭が下がるようなことでした。ちなみに私と孫崎所長は大体100回ちょっとくらいで、鳩山さんの両脇を支えているというかたちになっています。

　それからもう一つ、那覇の当研究所の琉球沖縄センターの緒方センター長も、最近、那覇発、琉球沖縄センター制作の番組がどんどん増えてきておりまして、この辺りが中心になって400回を繋いできた。

鳩山　東アジア共同体研究所の他の理事はどうでしょう？

高野　理事で比較的多いのは茂木健一郎さんで11回。波頭亮さんが8回。橋本大二郎さんは2回でした。ゲストで目立って多いのは、政治関係、政局論をやっていただいている政治ジャーナリストの角谷浩一さんで8回。一水会代表の木村三浩さん、経済評論家の植草一秀さんがそれぞれ7回です。

　テーマ別では、沖縄絡みが一番多く、軽く100回というところでしょうか。例えばほぼ毎月の「孫崎・鳩山対談」は、時事放談となっておりまして、その時々の話題を取り上げているわけですが、その中に沖縄の話も入ってくることもありますし、私と鳩山さんの対談、放談でもそういうことがありますので、実際には150回くらいは沖縄に触れているのではないか。

　他に朝鮮半島問題、日韓関係、拉致、中国問題、日中関係、日米それから安保問題、他に中東の話が出たり、ミャンマーの話も取り上げたことがあります。そういったテーマで10回、20回やっている。それから先ほどの角谷さんの政治の話なども含めて国内政治、あるいは総選挙の総括とか、いろいろ取り上げて参りました。

　沖縄関連でゲストに来ていただいた方には、糸数慶子さん、伊波洋一さん、大田昌秀さん、鹿児島大の木村朗先生とか。新外交イニシアティブの猿田佐世さんが4回とわりと多い。筑波大学名誉教授の進藤榮一先生もア

ジア共同体はご専門ですし、何度も出ていただいております。沖縄シールズの元山仁士郎君。柳澤協二さんも、猿田さんの関係と新外交イニシアティブの関係で、出ていただいております。

朝鮮関係でわりと多かったのは朴斗鎮先生、それと和田春樹さん、蓮池透さんは安倍の拉致に対する態度を名指しで罵倒するような本をお出しになって、それをきっかけに2回来ていただきました。

中国関係では徐静波さんが比較的多かった。長く日本に居られて、日本語の中国経済新聞を月刊で発行しています。ウェブでは日本の事情を中国に紹介して、何億人もフォロワーがいます。中国指導部に相当深く食い込んでいる方ですので、いろいろディープなお話を伺って参りました。

岡田充さんは、元共同通信で、今、両岸、要するに台湾海峡の両岸という意味ですが、両岸通信を発行しておられる方にも、よく出ていただいております。

ロシア関係ではガルージン大使、駐日大使に2回出ていただきました。それからウクライナ大使、在日のロシア人学者とか、下斗米先生、鈴木宗男さん、東郷和彦さんも出ていただきました。

さっと目立ったところを拾っただけでこんな感じでしょうか。そのほか、ミーハー的に有名人というひっかかりがあるかと思いますが、天木直人さん、雨宮処凛さん、石破茂さんも出ていますね。上杉隆、春日孝之さんはわりと最近で、ミャンマーについて本をお出しになった。加藤登紀子さん、これは歌は世の中を変えられるかというようなテーマで、2回続けてやった記憶があります。金平さんは何度か出ていただいております。鎌田慧さん、香山リカさん、この辺は特に安保法制のときに、彼らがデモの先頭に立っていた時期に出ていただきました。川内博史さんは落選中だったときも含めて何度も出ていただきました。榊原英資さん、元ミスター円ですね。桜井勝延さんは南相馬市の市長です。島田雅彦さんは2回、白井聡さんも2回かな。田中均さんも1回出ていただきましたが、これは外交問題全般で、拉致とか、日朝首脳会談の内幕というような微妙な話にはなりませんでした。

鳩山　かなり今政府批判をされているみたいですね。

高野　そうですね。前はかなり慎重でしたけれどね。

中島岳志さんは今売れっ子と言っていいと思います。浜矩子さんも1度出ていただきました。前川喜平さんも確か2回出ていただきましたが、前

川さんもこの頃すごいですね。舌鋒鋭く……。凄いはっきりした政府批判をやっておられます。藻谷浩介さんも１度。東京新聞の望月衣塑子さん。

　鳩山　また、今度出ていただくことになっています。

　高野　そうですか。山口二郎さんといったところが、賑々しくゲストで来ていただいたということであります。続けている間に、少しずつ人気も出て参りまして、現在ユーチューブの登録が１万人を越えまして、1万600人ぐらいに、本日をもってなっております。これから
も増えていくのではないかと期待しております。

　400回をざっと振り返ったわけですが、鳩山さん、全般的な感想はいかがですか？

　鳩山　まず、孫崎所長と高野主任研究員に軸になっていただいて、400回　を迎えられた。特に月に１度必ず沖縄から放映していただくことにもなったわけでありますし、従って緒方所長にも大変お世話になっておりますけれども、こういった皆さん方が献身的なご努力をしてくださったお蔭で400回を無事迎えられたことを大変嬉しく思っています。今、高野さんからお話を伺って、いろいろな方に出ていただいたものだなと思っておりまして、政党的にも自民党の方にも何度か出ていただいておりますし、意外に私が元いた立憲民主党の人が少ないなというような思いもあります。いずれにしても非常に多彩な方に出演していただいたお蔭で400回。その間に、今お話があったように登録者が１万人を超えることになったことも、大変喜ばしいことだと思っています。日本の多くの国民が、かなり右寄りに、徐々にと言うか、かなり激しくかも知れませんけれど、安倍長期政権から菅政権に代わって、その方向が変わらないで、どんどんと経過してしまっていく中で、政治、行政、あるいは経済、外交、こういったものをアメリカからのフィルターを通すということではなくて、むしろ我々ができる限り正確な情報を得て、正確な情報に基づいて分析をして、放映をすることができたということは、貴重な存在ではないか、UI チャンネルがこれからも、いろいろと課題はあると思いますけれども、皆さん方のご協力の下で、ある意味で、聴いてよかったな、今日も学んだな、と思っていただけるような番組をこれからも続けていきたい。本当に皆さん方が協力していただいたお蔭でありまして、感謝申し上げます。

　高野　孫崎さんはご自身でも「孫崎享チャンネル」を定期的に発信しておられるわけですが、その傍ら、こちらにも100回を超えて登場していた

だいたわけですけれども、どんな感想を持っておられますか？

　孫崎　大きく二つポイントがあると思います。一つは今の日本の言論界、これがあるべきことを述べるということが、ほとんどできなくなってきた。本来は、右であれ、左であれ、相異なる議論を闘わせることによって正解に近づくという空間を作っていかなければいけないわけですけれども、残念ながら今、政府系に近い人、政府の見解に近ければメディアに出るんだけれども、それに対してクェスチョンマークを述べるというときには外れる。それのおかしさというのは、例えばコロナの問題であったり、オリンピックの問題であったり明明白白なのですが、違う人の発言がなくなっている中で、この番組は貴重な貢献をしている。それが視聴者も段々増えてきている大きな理由ではないか。

　もう一つ、情報の入手というものに対して、若い世代の対応が変わってきた。まず、活字離れが起こりました。本来は、本を読んで、勉強をしていかないといけないと思うのですけれども、まず活字、本からだめになって、その次に新聞もだめになってくる。その次に起こってきているのは、特に若い世代は、例えば65歳以上は依然として、毎日テレビを1回見る、みたいな感じですけれども、若い世代はもう見なくなってきた。そしてソーシャルメディアに来た。今、それが望ましいか望ましくないか、は別にして、若い世代の情報入手はソーシャルメディアという時代になってきた。そこでここがソーシャルメディアの一つの中心になっていける可能性を持っているので、ますます発展してほしいと思っていますし、多くの方々に見ていただけるような、そんな番組になっていければ有難いなと思っています。

　高野　問題なのは、SNS は、まさにトランプがそうですけれども、フェイクニュースが平気で発信できる。まあ仕組みはまだだらしないように思うのですけれども、しかし一定の訓練を受けた記者、ジャーナリスト、編集者、あるいはディレクターというものがいて、それが一応の倫理行動を持ちながら、責任を持って発信していく、ということは薄れつつはあるけれども、まだそれは残っているわけです。SNS というのは検証不能な格好で、平気でデマが撒かれている。それが人の命に係わることさえある、非常に危険な状態が一面ではある。これをどう考えていったらいいのか、というのは大きなテーマです。今、孫崎さんがおっしゃったように、例えばこの発信は、責任を持って、顔も名前を出している発信です。私はこれ

が一番大事なことだと思うのですけれども、それを SNS で広げていく。そういう連動性が、これからの SNS 文化を考える場合に、大きなポイントではないか。

＊ メディアの劣化

鳩山　例えば国民は大手メディアに対する信頼度が高い。アメリカとかイギリスは、メディアに対して正確性というものを、必ずしも期待していない、信用していなくて、それは何故かというと、自分自身で考える頭を養ってきているという部分がある。だからある意味で教育の問題でもあるとは思っています。日本人はわりと今までそれなりに評価されてきたものを信じやすいところがある。SNS に関しては、それこそ有象無象のものもあるでしょうから、必ずしも信用していない。それだけに逆に言えば、自分の眼で見て、自分の頭で考える訓練を SNS の方がやれる可能性はあるかも知れない。逆に政府系のこと、あるいは政府の後ろにアメリカがいて、従ってアメリカを忖度する、政府を忖度するメディアの記事とか情報というものを鵜呑みにしてしまう今の日本の大半の人たちがこの国をへたすると危うい方向に導いてしまうと思っていますから、その意味でもこの SNS の役割は大きい。

孫崎　そうですね。今のポイントは、例えば日本の新聞、具体的に言うと朝日新聞は、1960年とか70年とか、相当しっかりした報道をやってきている。読売新聞も、1980年ぐらいまではかなりいい報道があった。客観的な報道があるのではないか、という1960年、70年、80年代の財産の上に、今おかしいことをやっている。それだけに怖いんですよ。SNS の人間、例えば私の場合ですとゼロからスタートしているわけです。だからその人たちへの信頼というのは、自分の発信でもって、人々に訴える。ところが今の大手メディアは過去の業績、その遺産でもって、看板だけ残って、おかしいかたちで発信している。既存のメディアの怖さというのがある。

それともう一つ、注意してほしいのは、最近起こった例で、望月衣塑子さんのツイッターが一時削除された。それで見ると、これは不正な扱いが起こっているということを言われたんですよね。機械の故障じゃないんですよ。何らかのかたちで介入があった、今日本の社会で起こっていることは、政府が困るものに対しての削除が、かなり深刻に起こってきている。望月さんの話になると、それに対して一般の市民がかなり反対の声を上げ

ましたよね。それでもって元に復活したということですから、このおかしな現状の中で、どう一般の人たちが言論の自由を守っていくか、が大切だと思います。

　前にお話ししたかも知れませんけれども、前川喜平さんが素晴らしいことをおっしゃったんです。今グローバリズムがあって、経済の自由化がどんどん進んでいて、おかしなことになっていると。だからその自由はある程度制限しなければならないことがあるかも知れない。しかし、心の自由は制限してはいけないと。表現の自由、信教の自由、こういうようなものを止めることはよくないんだと。そしてそれが日本国憲法に載っていると、こういうことをおっしゃった。本当に感心した。私たちはこれからもメディアに接するときに、心の自由を抑制するような動きがあったら、立ち上がるべきだと思っています。

　高野　それはリベラリズムということの本義かも知れないですね。昔、宮沢喜一さんと、田原総一郎さんたちと一緒に食事をする時代があったんです。そのときに、何かの拍子に、「政治というのは人の心の中に入り込んではいけないんです」と、非常に毅然とした言い方で言われて、あっ、リベラルってそうなんだ、と思ったことがあった。それは愛国心という話になったときでした。「心の中に手を突っ込んではいけない」。これは凄いでしょう。

　鳩山　宮沢喜一元総理が、選挙で敗れて、細川政権に代わりますよね。そのときに、宮沢喜一前総理が、細川総理に、１日かけて軽井沢で教えられるんですよ。総理のイロハを。私は感銘を受けました。普通だったら、政党が違うわけでしょう。政党が同じだって、普通やらないじゃないですか。それを細川さんのために、わざわざ１日時間をあけて、一つひとつ、こういう問題があるということを話をされていかれたんです。正にそういった考え方が違うとしても、それはそれで人間として認められておったということは素晴らしい方だったなと。総理としての業績がどうかということは別としてね、人間として素晴らしい面を持っておられたなと思いましたよ。

　孫崎　高野さんのご発言で一つだけ、今、愛国心という話をちょっとされましたよね。最近、元ニューヨークタイムズ支局長のマーティン・ファクラーさんが『愛国心』という本を出したんですよ。彼の視点は非常に面白い。というのは彼はもともと南部育ち。いわゆる奴隷制を擁護するため

に南部は北部と戦ったんだけれども、南部の兵隊たちはなにも奴隷制を守るために戦ったんじゃない。兵隊は自分たちの郷里を守るために戦ったんだ、とおっしゃりながら、日本の愛国心というものを考えているわけです。その中で、彼が指摘したのが、上からの愛国心は恐い、上からこうやりなさいという、それは第二次世界大戦に日本を連れていったということなんだけれども、しかし日本人なんだから、日本の文化であるとか、日本のありようというものは、一般の市民が考えている、ここから出て行く愛国心というものは大事にしていかないといけない、と書いておいでになる。愛国心は、日本人が語るとどうしても右と左に分かれちゃうんですよね。だけど、アメリカ人でニューヨークタイムズの支局長という、どちらかというとリベラルなかたちの人が、しかし、党派に捉われることなく、日本の愛国心を書いた本がありますから、もし機会があったらお読みいただけたらいいと思います。

　高野　愛国心というのは誤訳かも知れないですね。本当は愛郷心じゃないか。

　孫崎　そうですね。

　高野　日本の場合は、それを簡単に国って言っちゃうものだから、国家への奉仕、そこへ直結していっちゃう。

　鳩山　本当に。

　高野　国家は生き残るけれど、国民は生き残らないみたいなことが平気で起こってしまう。

　鳩山　だから、我々が政権を取ったときにも、国民主権であって国家主権ではないんだよね。上から押し付けるような主権の時代ではなくて、国民が国をつくっていく。国民がいかに自分たちが愛するべく郷土をつくるかという、そういう考えの改革をしようという方向で、我々が大きく動いたんですけれども、ファクラーさんの愛国心は、まさにそういう話ですよね。

　高野　安倍政治は、まさに国家主義で、国家を愛そうみたいなことだったし、それのもっと歪曲されたやせ細ったかたちが今の菅政治ですよね。権力を振りかざして、総理大臣が言えば何でもできるんだみたいなことになってしまう。

　鳩山　だから、道徳というのも、ある意味で大事なんですけれども、それは国家に奉仕するための道徳心を教えさせるという話になっているんで

すよね。それだから前川さんは、そういう道徳心の教育は教えるべきでは
ないということで反対するんですけれども、道徳はだめだ、みたいになる
と、何故道徳はだめなの、みたいな話になる。まさに上からの道徳という
のはだめだ、ということですよね。

　沖縄の話をお二人から伺いたいんですけれども、私自身が総理を辞めた
のも沖縄だったわけです。この UI チャンネルを始めたのも、沖縄に対す
る思いがあった。それで月に一度は沖縄で放映していただくと。特に沖縄
にはセンターまで作って、かなり活動してもらっているわけです。私自身
が普天間の移設問題で、辺野古に回帰してしまった。最低でも県外、でき
れば国外に移設をさせたいと願って行動したわけだけれども、それは必ず
しも民主党全体の合意はなくて、結果として必ずしも民主党の他の大臣方
にも十分なサポートを得られることができなくて、しかも最終的には官僚
がアメリカの威を借りて、アメリカが決して決めてもいないようなことを
文書に書いて、それで結果として沖縄に設置するしかない、そういう選択
肢がないことをペーパーで示したわけですね。それは嘘、でたらめで、辺
野古に回帰して、そのことで責任を取って総理を辞めた、それだけに最初
の頃は、沖縄の皆さんから、鳩山は裏切り者だ、みたいに思われたところ
があったのですけれども、その後、沖縄に足繁く伺っていろいろな方々と
お会いして、自分の真意を理解していただくと、今ではたぶん選挙区以上
に沖縄の皆さんが私に対しては親しみを込めて、温かく接してくださるよ
うになっている。それだけに私は辺野古 NO にこだわり続けたい。そう
いう状況が特に軟弱地盤というものが出てきてから、辺野古では無理だと。
１兆も、下手すると２兆、基地を作るためにかかるのではないか、あと10
数年かかると。そうなったら普天間の危険性があと十数年、最低でもかか
るということでありますから、辺野古に移設する意味を、今の新しい安全
保障の環境から見て、如何に不合理なものか、ということを、お二人から
きちんと改めて言っていただきたい。しかし、どうも違う方向に菅政権と
アメリカ政府は、沖縄の使い方を考えているようにも思われるものですか
ら、ここでそのことをきちんと明らかにしていただきたい。私が司会を奪
ったわけではありませんが（笑）、お二人からこの問題について見解とい
うか、現在の、ある意味での危機的な状況をどうすればいいか、お話しい
ただければ嬉しいです。

　高野　一つは、アメリカのぶれ、という問題が、世界中にとって大迷惑。

世界の安全保障上の危機はどこにあるか、というと、アメリカのぶれ、です。譬えは悪いんですけれども、かなり老大国の老化が進んで、世界認識の認知機能がおかしくなっているのではないか、と思うぐらいな状況もあって、これを一体どういうふうに日本、中国、ロシア、ヨーロッパなどがうまく気脈を通じつつ、身体だけはでかい、この老人をどうやって寝かしつけるか、ということが、世界の今の中心課題。世界の平和を保つ最大のテーマはそこにあるのではないか。それはトランプも、そしてバイデンも残念なことにそれを引き継いだ格好になっていますけれども、中国をやたらに敵として煽ることで、国内を治めるというか、非常に古典的な手法に突き進んでいるように見えます。もっと言うと、いずれ今世紀半ばまでには GDP の総額において、中国に抜かれるという必然性がもう見えてきている。アメリカのシンクタンクも2050年の世界は中国が1番になって、アメリカが大分小さい2番になっている予測のグラフを出したりする。そのことが20世紀にはナンバーワンであったアメリカには到底心理的に受け入れられないというストレスがある。だから余計に中国に反発する。だけどアメリカも、それ一本やりで行っているかというと、政治はわりと安易にそっちに動いていくわけですけれども、例えば最近は台湾海峡が危ないぞ、という話になっているわけです。ごく最近になってアメリカの制服組のトップである、統合参謀本部議長がすぐに中国と戦争になるようなことはあり得ないということを、議会証言で言ったりとか、そういう動きがある。まあ、ぶれですよね。正気の人は、そんなに戦争なんかになるものか、と見ている。だけども政治家や現場に近い軍人の方は、今にも中国はやるぞ、みたいなことを言っている。世界中がそのことに振り回されるわけですよ。この大迷惑ということが、私は、一番大きい背景としてあるのじゃないかと思います。

孫崎 台湾の問題もありますし、尖閣の問題も両者非常に似通っているんですけれども、尖閣にだけ焦点を絞っていきたい。ここに於いて、尖閣でもしも軍事的な衝突が起こったときに、日本が中国に軍事的に対抗できない、というのは当然のこととして、アメリカも軍事的に対抗できない、という状況が出てきている。この問題は、普通の学者が述べているのではなくて、アメリカの国防省が行なった図上演習、ウォー・ゲームというところで、台湾正面でやれば18戦18敗、全部負けるんです。何故、そんなことが起こっているかというと、ミサイルでもって米軍基地が攻撃されれば、

戦闘機が出られない、ということで、今軍事的に見たら、もはやアメリカが台湾であれ、あるいは尖閣であれ、ここで中国軍と通常ヘリで戦って勝てるということはないと。これをまず私たちは認識すべきだと思うのです。その状況が好ましいか好ましくないかではなくて、現実がそうなっていることをわかるということです。その次に、それなら尖閣諸島を放棄しろ、というのか、という議論になる。ここで考えておかないといけないのは、これは尖閣諸島の法的な問題は、アメリカは日本の立場も取らない。中国の立場も取らない。台湾の立場も取らない。三者で話し合ってくださいということで、基本的には主権はどの国のものでもないと、決まってないという立場を取っている。日本が尖閣諸島の領有権があるという立場では、アメリカはまずない、ということ。これが非常に重要なポイントですね。ではどうしたらいいのか。これの解決をやったのが、実は田中角栄と周恩来会談です。日本も尖閣諸島はおれのものだと言う。中国もおれのものだと言う。そしたら当然のことながら、そこで主権を行使して衝突が起こる。これをどうするか、ということで話し合って、この問題は日本が管轄を行なうということで、棚上げにした。

　今、例えば中国は接続水域のところに出てくる、と言っていますけれども、尖閣のいわゆる領海的なところには入ってきていないんです。

　鳩山　そうです。ちょっとだけ入ります。

　孫崎　依然として、これを合意がある、という前提でいるわけです。従って、尖閣諸島の管轄は日本であるということは、日本にとって有利なんですね。もしこれがなかったら、中国が主権をやってきたときに、軍事力では対抗できないんだから、中国が取って、どうしようもない。だけど依然として中国の外務省をはじめとして田中・周恩来会談があるものを、できればこのままに置いておきたい、ということなんです。では誰が、田中・周恩来会談をないようにしているか、と言うと、残念ながら、それは今の日本の外務省と、そして政府なんですよ。例えば尖閣諸島の問題で、周恩来・田中会談の裏方をやった、元の外務省の栗山次官。

　鳩山　亡くなられましたね。

　孫崎　亡くなられましたけれども、尖閣諸島は日本が管轄するという、この暗黙の合意はあった、ということをおっしゃっているわけです。後々駐米大使にもなる、中国で実際に交渉した外務省の人が。それを今、ないと言っている。何故か、ここを考えないといけない。日中の間で緊張を高

めることによって、米国が利益を得る。それは一つには、沖縄の基地を維持する、という目的も果たせる。日本に軍備も買わせることができる。東アジアに緊張があった方が米国にとって望ましい。その中に日本が貢献してもらいたい。そのためには日中の間で緊張を作るということを意図的にやっているわけです。もし、日本と中国と、本当の意味で、尖閣諸島で軍事対立があったときには、絶対アメリカは出てこない。出てこないにも関わらず、緊張を作るように煽ることだけはやる。ここをもう少し、私たちは冷静に情勢を分析をしていかないといけない。

　鳩山　まさにその通りで、緊張を煽ることは、アメリカにとって有利なだけではなくて、日本の政治にとっても、中国脅威論を煽って、中国に対して、我々は強い態勢で臨めますよ、という姿勢を見せることで支持が増えるんですよ、この国は。日本の政府にとってもプラスになっている。しかし、それは全く意味のない話であり、高野さんが、何度も、ここでもお話しいただきましたけれども、実際に尖閣の周辺の領海に、中国の船が入ってきても、それは例えば月３回で、１回が３隻だ、みたいな話がありましたよね。ある意味での出来レースを、お互いにしなければいけない。中国の方も、日本の尖閣だと言われては困る、ということで、当然何らかのデモンストレーションをする。これはきちんと日本の防衛省には伝えておいてやっている、ということで、ある意味では、そこで紛争が起きるという状況にはならない。その辺をもう少し、説明していただけますか。

　高野　孫崎さんが言われたことも含めて、ちょっと補足しますけれども、領有権という問題と実効支配が誰かという問題は、まず違いますよね。日本が今、尖閣を実効支配しているのは事実ですけれども、領有権の問題に関しては、日本も、中国も、大きな声では言えませんけれども台湾も、自分のものだと思っている。領有権はアメリカがどの立場も支持しないと言っているように、未定である、と言うのが正しいと思います。ただ実効支配しているのは日本であると。そこで日本の外務省が一生懸命やっているのは、日本の実効支配下にあるということだから、そこは日米安保条約の適応対象ですよね、ということを盛んにアメリカに確認を求めるわけですね。オバマさんが来て、銀座の鮨屋まで行って、それを言ってくれた。頼むと。トランプにも言う、ということで、それは日本の支配下にある地域に日米安保条約は適応すると書いてありますから、実効支配しているのであれば、日米安保条約の適応範囲ですと。それは、「そうですよね」と言

われれば、「そうですね」と言うんです。外務省はそれを鬼の首でも取ったみたいに、安保条約が適応されるんだと。それだけ聞かされると、何もわからない国民は、アメリカが自動的に日本を助けに、いざというときには来てくれるもんだと思う。思わせるように、外務省はそれを言わせている。

　鳩山　政府もそこまでは言うんですよね。それ以上は言わない。

　高野　言わないです。しかも、安保条約の適応対象地域であったとしても、だからアメリカが自動的に参戦するということはあり得ない。例えば、そこで手を出すことが、米中間の核戦争を含む大戦争に発展してしまう、という判断が当然立つわけですから。そうすると、安保条約の適応範囲だから、必ず「はい、行きますよ」というふうにはならない。おまけに、「はい、行きましょう」と仮に大統領が思っても、本来、アメリカは議会で参戦を決議しなければ、本当は戦争をやってはいけないことになっている。何段階もあるわけですね。それを全部取っ払っちゃって、今にも中国が攻めてくる、というような宣伝になるという問題が一つです。概念整理ができない。できないかのように、外務省も政府もマスコミもきちんと解説しないで、そういう話を流していくという問題が一つあります。

　鳩山　そういう状況であるにも関わらず、アメリカは中国に対する敵視を止めないで、バイデン政権においても、この第一列島線の辺りでミサイルを、いろいろな所に配備しようという話が出ていますよね。こういう方向になっていったときに、日本政府は、「どうぞ、どうぞ」という話になるんですか。中国との関わりがあるにも関わらず。

　孫崎　本当に残念ながら、日本の防衛省、あるいは日本の外務省、それが我が国の国益になるのかどうか、自分たちの国を守るためには、どの手段がいいのか、相手国がどう出るのか、というかたちに行かないんですよね。アメリカに言われたら、そのまま行く。アメリカに言われたら、それを実施するということが、官僚の生き方、政治家の生き方で、今の時代くらい安全保障を自分の頭で考えない時代はない。アメリカに言われたことをそのまま受け入れている。そのまま受け入れたら国益には必ずしもならない、ということなんだけれども、残念ながら、1990年くらいから日本の外務省や防衛省は、米国の言う通りにすることが、自分たちの生き方だ、みたいになってしまった。

　高野　それが評価されているんだと。同盟国として格が上がったみたい

な。それの究極が集団的自衛権の回帰ということになってきましたね。

　鳩山　共同での訓練がどんどん増えてきていますね。

　高野　増えていますね。特に今注目しておりますのは、来年2月に行なわれるという図上演習です。日米何万人が参加する大規模な演習で、南西諸島を次々と中国軍に取られた。それに対して、日米相携えて如何に反撃していくか、という訓練らしいです。そのために、これはまだ実現はしていないんですけれども、特に海兵隊は小型の軽揚陸艇を新たに、海兵隊はもともと敵前上陸を専門とする特殊な部隊ですけれども、それはもうノルマンディー上陸と、最後は朝鮮戦争の仁川上陸作戦で、以後ないんです。だから、アメリカ議会でも、海兵隊は何のためにいるんだ。敵前上陸作戦なんて、もう金輪際起きないよ、という話になっていて、海兵隊不要論の根拠になっている、そこで海兵隊が最近言っているのは、そういう昔の上陸用舟艇ではなくて、小さいのを作って、強化された小隊と言っていますけれども、小隊より、少し規模が大きい、75人程度の単位の兵隊を乗せて、島に上陸する。中国が支配している、あるいは中国にやられそうなところに上陸していって、小さいミサイルぐらいまで持っていて、そこで基地を建設して、向かってくる中国の飛行機や船を撃つ。だけど、ずっといると、ミサイルぶち込まれて、みんな殺されてしまうので、すぐに島から島へとちょこちょこ逃げ回るという作戦を考えている。これはアメリカの22年度の軍事予算の中に、まだ研究開発費、軽揚陸艇の研究開発費がなんぼか盛り込まれることになっていて、アメリカ議会で議論が始まっているんですね。

　鳩山　私たちは本当に中国に対して、もっと正しく見ていかないといけないのですけれども、その中で、多くの人たちは、そうは言ったって、新疆ウイグルにおける、あの人権蹂躙、ジェノサイドは何なんだとか。チベットもありますよね。こういう人権問題というものに対して、必ずしも、実際にその地に行って、見て来たわけではないだろうと思うのだけれども、かなりそういうものが流布していて、それが中国脅威論を作っているような気がしますよね。

　孫崎　やはり、私たちは情勢判断をするときに、できるだけニュートラル。ある論理がこちらの国だけ適応されて、こちら側には適応しないという、そういうルールは作らない、ということが非常に重要。そこで考えないといけないのは、正しいかどうかは別にして、アフガンにずっとアメリ

カは2003年くらいから、約20年近くいました。アフガンの人を、危ない人はグァンタナモ基地にまで連れていきました。それから無人機でテロリストと言われている人たちを殺しました。基本になるものの考え方は、イスラム原理主義というものが、極めて危険である。これに対抗するためには、その人たちを捕まえて20年間くらい監獄に行くのも正当化できるし、そしてその人たちが国内でうろうろしていれば、無人機でばーっと殺すことも正しい、と言っていた。新疆ウイグルの構図は、イスラム原理主義なわけですね。だから、別に新疆ウイグルでやっていることを正しい、とは言わないけれども、もしも新疆ウイグルの状況がおかしい、を言うのであれば、これまでアメリカがやってきたアフガニスタン戦争、イラク戦争、もおかしい、と言わなければいけない。ところが新疆ウイグルをおかしい、と言っている人たちは、たぶんアメリカのアフガニスタン戦争、イラク戦争を批判したことない。ということは、この論というのは、アメリカの戦略というものを有利にするために使われている道具だということを考えないといけない。

　高野　新疆ウイグルは、確かに中国のやり方が強権的というか、やりすぎな部分もあるん

だろうとは思います、しかしそもそも何故、その問題が起きたかというと、今おっしゃる通りで、テロ問題なんですよね。ウイグルには秘密のゲリラ組織、東トルキスタン独立軍という武装組織がありまして、地続きで国境を西に向かって越えれば、本当にトルキスタンですから、そこからいわゆるユーラシア回廊とブラック（暗黒）回廊と呼ばれるルートがあって、アフガン産の麻薬が全部そこを通って、ヨーロッパ、アメリカにアヘンが出ていく。そこは武器の密輸ルートでもあり、犯罪者の逃げ場でもある。それに乗っかって、ウイグルの人たちの中で、数百人という規模で、IS に参加をして、そしてまた舞い戻ってくる、ということがある。先にそのウイグルの武装組織を国際テロ組織として指定団体にしたのは国連なんですよね。アメリカもそれに乗ったんです。トランプ政権の途中までは、アメリカの国際テロ団体の指定リストに入っていた。どういうわけかトランプがそれを外したんですね。ついこの間、数年前なんです。国連はまだ外していないと思います。ということは、中国がウイグルのテロの危険を除去することについて、国際社会もアメリカも同意していた。それが突然、どういうわけか取り消された上に、ユニクロまでもあそこの綿を使っちゃ悪

いとかいうような、極端な話になってきている。私は一種の情報謀略だと思うんです。

　孫崎　一つだけ、私が現地に行って、知っていることを申し上げますと、テロの動きは麻薬とも関係している。アフガニスタンの麻薬が６か月くらい経って、ヨーロッパに行く。いろんなルートがあるんですけれどね。６か月くらいで届くルートがある。それは各地域に受け皿があるんですね。ウズベキスタンから、あるいはロシアであるとかね。各地点、地点に、それぐらい麻薬みたいなものが関与してくると組織化されているんですよ。新疆ウイグルの全てではないんですけれども、いわゆるイスラム原理主義的な人たちが活動するときには、相当の程度、組織化されているということを考えなければいけない。だから繰り返しますけれど、私は何も新疆ウイグルの人権弾圧というものをどうでもいいと言っているわけではないけれども、しかしいわゆる宗教的なかたちでもって、少なくとも2002、3年くらいから起こっている、イスラム原理主義の動きは、かなり彼らの方も暴力を使って、物理的な力を使って行動をしている。それに今度は物理的なかたちで対応しなければいけない状況があるということも知っておかないといけないと思いますね。

　高野　ウイグルの域内でもかなり大規模な警察署の襲撃が、起きたことがありますし、それから中国が本気になっちゃったのは、天安門に、爆弾積んだ車で突入というのがあった。それがウイグルの武装組織だったということで、かなり徹底弾圧に出た。おっしゃる通り、それはウイグルだけの個別問題じゃなくて、実はユーラシア暗黒回廊と言っていますけれども、そこに入っていくマンホールなんですよね。最初のマンホールの蓋がウイグルにあるということなので、それはやりすぎの面もあるのかもしれないとは思いますけれども、国際社会として、国際テロ組織とどう対決していくか、という問題の一環として考えないと、中国が怖い、という話に簡単にすり替えてしまうのは、とてもよくないと思いますね。

　鳩山　さて、最後にお二人にお伺いしたいのは、この UI チャンネルの今後を、どうしたらいいか、ということですけれども、先ほど孫崎所長も話をしていただいたように、極力、私どもは情報を正確に入手をして、ニュートラルな立場で論じてみたい。自分の頭で考える訓練を我々もしていきたいと、そのように思っています。そういう意味で、例えば米中の対立が激化してしまいそうなときに、お互いに冷静になれよ、というような日

本になるべきだと思いますし、その中で、アメリカに対しても、言うべきことは言う。民主主義の押し売りばかりしてはいかんよ、と。民主主義と言いながら、他国にうまく入っていく道筋を付けて、政権を転覆させてしまったりしてきたわけですから、そういうようなことをもっと冷静に見ないといけないよ、と言うとかですね、中国に対しても大国になったんだから、大国なりの身なりで処した方がいいよ、というようなことをきちんと言うべきだと思っております。そういうニュートラルな立場というものを軸にしながら、これから報道をして参りたいと思っているのですが、最後に所長と主任研究員からひと言ずつ、今後の友愛チャンネルに対して、言葉を述べていただくとありがたいと思います。

　孫崎　冒頭で申し上げましたように、やっぱり今若者の情報入手がどんどんソーシャルメディアに移っていく。ソーシャルメディアの役割は非常に大切である。その中で、今の話でも一貫していると思いますけれども「ファクト」。重要なことは議論があったときに、どれぐらいファクトが出てきているか。そのファクトがどれくらい客観性があるか、ということで判断してほしい。プロパガンダ的と言うか、定性的なことを述べていると、様々な方向が出てくるんですけれども、それを述べているときに、どのような事実関係を提示してもらえるか。ソーシャルメディアを判断するときに、一番いいのは、喋り手が、どれぐらい新しい、あるいはどれぐらいきっちりとした具体的な事実を述べているか、それが一つの判断の基準じゃないかと思います。たぶんこの UI チャンネルは基本的に、そういう事実を発信していると思いますので、これからも微妙な問題についてできるだけ事実に基づく議論が行なわれることを期待したいと思います。

　鳩山　ありがとうございます。高野さんもお願いします。

　高野　これからということを考えますと、一つテーマの問題として、沖縄というのが今年秋から来年にかけて、クローズアップすると思います。衆議院選挙があって、これは沖縄の４つの区で、オール沖縄がきちんと勝つことができるかどうか。オール沖縄という枠組みが今大分揺らいでおりますから、その中で、まず衆議院選挙が第一歩。来年は5月15日が、沖縄の日本復帰50年という大きな節目がやってまいります。既に新聞などで、50年を振り返って、これでよかったのか、という総括的な続き物などが出始めておりますけれども、その節目がやってまいりまして、7月は参議院選挙、そして9月か10月は、玉城デニー知事の再選がなるのかどうか、県

知事選というのがあります。それ以外にも、来年1月は名護市長選挙から始まって、石垣島は自衛隊の基地問題で揺れております。島が二分されていると言われておりますけれども、石垣島の市長選挙。今年ありました宮古島の市長選挙は、自衛隊基地反対派が勝ちましたけれども、さて石垣はどうなるのか、あと幾つも実はありましてね、宜野湾市もありますし、7、8つの重要な市長選挙が全部来年に集中している時期です。それを通じて、かつて翁長さんが作り上げたオール沖縄という旗印の立て方がそのままでは多分守り切れない。それがもっと前に進んでいく、というか、ここで一皮二皮剥けていくことがないと、その流れが維持できないと思っているのですけれども、そのために一体本土の我々も含めて何ができるのか、ということが非常に大きな報道、そして議論のテーマになるのではないか。

鳩山　ありがとうございます。来年の沖縄の話は、また別の機会にゆっくり議論をさせていただきたい。改めて400回記念の番組をご覧になってくださった皆さま方にも感謝を申し上げ、これからも今お話がありましたように、ファクトに基づいて、しっかりとした報道を続けて参りたいと思いますので、どうぞご覧になっていただきたいと思います。今日はありがとうございました

UIチャンネル　第401回

《鼎談》琉球・沖縄センターのあゆみ

2021年7月26日
琉球・沖縄センター長 **緒方　修**
沖縄県南城市市長 元琉球・沖縄センター事務局長 **瑞慶覧長敏**
琉球・沖縄センター事務局長 **新垣邦雄**

　緒方　皆さん、こんばんは。第401回のUIチャンネル、琉球・沖縄センターからお伝えします。今日のゲストは瑞慶覧長敏さんと、現事務局長の新垣邦雄さんです。長敏さんが何故、ここにいるかといいますと、国会議員をなされて、その後、英語の塾をやっておられました。そのときに「是非、事務局長をやってくれ」とお誘いしました。

　瑞慶覧　2015年から17年まで、3年間、事務局を務めました。

　緒方　思い出話もいろいろあると思います。特にオスプレイが墜落したときは現場に行っていただきましたし、招待を受けて韓国にも、また、アメリカにも行きました。3年間で、よかったなと感じたことはありますか。

　瑞慶覧　たくさんありますが、まずアジア麺ロード。いきなりでしたが、鳩山理事長のアイデアで始まりました。それから宮古島、石垣島、与那国

まで、鳩山理事長と高野孟さんと、超大物のお二人とハードスケジュールで離島巡りをしたこととか。この二つは非常に印象に残っています。

　　緒方　映像があります。麺ロードとハードスケジュールの与那国まで3島制覇みたいな感じで行きましたが、全部出てきますので、ご一緒に見ましょう。

＊オスプレイ墜落現場から実況

オスプレイ墜落（2016.12.14放送）

　　《瑞慶覧　今、沖縄本島やんばるの方にある名護市の安部というところに居ます。》

　　緒方　夜中に落ちて次の日ですよね。僕はちょっと行けなかったんですけれど、長敏さんのところに、おそらく朝7時頃にカメラマンから電話が入った。

　　瑞慶覧　そうでしたね。急きょ、現場の安部に行きました。

　　《瑞慶覧　機体も大破して、乗員は5人のうち2人が負傷しているという報道になっています。今日は12月14日、水曜日です。今、朝の9時18分です。現場に向かっているところです。警察の方が交通整理をしています。》

　　緒方　これは普天間が危ないから、辺野古はいいだろうな、ともっぱらそういうPRが出されていたんですよね。

　　瑞慶覧　そうですね。

　　緒方　そのすぐ隣の安部に落ちて、これはなんじゃ、ということでしたよね。

　　瑞慶覧　結局、当初からオスプレイの機体そのものの安全性については、ずっと議論になっていたんですよね。辺野古の海の上だから大丈夫だろうとか。

　　《瑞慶覧　オスプレイの落ちた現場に来ています。場所は沖縄本島名護市の北の方、東海岸にある、安部という小さな集落の海岸線です。私の後方に無残な姿をさらしています。昨晩の9時半頃、墜落したと思われます。報道は着水と言ったりもしていますが、明らかに墜落だと思います。場所も沖合1キロという報道もあったんですけれども、完全に海岸線です。周囲多分50m四方に残骸が散らばっています。今、干潮を待っているところです。まだまだ満ちていますので、残骸

の一部しか見えませんが、大きな残骸が見えたりもしています。また、詳しく報告したいと思います。》

　緒方　夜中に空中給油中に失敗して、落ちたということですよね。

　瑞慶覧　確か、そうだったと思います。

　緒方　どうでしたか、最初にこれをご覧になったとき。

　瑞慶覧　幸い、我々、現場のすぐ近くまで行けたんですよね。そこまで規制は厳しくなかったと思います。ロープは張られていましたけれどね。

《瑞慶覧　オスプレイの墜落です。起こるべくして起こったという感じです。印象に残ったことを二つだけお話ししたいと思います。まず一つは現場に海兵隊の若い兵士たちもいまして、声を掛けたんですね。「何があったの」と聞いたら、「我々はわからない。何も聞かされていない」ということでした。「けが人とか、誰かいないの」と聞いても「いや、全然わからない」。そんな素っ気ない感じだったんですけれども、「クラッシュなの、それともランディングなの」つまり「墜落なの、着水なの」と聞いたら、「クラッシュ」と、彼らはそれだけははっきりと答えていました。つまり海兵隊の中では墜落したという認識だ、という印象を受けました。現場も実際に見てみると、あれは墜落としか言いようがないと思います。それから帰りに地元の方にお話を聞いてみました。娘さんと92歳のお母さん、お二人いるんですけれども、娘さんの方に「昨日の晩はどんな感じでしたか、墜落の音は聞こえましたか」と聞いたら、「ガラガラガラガッシャーン」という音が聞こえて、そして家から飛び出て海岸線の方に向かって、そこから眺めた、ということを話していました。ただ何が起こっているのかはわからなかったと。しばらくしてオスプレイが何機か来て、旋回しだしたそうです。「どんな気分ですか」とお聞きしたら、「怖い、とても不安だ」とおっしゃっていました。そして92歳のお母さんの方は「もうわじわじーしている」と。つまり「怒っている」と。「戦争で自分は被害にあっているし、戦争の怖さを知っている。そこにまた戦争に使うような滑走路ができるということに対しては、こんなことは絶対にだめだ」と怒りをぶつけていました。そんな現場だったんですけれども、年末に、最後の月に、こんなことが起きてしまう沖縄の現実ですね、それを見せつけられた感じでした。現場地検証は、これから午後、行なわれるみたいですけれども、オスプレイがいかに危険

254

か、というのを全国の皆さんにも知っていただきたいと思います。平和を願っています。以上です。》

　緒方　これは、辺野古は安全だ、と言われていたことが一遍に崩れたわけですよね。オスプレイが目の前で落っこった、ということが一番ショックだった。レポートは非常に迫力があった。

　瑞慶覧　そうですね。現場に行けたということが、あそこまで詳しくレポートできた。

　緒方　早速、次の映像いきましょうか。沖縄の現状をここだけで片付けるのではなく、東京だったり、アメリカだったり、伝えないといけない。

＊サンフランシスコで辺野古写真展示

　瑞慶覧　VFPですよね。カリフォルニアのサンフランシスコ、バークレイで、VFPというのは、Veterans　For　Peace（ベテランズ・フォー・ピース）。要するに退役軍人で平和を望む方々のグループです。総会があるということで我々も辺野古の現状を、沖縄の現状を、写真展をしようということで持っていった。

バークレー写真展報告会（2016年8月放送）

　緒方　これはベトナムの帰還兵とか、そういう方々ですか。

　瑞慶覧　そうですね。結局建物の通路に、展示することが決まって、そこに写真を貼ったんですけれども、結構人通りが多くて、総会に行く人たちで、彼らはVFPのメンバーで、ベトナムに実際に従軍に行った方とか、あるいは戦争のときはアメリカは牧師も一緒に行くらしくて、その牧師さんの話とか、そういう方々に声をかけながら、沖縄の状況を説明しながら、意見交換をしているところです。

　緒方　沖縄に来ている人は多いんですか。

　瑞慶覧　沖縄のことを知っている方がほとんどでした。沖縄に来たことがあるという方もいました。ただ一様にびっくりしていましたね。「えっ、沖縄ってまだこんなに米軍基地あるの」と。「まだこんな問題抱えているの」と真顔で言っていたのが非常に印象に残っていますね。だからこそ、我々がこういうかたちで外に出ていって、基地の被害とか現状を伝えるの

は大事だなと改めて思いました。

　　緒方　毎年、僕も行って、英語のビデオとかも持って、皆さんに配ったりとかね、ずっとエンドレスで会場に流したりしました。それでも皆さんは平和を求める退役軍人の会ということで、沖縄のことも知っていますけれども、ほかのアメリカ人にとっては、あまりピンと来ないような気もするんですけれども、どうですか。

　　瑞慶覧　私は20代の前半、3年間アメリカの大学に行っていたので、その体験から話ししますと、アメリカの国民というのは、どちらかと言うと内向きです。外に対してはあまり関心がない。例えば、あの当時、日本がどこにあるか、というのもわからない学生もいました。マウント・フジは知っているけれども、中国と日本がごっちゃになっていたりとか、そういう国民性がありますので、だから基地問題に関しても、遠い日本の、さらに遠い沖縄の中での米軍の基地問題というのは、恐らく関心どころか知らないでしょうね。

　　緒方　この前の IOC のバッハ会長も、中国の皆さん、なんとかかんとか、と間違っていましたよね。

　　瑞慶覧　ジャパニーズ・ピープルというのをチャイニーズ・ピープルと言っていましたからね。

　　緒方　区別がついているのかな、という感じですね。アメリカは内向きとおっしゃいましたけれども、そうすると、外に出て、まあベトナム戦争は非常に傷が残ったと思いますけれども。現在、沖縄やほかの所に米軍基地をいっぱい出しているという意識は、あまりないんですかね。

　　瑞慶覧　アメリカの国民は自分たちが世界の平和を築いているんだという意識はあると思います。だから、それと同時にアフガンとか中東とか、まあベトナム戦争もあったんですけれども、世界に軍を出していって、そこの平和を自分たちが統制していると、そういう自負心はある。ですから、トランプさんが大統領になって、アメリカ・ファーストと、そうじゃない世界平和をみんなで築いていこう、という分断が生じてしまった、のはなんとなくわかるような気がしますね。

　　緒方　こちらも本当に小さな組織ですけれども、沖縄を取り巻く南西諸島と言われるところは、今、軍事基地がじゃんじゃんミサイル基地ができて要塞化しているのですけれども、まだまだ取り掛かっていて、自衛隊がいろいろな基地を作っているぞ、というのを、強行スケジュールで見て参

りました。

＊南西諸島ミサイル危機の現場視察

緒方 本当に強行軍で、那覇から始まって、宮古、石垣、与那国まで行きましたね。

瑞慶覧 準備不足等もあったりして、集会に人が集まらないということもありましたけれども。

陸自警備部隊の配備候補地
（2017年6月26日放送）

緒方 急にやったわりに100人ぐらい集まっていただいたりとかね。ここは千代田カントリークラブと言って……。これを聞いてからにしましょう。

《現地説明者　ここは千代田カントリークラブと言って、千代田集落にあるゴルフ場で、25年ぐらい前にできたんですけれども。現場に行ってみましょう。》

《現地説明者　地域の人たちの土地を借りてゴルフ場にしたんですけれども、なかなか経営がうまくいかなくて赤字でですね。1億ぐらいの負債を抱えていまして、沖縄銀行に抵当権が入っていて、それが競売にかけられるというところまで来ていたんですけれども、その頃に防衛省の、宮古島への自衛隊配備の問題が出てきて、一番最初に宮古島で8つの自衛隊配備の候補地が出てきたのですけれども、その中の5つを宮古島市長に、防衛大臣が提案をしました。防衛省としては、福山という地域だけ、1つに絞って、提案したんですけれども、宮古島市長が、「千代田も使ったらどうか」と提案した。理由は一つより二つの方が経済的な効果があるということでした。》

緒方 それで、その頃何が行なわれたかというと、宮古島市長が賄賂を貰っていた。500万円（のちに600万円と判明）。千代田カントリークラブを自衛隊の基地にしろと。そうすると、二つの地点が潤うんじゃないか、と変な理屈でしたよね。どうも怪しいなと思っていた。

瑞慶覧 案の定ですよね。我々が行った当時、地元の方はその説明をしていましたね。どこかが絶対おかしいと。だから、結局、その通りになって、今年に入って宮古島の前市長が逮捕される事態になっているわけですね。

緒方　新垣さんは琉球新報の宮古島支局長をされていましたが、どう思われますか。

　新垣　宮古島に限らず、沖縄の小さな自治体というのは、首長の権限が非常に大きいですよね。それで2期3期とやると、非常に鮮度が落ちてくるということがある。この宮古の土地選定を巡っては水の問題、地下水の問題がかなり出ていて、最初に上がった防衛省の推している地域は、地下水汚染が懸念されるという理屈付けで、千代田カントリーの方に持っていったんですけれども、実は背景にそういう防衛利権的なのがあった。そういうことで基地が決められていくこと自体が、非常に大きな問題と思いますね。

　緒方　次に石垣島を見てみましょう。

石垣島ミサイル基地計画視察
（2017年6月27日放送）

《現地説明者　西の端っこが、この山の谷間からの線、そちらの辺りまでになっています。そこから先ほどぐるっと一周まわって出てきたところまでで、約30ha。その延長線上、あそこから射撃練習場が東西もあるのだけれど、その延長線上にここがあるんです。農林高校の牧場で、生徒の宿泊棟もすぐそこにある。そういう場所に射撃訓練場の端っこが来ている。》

　鳩山　生徒は住んでいるの。

　現地説明者　コンクリートで密閉されているから大丈夫と言っていますけれども。

　高野　あそこの草を刈ってあるところですか。

　現地説明者　白いのが見えるでしょう、牧草が。あれも農林高校の。

　高野　あの山沿いずっと。

　現地説明者　あの後ろの山も八重山農林高校の土地。向こう側に松の木とか、クスノキを育てている。実習の現場なんですよね。その現場に隣接して作ろうとしている。

　現地説明者　全体がどれくらいの広さ？

　現地説明者　大体46ha。

　現地説明者　規模わからないよ。決まってしまったら、ぽんぽん広げていくから。

　現地説明者　広がる、広がる。こっちだって買占めがおきている。

《現地説明者　防衛省はいろいろな地権者に会っているから。

　現地説明者　見越してここも、この牧場跡地は全部買い占められている…………。》

緒方　なんだここは全部基地になってしまうのかと、茫然と見ているという感じですね。

瑞慶覧　結局、宮古島も石垣島も、あとで与那国も出てくると思うんですけれども、かなり強引なんですよね。地元の住民がこれだけ反対している。特に石垣に関しては署名活動も、住民投票もしよう、というのを議会で結局住民投票も認めない、かなり強引な手法で推し進めている。その裏にはやはり政府と関係者がうまく関わっている。そういう構図が見えてきます。

緒方　次は最西端の与那国島、台湾まで110キロぐらいのところです。

《猪股哲（南西諸島ピースネット代表）　これね、混血なんですよ。

　スタッフ　本当だ。足が長いね、大分。

　緒方　馬に邪魔された。

　スタッフ　本当だ、サラブがなんか入っている。

　猪股　今、（自衛隊基地建設の）工事車両ストップしているのは、彼ら（馬）だけですよ、身体を張って止めているのは。》

猪股　あれが弾薬庫と言われていまして、防衛省は、貯蔵庫という言い方をしているのですけれど、あそこに入口が見えます。これが50mから60mくらい、奥にも伸びているんですよ。北海道と対馬に沿岸監視隊というのがあるんですけれども、301と302で、ここが303沿岸監視隊と言われている。301と302は大体貯蔵庫の大きさが10坪くらいと言われています。何故なら、警備小隊が使う小銃の弾だけですから。他のミサイルとか格納するわけではないので、これほどの大きさは本来は必要ないはずだ、と専門家は言っています。だ

弾薬庫と巨大アンテナ
（2017年6月18日放送）

259

から、ここ与那国を中心として何を想定されているのか、そこがちょっとわからないところです。

スタッフ　これはミサイルだろうと。

　猪股　まあやるんでしょうね。そこに見えているのが、体育館ですね。こっちが宿舎です。この辺は車両の燃料とか整備するところだったり。その奥が事務室になります。

　猪俣　真ん中の赤白のやつは、恐らく避雷針かもしれないけれど、あとはドームが付いているからね、全部、レーダーですよね。

　ここはいつも無人、あっ無人でもないか、車が停まっている。警備の人が立っているわけでもないんですよね。》

　緒方　巨大なアンテナが立って、いったい何をしているんだろう、という感じですよね。僕が随分前に与那国に行ったときは、小さな与那国馬がゆっくり走っているような、本当にいい所だったんですけれども、もう完全に要塞化して、自衛隊が200人、家族も含めているという話ですよね。どうでしたか。与那国はなかなか行く機会ないですよね。

　瑞慶覧　私はほかの人に比べたら、何度も行っているはずです。衆議院4区でしたので、予定候補者としても与那国は何度も行っています。あの当時の与那国と、今現在の自衛隊基地ができあがっている与那国とは全く景観は違っている。

　緒方　これをきっかけに、今の猪股さんから写真を提供いただきまして、不屈館というところで、2カ月間、写真展「南西諸島のミサイル戦争の危機」をやりました。不屈館から波及して、全国展開もしようと思っていますが、その辺について、新垣さん、お願いします。

　新垣　写真展も関心が高く、その時も会場で講演会をするなど発信しましたけれども、その後、石垣、あと静岡でやりました。近々、緒方センター長が、本土の各地を回って次の巡回写真展を企画しています。本土の方々は、こういう実態をほとんど知らないですからね。やはり本土に向かって発信していくことが大事かなと思います。

　緒方　もう一つ、これも長敏さんならではの企画です。

＊アメラジアンスクール訪問

　《瑞慶覧　今、アメラジアンスクール沖縄に来ています。鳩山理事長とウィリアム校長先生との交流、意見交換会ですね。その前には、各

教室を回って授業風景を見たりしました。狭い施設内で、たくさんの課題を抱えているので、いろいろな意味で協力してほしいと、校長先生からもお願いがあったところです。我々としても、今後どういうことができるのかを含めて、東アジア共同体研究所琉球・沖縄センターでも今後

アメラジアンスクール訪問
（2017年5月8日放送）

一層の協力をしていきたいと思います。以上です。》

　緒方　アメラジアンという言葉はあまり聞かない。沖縄では比較的ポピュラーですが。これは基地のある所には、大体混血の子どもが生まれる。いじめられたりなんかするというのは、どこでもあると思うんですけれども、これだけ米軍基地が多くて、しかも米軍の方と結婚する女性も多い。あるいはレイプされて、大変なことになったということも多い。このアメラジアンの問題というのは、どういうかたちで推移するか、片付くのか。

　瑞慶覧　アメラジアンは、アメリカとアジアをひっつけた言葉。生まれた子どもたちが行っているスクールが、今映像にあったアメラジアンスクールと言われているところで、宜野湾にあります。何が問題かと言うと、お父さんが大体米軍人で、お母さんは沖縄の方です。結婚して子どもが生まれて、軍人の間は、基地の中の小学校に通えるんですよね。ただえてして離婚するケースが出てきます。そうすると、今まで通っていた小学校・中学校に行けなくなんですね。そうすると沖縄の中の地方自治体の普通の小学校・中学校に行くことにならざるを得ない。でも文化も違うし、言葉も違うので、不登校になったりいじめにあったりとか。それで当事者である４人のお母さんたちが立ち上がって、自分たちで学校を作ろう、ということでスタートしたのがアメラジアンスクールです。実は私は当初から、相談を受けたりしていました。衆議院議員でもなんでもないんですけれども。当初は自治体もなかなか認めてくれませんでした。要するにお母さんたちは、このアメラジアンスクールの小学校から中学校に行く資格をくださいとか。あるいはアメラジアンの中学生もちゃんとプログラムを組むので、高校受験する資格もくださいとか。そういう運動もしていたのですが、なかなか自治体の方では認めてくれなかったという実情も見ています。ただ頑張って、国会まで陳情に行ったりして、やっとフリースクールとして

261

も認められて、中学校にも高校にも行けることになっていった。その努力が今実っているところです。その子たちは、日本の高校に行く子もいるし、アメリカの高校に行く子もいるし、あるいは高校生だったらアメリカの大学に行く子も、日本の大学に行く子もいる。だから英語の教育、日本語の教育、両方やっているんですね。そこの実情みたいなのも、ぜひ、アジアの中の一つの縮小版みたいな立場もあるので、それで鳩山理事長にもぜひ見てもらいたい、ということでセッティングしたわけです。

＊韓国との交流など

　緒方　長敏さんは英語もぺらぺらなので、韓国にも招かれましたが、それはどういうお話をしたのでしょうか。

　瑞慶覧　韓国でも、アジアの平和をみんなで考えようというNPOの方々とか、そのグループがありまして、日本の事務局みたいなところが、誰か沖縄からもそういう方を送りたい、ということになって、たまたま私の知り合いの知り合いみたいな方を通して、東アジア（共同体研究所）からどなたか送ってくれませんか、ということになって、英語での会話でしたので、私が行くことになりました。

　緒方　やっぱり土地柄と言うのかな、沖縄は、それこそ平和の要石に、と言うのが、我々のスローガンにもありますけれども、そこから発信できることは多いなと思っています。

　瑞慶覧　多いと思います。ずっと、沖縄の場合は、発信力が課題として挙げられていますので、東アジア共同体研究所琉球・沖縄センターで目指したのは、その発信力だったと思います。ですからVFPの写真展で、カリフォルニアに行ったりとか、あるいは韓国にも行って、そこで連帯感を生んで、みんなで考えていこう、ということに繋がったと思いますので、ずっと目指すのはそこかなと思っています。

　緒方　あとは高校生と交流したりとか、長野県に現代史ツアーと称して行ったり。

　瑞慶覧　ありましたね。

　緒方　僕はあの時、松代大本営が沖縄戦と繋がっていたということにびっくりしました。戦争が終わる直前、皇居から何から、NHKからみんな、各省庁も移そうと大きな洞穴を作った。

　瑞慶覧　そうですね。長野県の松代という所に、松代大本営というのを、

第二次世界大戦の時に日本は作っていた。そこは天皇一家を匿われるような所。それはガイドさんも、沖縄を防波堤にして、その間に、松代大本営を一気に作るんだというかたちで進められたという説明をされていました。結局、6月23日、大体沖縄の役割は終わった、ということで情報が上がって、工事が止まったという、そんな説明だったと思います。

　緒方　6月20日頃、つまり沖縄戦終結の2、3日前に松代大本営完成したから「はい、そちらは万歳してもよろしい」みたいなね。そういう連携だったのかと、びっくりしました。その後、国会も見て、議員団の人と交流とか、（長敏さんの）元国会議員のバッジで入れたようなものですけれど（笑）、非常に有効だったと思います。それと戦後の傷跡がずっと残っているという意味では、アメラジアンもそうですけれども、珊瑚舎スコーレがあって、幼い時に、中学校も何も出ていない老人の方が夜間中学に通って、字が読めるようになった。岩波の少年少女文庫を一生懸命読んで、こんなにおもしろいのか、と。非常にユニークな活動をしていて、これも鳩山理事長にも行っていただいて、その後、我々もささやかながら支援しているということです。

　瑞慶覧　実は今、珊瑚舎スコーレが南城市に移りました。この間、オープニングで私も行ってきたのですが、非常に子どもたちが自由にのびのびと自己表現しているな、と感じました。立ち上げた星野さんは、すごい方だなと改めて思いました。

　緒方　あそこは北海道のアイヌの土地、札幌と小樽の中間あたりに土地を買って。そこは水道も電気もない。下水も札幌なのに小樽に送っていけないとか、いろいろな問題があるけれども、自分のところで、全部リサイクルをできるようなかたちでやりたい、とおっしゃっていました。アイヌの子どもたちと、こちらが交流する、素晴らしい企画だなと思いました。

　では、最近の話題に移りましょう。

＊ 南部の遺骨まじりの土砂を新基地に使うな

　《具志堅隆松（遺骨収集ボランティア・ガマフヤー代表）　聞こえていますか？　デニーさん、助キティクミソーレ。この助キティクミソーレは、助けてください、という意味です。

　具志堅　ありがとうございます。多くの人が、デニーさんの、このことについて、不安に考えている方も出始めています。その不安を解

消するためにも、ぜひ、一歩ステ
ップアップした、安心させるため
の表現をよろしくお願いします。

　玉城知事　言葉足らず、力足ら
ずで、大変申しわけありません。
自分にできることを一生懸命やり
たいと思いますので、よろしくお
願いします。(拍手)》

具志堅隆松さんの訴え
(2021年3月2日放送)

　緒方　具志堅さんの運動は、長敏さんがいらっしゃるときからやってい
たわけですけれども、これは外国人記者クラブなんかにもアピールしたお
蔭で、アメリカの有名な雑誌『The　Nation』、イギリスの『The
Guardian』、米軍の準機関紙の『Stars and Stripes (星条旗新聞)』にも取
り上げられました。それから先ほどのベテランズ・フォー・ピースの総会
を通じて、国防省には行方不明者をずっと探し続けるという部署があって、
沖縄戦で200人くらい行方不明になっているので、それを探してください
と。新垣さん、ついこの間の VFP の記者会見の模様について話してもら
えますか。

　新垣　一昨日です。退役軍人の沖縄在住の方々が、県庁で記者会見をし
ました。今年のＶＦＰの大会が８月にあるそうですけれども、その中で、
南部の遺骨混じりの土砂を用いることを止めてくれ、と呼びかけられた。
具志堅隆松さんの活動で、国内にも広く知られましたけれども、米兵の行
方不明の方が200人もおられるわけですから、沖縄県民だけの問題ではな
くて、韓国とかアメリカで、遺骨が戻らないままの方々の問題でもある、
８月の大会にそれを沖縄側から提起して、決議されるということになれば、
米国政府も動かして、激戦地だった南部の土砂を採取しないという方向を
作ろうという運動にVFPの方々も関わってきている。

　緒方　それから VFP 沖縄支部代表のダグラス・ラミスさん、昔の反戦
歌のピート・シーガーの「花はどこへ行った」の一節をもじって、「兵隊
たちよ、どこへ行った」。滑走路の下かと。かなり強烈なメッセージを出
しておりました。これは南城市は直接は関係はないですかね。

　瑞慶覧　そうですね。南城市には米軍基地はないですので。土砂を採る
ところも糸満です。

　具志堅隆松さんはガマフヤーと呼ばれていますよね。ガマフヤーという

のは、ガマの中、洞窟の中に入っていって、掘る人をガマフヤーと言うんですけれども、そこに遺骨が眠っている可能性が高いので、ずっとその活動を続けています。具志堅さんは、例えば今ある辺野古の基地にも、終戦当時にいっぱい埋められているんだと。だから調査をさせてほしい、と国にも、国防省に直接要請しています。それから宜野座村でしたかね、（具志堅）隆松さんの指導で、我々も鳩山理事長も一緒に遺骨収集に行きましたね。スコップを持って。絶対、ここにも眠っているんだと、かなり長い時間やりました。ずっと続けていますから、その地道な活動がどれだけ大事かというのは、人が亡くなって、心配しない親はいない。その遺骨を親の元に返す。ちゃんとしたところに返すということは、結局は人権問題なんですよね。私たちは、基地問題というのは人権問題だと言うのを、ずっと頭の中に、心の中に入れながらやっているんですけれども、まさにそれを体現しているのがガマフヤーの具志堅隆松さんと思っています。

　緒方　僕が印象に残っているのは、赤紙一つで呼び出しておいて、遺骨も何も返さないで、どういうつもりなんだと。これが一番基本的な問いかけで、彼の言葉で印象的だったのは、死者からの聞き取り。これは死んだ人だって、そこの現場を見れば、自分らが掘った蛸壺に、半分崩れ落ちながら、埋まって死んでしまって、そのまま遺骨になった、なんていうのもありましたよね。20万人も死んでいますからね、戦争の傷跡は、まだまだ。

　もう一つは、戦争が終わっても米軍の基地が居続けているわけですけれども、その悲劇と言っていいと思います。

　《**緒方**　ここが安保の丘と呼ばれる所です。安全保障条約の象徴みたいな所です。その奥にずっと広がっておりますのが、嘉手納基地。東洋で最大の基地と呼ばれています。その横に県道が沿って走っています、そこからちょっと入った所です。今は草が茂って滑走路は見えません、60年前、ここを飛び立った米軍のジェット機が操縦不能となってぐるっと回ってきまして、石川市に突っ込んで、いわゆる石川宮森小学校の悲劇を引き起こしたわけです。

宮森小学校に米軍機墜落
（2020年7月5日放送）

（追悼式司会）18人もの尊い命が奪われ、200人余りが重軽傷を負った石

265

川・宮森小ジェット機墜落事故から今年で60年です。節目の年となる慰霊祭に先立ちまして、こちらの仲よし地蔵へ礼拝、献花を行ないたいと思います。この仲よし地蔵は、宮森小ジェット機墜落事故のことを知った、東京都の僧侶が寄贈したものです。仲よし地蔵は今も宮森小の子どもたちに見守られながら、事故で犠牲になった18人の御霊を慰め、平和を願っています。》

　　緒方　戦後10何年経っている、子どもたちが生まれて、お母さんたちもやっと一息という感じで、そこにジェット機が落っこちてきた。不良品と言われています。戦後も米軍基地がある限り、こういう事故が続く典型的な一例ですよね（1959年6月30日に墜落）。

＊アジア麺ロード（アジアと縁・麺むすび）

　《鳩山　平和の沖縄にしたい。そんな思いをもって、東アジアの国々の皆さん方ともっともっと仲良くなれるにはどうしたらよいか。そんな思いの下で、このような麺というアジアに共通の食材をもって、しかもアジアそれぞれいろいろな味が楽しめる。違いを楽しんでいただこう。そんな催しをさせていただいています。

アジア麺ロード会場と中国からやってきた儒家拳（2019年11月18日放送）

　　緒方　これは儒家拳。儒教の拳法。少林寺は何、道教は何と、いろいろあるんですよね。僕は儒家拳を初めてみましたけれども、すごいきびきびしていいですよね。》

　　緒方　どうです、アジア麺ロードの発案者は鳩山さんですけれども、長敏さんがいろいろご苦労なさった。

　　瑞慶覧　もともとは鳩山理事長と沖縄の高校生が語り合う会をやろう、ということで、実際やったんですね。そこに大学生も来たりしていて。非常にいい企画だったと思います。その席で、フリートークになったときに、

学生が、東アジアの平和を語るのはいいのだけれども、実際に私たちは何をすればいいんですか、という質問があったんですね。それに鳩山理事長が、例えばそのアジアには麺という共通の文化、食べ物があるじゃないか。だから一緒に麺を食べながら平和を語るとか、そういうのをやってもいいんじゃないの、というところから始まった。

　　緒方　新垣さんは沖縄市の出身で、那覇よりもかえって皆さんの外国人とのつきあいは、普通のつきあいが多いんじゃないかと思うんですけれど、どうですか。

　　新垣　先ほどの麺ロードで韓国のサムルノリが出ていましたけれども、あれはたまたま同じ日に近くでコリアン・フェスティバルというのがあって、韓国の芸能も来た。沖縄市は韓国人の方も結構多く住んでいます。そうすると韓国の方と沖縄市の方の文化交流会的なものを作り上げて、新年会とかバーベキューとかの交流も熱心にやっています。鳩山さんがおっしゃっていたように、韓国とか中国とか、政治的にぎすぎすしがちなんですけれども、やっぱり沖縄だと普段から差別の感覚とかもないですから、自然に仲よくできるということがあります。だから我々の東アジア共同体研究所琉球・沖縄センターの活動としても、韓国・中国の方々といろいろな交流をするのは大事な役割と思いますね。

　　緒方　南城市はどうですか。行政として力を入れているのはありますか。

　　瑞慶覧　フードフェスタというのがありまして、南城市は食のまちを謳っていこうと思っているんです。野菜もあるし、魚もあるし、肉もあるしで。そのフードを一堂に集めて、大きな駐車所もありますから、そこでフェスタをやったりとか、そういうこともやっています。

　　平和というのは、国と国同士で、外交というかたちで努力するというのも、もちろん大事ですけれども、人と人同士がコニュケーションを取りながら、おいしいご飯を食べながら、麺を食べながら、平和を語り合っていく。これこそ本当は大事かなと思っています。あるいは踊りや音楽はどこにでもある。その地元地元の踊りをみんなで一緒に踊りながら、平和に向けて仲良くなっていく、という、そこが東アジア共同体の、恐らく最初の観念だと思うので、それをずっと継続していくことは最も大事かなと思っています。

　　緒方　先ほど情報発信に努めたというお話が出ましたが、ＵＩチャンネルは毎週やっていて、月に３回は大体東京から対談ものが流れる。月に一

斎場御嶽（2020年12月13日放送）

度は沖縄の担当なんですけれども、なるべく映像でいろいろなところを取材して、お伝えすることに努めてきました。それだけでも足りないというので、今度ウィークリー沖縄と言って、毎週やることにして、大変なんですよ。沖縄には世界文化遺産がありますが、まさしく今これが放送される直前くらいに恐らく自然遺産も決まったんじゃないかと思います。そうすると自然遺産と文化遺産と両方を持つ、珍しい県になる。文化遺産については斎場御嶽という聖地が南城市にあります。

＊ 世界遺産聖地巡り

《緒方　斎場御嶽に着きました。これは本当の昔の道ですよね。これは海から上がってくる道です。首里城から歩けばまる１日くらいですよね。

當眞嗣一（グスク研究所主宰）　あちこち見れば、浦巡りと言っていますよね。知念半島の先を回って、船着場に着きましたけれども、そこから上陸されるわけです。その下に行きますとウローカーと言うのがありますから、そこに来られて、恐らく禊なんかをやったんでしょう。それからここに上ってくるわけですね。こちらが海路を通る場合、これから石畳を歩いて、そこがウフグーイ（大庫理）と言って、この斎場御嶽の最大のイベント会場。

これは、久高島のオカムロだったかな。斎場御嶽で一番の大事な儀式がここで行われただろうと言われています。

ここはお供のノロさんたちが待機したり休憩したりする場所。実際の切り壁が二つあるんですが、ここがサングーイ（三庫理）ですね。上がチョウノハナと言って、上に神様が降りられて、さらにこの切り壁を降りられて、下のイビの方に降りられる。石畳の下、石畳を直すために発掘調査をしたら、そこから、今、国の重要文化財に指定されましたが、勾玉とかあるいは厭勝銭（エンショウセン）、中国のお金とか、あるいは青磁の碗とか皿が埋納されているのが見つかったんですね。》

緒方　こういう素晴らしいところがありますけれども、スピリチュアルスポットとか、パワースポットとか言われて、山ほど人が来て、オーバーユースの問題もありますよね。これはどうでしょう、最近は。

　瑞慶覧　斎場御嶽も世界遺産に登録されて、年間多いときは40万人、観光客が来たんです。今でも35、6万が毎年来ています。コロナウイルスで、今は激減していますけれども、通常であればそのくらい注目を浴びているところです。

　緒方　僕はここに自転車で行きまして、開いていなかったので、すぐ近くまで行って、お休み処で、日陰で弁当を食べていたら、蝶々が飛んで、鳥の声が聞こえて、昔のまんま、車も全然来ませんし、だからコロナでもって、かえって養生というかな、進んだのかなと思いますけれどね。そういう状態が続いた方がいいかなと思うんですけれど。

　瑞慶覧　ここも今、NPOの方々がガイドをしているんですね。自然を守らないといけないし、ただ観光客が来るためには手も加えないといけない。そこら辺のせめぎ合いをしています。やっぱりオーバーツーリズムというのは、行政としては対策を考えないといけないとは思っています。もともと斎場御嶽というのは、女性だけしか入れないというところが、今は我々男性も入れるようになっている。もともとどういう価値があったのか、どういう経緯だったのか、というのはもっと来る方々にも勉強してもらいたいし、我々も勉強しないといけない。子どもたちも含めてですね。今、サングーイは三角の岩があって、そこに入っていったら、久高島が見える。今はもう入れないようになっています。久高島に向かって、皆さん手を合わせたりしていた。あれは間違いなんですよね。そうではなくて、その後ろの岩に神様が宿って、本当はそこに手を合わさないといけない。久高島が見える、あそこの空間も、もともとは見えなかったんです。囲まれていて、上からしか光は差さない。本当に神秘的なところだったらしいですね。私も大人になってからしかわからないですし、そういったのを含めて、斎場御嶽がどういうところか、どこに手を合わせたらいいのか。それもきちんと来られた方々には知ってもらうための努力はしていかないといけない。

　緒方　前からアイデアがあるんですけれど、女性が入れないというところは、未だにいくつもあるんです。ところが男が入れない、というところはあまり聞いたことがない。ここは昔は入るときは女装して入るとか、いろいろ言われていましたけれども、これは市長の権限でどうなるかわかり

ませんけれども、もう男は入れないと。男は悪いけれども、その手前でビデオテープでも流すから、これを見ていてくれというようにやれば、大人気になるんじゃないか。かなり勝手な考えですけれども、どうでしょうか。

　瑞慶覧　そういったことも含めて、協議会とかいろいろあるんですよね、そこに諮問をして答えを出す、という仕組みになっている。例えば入館料にしても、市長としては今300円とか、500円とかですよ。それを本当はもっと上げて絞った方がいいんじゃないかという考え方を持っています。ただ簡単に市長がやるぞ、と言ってもできないので、そこは意見を交換しながら、いい方向に持っていくと。

　緒方　だから、むしろ男は入るなと。そうしたら、瑞慶覧市長は何を考えているんだ、と。賄賂600万をもらって捕まる市長もいれば、男を入れない、と宣言して、話題になる市長もいる、という、それぐらいのことをやっていただきたいな。

　瑞慶覧　ただ、今は LGBTQ まで行っていますので、男性女性とかではなくて、やはり人類は何なんだというところに向かっていっている時代ですから、斎場御嶽も人類に貢献するような、そういうところにできればいいなと思っています。

　緒方　模範解答でしたけれども（笑）。もう、男は入れない、と、それぐらい極端なことをやらないとね。僕はボランティアに聞きましたけれど、700人を案内してくれと（突然頼まれた）。とんでもない20人ぐらいしか案内できないと（おっしゃってましたが）。それは本当に区切ってやるべきですよね。

　瑞慶覧　そうですよね。

　緒方　では、あまりありがたくない沖縄戦や米軍の話題に行きましょう。

　《大久保康裕氏（沖縄県平和委員会）インタビュー　沖縄戦の教訓というのは、軍隊は住民を守らない、ということです。非常に重い教訓であり、それは今も十分、発揮できる教訓だと思いますが、米軍が軍隊として住民を守るわけがありませんから、事実上軍隊としての自衛隊もやはり住民を守ることはないと私は思います。》

　《仲里利信氏（元衆議院議員）インタビュー　南風原から宜野座に疎開をして、宜野座のガマで日本軍が、着剣をしたものを持った人たちが、私の妹といとこの女の子、二人とも３歳。二人がガマの暗い中で、食べ物もないような状況の中でわんわん泣いてばかりおったものだか

ら、毒入りのおむすびを、これ
を食べさせて、二人を殺せ、と
いうふうなことがあったが、家
族が、おばあさんも含めて相談
したら、いやあ死ぬときは家族
全員だと。もうガマから出よ
う、ということで、まあある意
味で追い出されたような恰好だ
ったんですね。一番心配するの

日米合同演習で飛行する米軍オスプレイ
（2021年2月21日放送）

は、やはり国のアメと鞭を使っての宣撫工作と言うのかな。県民を分
断するやり方。これに乗っていると思うんですよ、今もうすでに。こ
れは恐いですね。だから、本当にみんな声を挙げて、二度とあんな戦
争に巻き込まれるのは嫌だ、というふうなことぐらいやらないと大変
ですよ。》

　緒方　これで映像のご紹介は終わりですけれども、これからどういうこ
とやる、というのは、まあ長敏さんのアドバイスもいただきながら、考え
たいと思っています。新垣さんの方から、首里城の焼失のときのシンポジ
ウムがありましたけれど、紹介してもらえますか。

　新垣　先ほど麺ロードの紹介がありましたけれども、その前の月でした
か。首里城で火災があって、それでセンター長の発案で、一カ月後には、
首里城再建をどうする、緊急シンポジウムを開きました。そのときに出て
きたのが、首里城の地下壕。日本軍の地下壕があって、これが沖縄戦の悲
劇の根源である。ところがそれがそのまま保全整備されずに放っておかれ
ている。この地下壕整備の問題というのが、シンポジウムの中で一つの提
案として出ました。だから、首里城という上物だけではなくて、その地下
にあった日本軍司令部壕というのも、歴史の記録として、ちゃんと保全し
て公開していくべきだということにも繋がったかなと思います。

　緒方　それと前半で出ましたけれども、南西諸島でずっと、要塞化と言
っていいと思います、進んでいて、それで鹿児島県の馬毛島から奄美から、
ずっと南は与那国まで。全部が要塞みたいになってね、それがなんと2月
には大演習まで開かれるなんて、非常にキナ臭い話題もあります。なんで
沖縄だけが引き受けてやらないといけないのか、という疑問もあります。

　さて、時間も迫ってまいりました。来年が復帰50周年ということで、南

城市の方でも、こういうことを考えているとか、あるいはセンターとして
こういうことをやった方がいいんじゃないか、というのがありましたら、
お伺いしたいのですが。

　瑞慶覧　来年、復帰50年ですか。私は今年で63になりますので、ちょう
ど中学1年ぐらいだったかも知れないですね。ただ戦後76年、77年になる
わけですけれども、今でも沖縄の戦後は終わっていない。象徴されるのが
米軍基地だと思います。日本全体の（米軍基地の）70％以上がまだ沖縄に
集中している。その現状というのは常に発信していきながら、これおかし
いでしょう、異常でしょう、と主張することはやっていかないといけない。
南城市は米軍基地はないですから、そういったことの発信は難しいんです
けれども、ただ沖縄らしさ、は南城市から発信できるかなと思っています。

＊ワシントンDCで訴えたこと

　瑞慶覧　この機会に、衆議院（議員）のときに、ワシントン D.C.に行っ
たときの話も少し触れさせてもらえればなあと思います。今日は資料を持
ってきました。2011年の10月2日から8日まで、ワシントン D.C.、それか
ら帰りにハワイも立ち寄っているんですけれども、その中で、当時は沖縄
北方特別委員会というのがあって、玉城デニーさんと私が所属していまし
た。D.C.では国防省にも国務省にも行っています。国防省では、シファ
ー次官補代理と面談しています。国務省ではキャンベル次官補と意見交換
しています。私は国防省でシファーさんに言ったのは、この米軍問題とい
うのは人権問題だと思っているので、人権問題をどう考えるかと。そした
ら彼は人権ももちろん大事。ちょっと苦虫を（噛みつぶしたような顔を）し
ていました。つまりあなたの部下がこういうことになったら、彼の人権を
守るために一生懸命やるでしょう、と、そういう質問だったんですけれど
ね。非常に答えづらかったと思います。シファーさんの言葉で印象に残っ
たのは、普天間を辺野古に移設すると。沖縄では反対している。私もそれ
をぶつけてみたんですけれども、彼は、あんまり普天間、普天間、言わな
いでくれと。我々は世界戦略をやっているんだから、そこを考えないとい
けないしと、そういう言い方だったんですね。軍の中では、やはり普天間
だけを特別扱いとかというのは全くないというのがわかりました。それか
らキャンベルさんとの話は大勢の中でしたので、彼にも人権がぐらついて
いる限り、安全保障を達成するのは難しいんじゃないですかとぶつけたら、

彼は一言「サンキュー」で終わりました。それからマンズーロ、下院の外交委員かな、アジア太平洋小委員会の委員長だったんですけれども、彼とも面会しています。その内容はいいとして、一番印象に残ったのは、ダニエル・井上、上院の歳出委員会、それから防衛歳出委員会委員長と意見交換したときに、かなり長い時間、彼は取ってくれたんですね。外ではヒラリーさんが待っていたんです。当時の国務長官ですよ。でもヒラリーはちょっと待たせておけと。こっちの方が大事だからみたいな、そんな感じで時間を割いてくれて、ダニエルさんが言っていたのは、1995年の少女暴行事件のとき、我々が唯一、沖縄から米軍は撤退せざるを得ない、それでもう撤退する、というところまで行ったらしいんです。仲間にも、こう話したと言うんです。「みんな反対するかも知れないけれども、もし D.C.の中に、異国の軍隊が48年間も居座りっぱなしだったとしたら、あなたたちはハッピーか」と。「ユービーハッピー？」と彼が仲間に言ったら、それに対して誰も答えられなかった。

＊ダニエル井上議員は米軍の全面撤退まで考えていた

　瑞慶覧　結局、1996年に米軍は沖縄から全面撤退するんだというところまで真剣に考えていたと、言っていたんですね。ところが、それは実現していない。その裏には日本政府の「いや、それは待ってくれ」という力が働いたというのは間違いないと私は思っています。だから今の状態が続いているんですね。ダニエル・井上さんは、沖縄に対する思い入れが非常に強かったんですね。彼がエピソードを語ってくれたんですけれども、何故そこまで沖縄のことを考えるか、と言うと、第二次世界大戦に行っているわけです。そのときに沖縄出身の知念ゼンハツさんとアメリカの大学で親友だったらしいんですね。医者になって、病院を開くのが二人の共通の夢だったらしいんです。でも結局、知念さんは戦争で死んで、帰ってこなかった。だから沖縄に対しては、特別な思い入れがあるとおっしゃっていました。「I will wait words from OKINAWA. It's not easy program.」「沖縄からの声を私は聞きたい。でも皆さんの言っているようなことを解決するのはそんなに簡単ではない」と。そんな言い方をしていて、ヒラリーにも私の方から伝えるから、とそんなこともダニエルさんは言っていた。

　ハワイに行ったときには、太平洋全体を見ている、太平洋海兵隊のティーソン司令官とお会いしました。私は彼にも意地悪な質問をしました。普

天間合意から 12 年も経っていて、進んでいないし、もしこれがだめになったら、どうするんですか、と聞いたんです。そうしたら彼は一瞬黙って、いや、我々軍人は、行けと言われれば、どこでも行くんだと。ベスト・プレイスは皆さんが考えること、というふうに言ったんです。つまり何が言いたいか、というと、辺野古が唯一というのは軍の中ではないんですよ。軍はどこでも決まったら行くし、でも選択肢はたくさんある。軍の戦略の中で、一つだけの選択肢というのはあり得ないんです。そこがだめになったら、諦めるということですから。沖縄としても、こういったことも踏まえて、絶対に諦めない。辺野古が唯一というのは、日本政府が言っているだけであって、そこは突破していかないといけないというのは、今日は、この資料を改めて探し出してきて、もう10年前のことですけれどもね、改めて今日、この番組に出演するときに、これだけはぜひ記録として残しておきたいなと思って持ってきました。

　緒方　いやいや、素晴らしい質問をしていただいたと思います。

　中には沖縄って何？　人口どれぐらい？　2000人ぐらいいるの？　みたいなね。こちらの新聞社が聞いたら、そう答えた、と。それぐらい知らないんですよね。今、おっしゃったことはとても大事だと思います。在外のウチナンチュは30万人ぐらいいて、それでハワイの場合は、一大勢力ですよね。ダニエル・井上さんからね。スパーク・松永さんとか、いろいろいましたよね。その人たちのお蔭で、すぐ上院議員からの紹介ということで、沖縄の代表も会えた。そのルートがなんで今、途絶えているのか。

　新垣さん、50年でこういうことやりたいとかいうのがあったらお願いします。

　新垣　沖縄センターは、去年初めて、『虚構の新冷戦　日米軍事一体化と敵基地攻撃論』という本を出しました。書店販売をしました。先ほど鳩山さんたちが、宮古・石垣・与那国まで回りましたけれども、あれが自衛隊の南西シフトということだったんですね。辺野古新基地の問題もありますけれども、沖縄県民は、自衛隊が宮古・石垣・沖縄島に地対空・地対艦ミサイル部隊を配置する、次の戦争が迫っているんじゃないか、という危機感を持っています。それで昨年は東京と那覇で、「琉球弧ミサイル戦争の危機」シンポというのを、多少センセーショナルかも知れないけれども、県民の危機感も、まだ気づいていないということを、そういった催しでアピールしてきました。今年は5月から、来年の復帰50年に向けて「偽りの

本土復帰、SACO 合意」。瑞慶覧さんからもありましたけれども、本土復帰をしても沖縄の基地負担は軽減していないし、それに自衛隊の南西シフト、米軍も独自にこの琉球弧にミサイル網とか、核搭載可能な中距離ミサイル配備とかですね、どんどん沖縄を対中国との戦争の最前線にしようとしている。6月には「基地返還プログラム、沖縄の自立経済を目指す」という鼎談をしました。東京から理事の高野孟さんがお見えになって。7月26日、今度は「オール沖縄の針路」ということで、この7、8年の間に、南西シフトが進んで、既に問題は辺野古基地問題だけではない。こういうミサイル要塞化の問題を、オール沖縄は取り上げて、それに反対の声を打ち出すべきだと、そういう議論もやっています。沖縄の問題として、一番大きい、台湾有事も睨むような、軍事基地化の最前線の問題というところに力を入れていきたい。

　緒方　この番組は、沖縄よりも恐らく東京で見ている方の方が多いと思いますけれども、長敏さん、何か一言メッセージをいただいて、終わりたいと思います。

　瑞慶覧　人類と言うか、地球で我々は生まれて、地球で育っていますのでね。その小さい地球の中で、いがみ合いとかやるっていうのは、やっぱり宇宙から見ると、何しているんだろう、という感じになる。特に沖縄はアジアに非常に近いところなんですよね、文化的にも。その沖縄にいろいろなものを、いうなれば、嫌なものを押し付けている状態がずっと続いている。そこはやはり取っ払わないといけない。取っ払って初めて沖縄のよさが、もっと発揮できるだろうと思っているし、そうすると沖縄と日本とアジア、ウィン、ウィン、ウィンの世界を目指すべきだろうと思っています。東京の方々、あるいは内地の方々も、どんどん沖縄に来ていただいて、そのよさを引き出して、お互いに高めていく、そういう時代にしていってもらいたいなと思っています。

　緒方　どうも今日は長時間ありがとうございました。

　瑞慶覧　ありがとうございました。

「ウィークリー沖縄」配信の記録

　琉球・沖縄センターは2020年4月〜毎日曜日の電子メールマガジン「東アジア共同体研究所（EACI）News Weekly」で、You Tube動画「ウイークリー沖縄」の発信をスタートした。放映時間は10分〜20分程度。今年からスペシャル版約1時間程度も発信した。2020年10月〜21年8月は47回の放映。基地問題など時々刻々のニュースを映像で伝え、遺骨交じり土砂採取やサンゴ移設など辺野古新基地建設問題、那覇軍港移設、本島北部の世界自然遺産登録の問題点、ほか琉球王国のグスク及び関連遺産群についても「世界遺産」シリーズで取り上げた。

◎ウィークリー沖縄（2020年10月〜2021年8月）一覧

	2020	
26	10/ 4	辺野古大浦湾の「ホープスポット（希望の海）」に迫る危機
27	10/11	「教科書と『集団自決』」
28	10/18	「続・那覇軍港移設問題」
29	10/25	世界遺産 第1回　今帰仁城跡（琉球王国のグスク及び関連遺産群）
30	11/ 1	「韓国人戦没犠牲者慰霊祭」
31	11/ 8	世界遺産 第2回　「座喜味城跡」
32	11/15	「首里城消失から1年」
33	11/22	「コリアンフェスティバル」
34	11/29	世界遺産 第3回　『園比屋武御嶽石門（そのひゃんうたきいしもん）』
35	12/ 6	「龍柱に刻まれた琉球の記憶」
36	12/13	世界遺産 第4回　「斎場御嶽（せーふぁーうたき）」
37	12/20	「コザ暴動から50年」
38	12/27	「『軍港』阻止へ立ち上がる人々」
	2021	
39	1/10	「市民不在の『名護市長意見』」
40	1/17	「辺野古　土砂投入から2年」
41	1/24	「問われる『オール沖縄』那覇軍港　移設でいいのか？」
42	1/31	「辺野古新基地に陸自『常駐』〜加速する軍事要塞化〜」
43	2/ 7	日本一早い桜祭り＆ヤンバル米軍廃棄物
44	2/14	「浦添市長選　軍港容認派が勝利」
45	2/21	「日米合同軍事演習実施 ― 蘇る旧軍の記憶」

26. 2020年10月4日　辺野古大浦湾の「ホープスポット(希望の海)」に迫る危機
　　"沖縄ジュゴンの生息地である名護市辺野古・大浦湾一帯は2009年10月、科学者らで
　　作るNGO「ミッション・ブルー」から世界的に重要な海域を認定する「ホープスポット」（希
　　望の海)に選ばれた。米海兵隊基地建設計画に反対する、ジュゴン保護キャンペーン
　　センターの吉川秀樹氏にインタビュー。"

27. 2020年10月11日　「教科書と『集団自決』」
　　"2007年6月。高校の歴史教科書検定で、沖縄戦における「集団自決」から、軍の関与
　　が削除された。のちに、検定前に文部科学省が「沖縄戦の実態について誤解する恐れ
　　がある表現だ」と、意見を出していた事が発覚。 沖縄は11万人規模の県民大会を開催、
　　抗議決議文を採択した。 県民大会から13年目を迎えた9月29日、あらためて見つめ直
　　す集会が開かれた。"

28. 2020年10月18日　「続・那覇軍港移設問題」
　　"那覇軍港の移設予定先である浦添市。 沖縄県・那覇市・浦添市、そして国が移設に
　　向けて急ピッチとなる中、「オール沖縄」の、いわば「味方」であったはずの玉城デニー
　　知事に対し「移設反対」を主張する事で、オール沖縄に亀裂を入れてしまうのではない
　　か。浦添市民の心は揺れている。琉球大学 亀山統一助教の講演を取り上げる。"

29. 2020年10月25日　世界遺産 第1回 今帰仁城跡(琉球王国のグスク及び関連遺産群)
　　"9つの歴史的な城跡・史跡によって構成されてい
　　る「琉球王国のグスク及び関連遺産群」は2000年
　　に「世界文化遺産」に登録された。構成遺産のい
　　ずれもが数世紀もの間、東南アジアの経済的・文
　　化的交流の中心地として発展した琉球王国の繁
　　栄をうかがわせる。遺産登録20周年記念として、9
　　つの歴史的な城跡・史跡をシリーズで紹介する。"

30. 2020年11月1日　「韓国人戦没犠牲者慰霊祭」
　　"2020年10月24日。 糸満市摩文仁(まぶに)の沖縄平和記念公園内にある「韓国人慰
　　霊塔」の前で、日本に強制連行されたのち、太平洋戦争で犠牲となった「韓国人戦没犠
　　牲者慰霊大祭」が執り行われた。 在日本大韓民国民団関係者、沖縄県在住の韓国人
　　留学生など、約100人が参列。韓半島の平和と安定、韓日関係の改善を祈った。"

31. 2020年11月8日 世界遺産 第2回 「座喜味城跡」
"今回もグスク研究所主宰の當眞嗣一先生を招いた。「三山時代」に活躍し、琉球王国統一後の国の安定に尽力した名将護佐丸(ごさまる)によって築かれた城。国王に対抗する勢力を監視する目的でつくられ、1420年頃に完成した。規模は小さいが、城壁や城門の石積みの精巧さや美しさは沖縄の城の中で随一。"

32. 2020年11月15日 「首里城消失から1年」
"2019年10月31日に発生した首里城火災。 正殿を含む6棟が全焼。多くの人々に衝撃と悲しみを与えた。あれから1年。毎年恒例となっている首里城祭が今年も行われた。かつての琉球王朝に想いをはせる古式行列、城壁は「プロジェクションマッピング」で彩られた。首里城再建に一歩ずつ歩み続ける市民達の姿を追った。"

33. 2020年11月22日 「コリアンフェスティバル」
"那覇市・国際通りの牧志公園にて、15日(日)に「コリアンフェスティバル」が開催された。 人々は、ステージで繰り広げられるK-popダンスや三線演奏を楽しみながら、屋台のトッポッギ、チジミを味わっていた。沖縄の地に根付き、共に生きようとする韓国の人々。"

34. 2020年11月29日 世界遺産 第3回 『園比屋武御嶽石門(そのひゃんうたきいしもん)』
"守礼門と首里城の正門・歓会門の間に位置する園比屋武御嶽石門は、琉球王国の黄金期・尚真王時代の1519年に築かれた。歴代の琉球国王が首里城を出て各地を巡る際に道中の安全などを祈願して必ず拝礼した。 琉球王府(歴代国王や聞得大君)が沖縄南部の拝所を巡る「東御廻り(アガリウマーイ)」でも、ここに最初に足を運んだ。"

35. 2020年12月6日 龍柱に刻まれた琉球の記憶」
"2019年10月31日未明、 突然の猛火により焼失した首里城正殿。その前に建っていた二つの龍柱を巡り、県内で議論が起きている。 昨年消失した首里城は、第二次大戦(沖縄戦)で消失したものを復元したもの。二つの龍柱は向かい合わせであった。今年に入り、1877年に撮影されたとみられる正殿の写真が発見され、そこには、二つの龍柱が前方を向いていた。龍柱の向きをどうするのか。"

36. 2020年12月13日 世界遺産 第4回 「斎場御嶽 (せーふぁーうたき)」
"沖縄には、御嶽(ウタキ)拝所(ウガンジュ)と呼ばれている神聖な場所がいたる所にある。一番格式の高いのが「斎場御嶽」。 琉球王国時代の神女であった聞得大君の就任儀式が営まれた地。最高の聖地と伝えられてきた。"

37. 2020年12月20日 「コザ暴動から50年」

"1970年12月20日未明、米軍施政権下の沖縄・コザ市(現 沖縄市)で、米軍人が県民をはねる交通事故が発生。 市民に対し、米軍警察は威嚇発砲。 怒った市民は、米軍車両や施設に対し焼き討ちを行った。県内各地でシンポジウムが行われた。写真は再現シーン。"

38. 2020年12月27日 「『軍港』阻止へ立ち上がる人々」

"前回の沖縄・浦添市議選でトップ当選を果たした伊礼 悠記(ゆうき)市議が、来年2月7日に投開票される沖縄・浦添市長選への出馬を表明した。
今回、市長選の最大の争点のひとつが「那覇軍港の浦添市内移設問題」である。伊礼氏が掲げるのは「浦添市内移設の断固反対」である。伊礼氏の想いに迫った。"

39. 2021年1月10日 「市民不在の『名護市長意見』」

"2020年12月15日。 沖縄県は、沖縄防衛局が同年9月に提出した「名護市辺野古の新基地建設を巡る埋め立て変更承認申請」に対し、名護市在住者から提出された意見書579件が、全て「新基地建設に否定的意見」であったと公表。 ところが翌16日、渡具知(とぐち)名護市長は、軟弱地盤問題等には一切触れなかった。"

40. 2021年1月17日 「辺野古 土砂投入から2年」

"2020年12月10日。 玉城デニー知事は、沖縄防衛局による辺野古埋立工事が2年目を迎える事に対し「これまでに投入された土砂量は全体の3.8%」「工事を止められない・後戻り出来ないとは全く考えていない」と、自らの見識を示した。 ところが会見から僅か数時間後の翌11日早朝。 辺野古・大浦湾に突如、大型作業台船(デッキバージ)が現れた。"

41. 2021年1月24日 「問われる『オール沖縄』那覇軍港 移設でいいのか?」

"2020年8月。 沖縄県・那覇市・浦添市の3者合意がなされた、那覇軍港の浦添市西海岸沖への移設計画。名護市辺野古沖への土砂投入をストップさせるべく結束している「オール沖縄」の玉城デニー県政だが、「沖縄に新たな軍事基地は造らせない」という主張と、軍港の浦添市沖移設計画との間に矛盾は生じていないだろうか?"

42. 2021年1月31日 「辺野古新基地に陸自『常駐』〜加速する軍事要塞化〜」

"陸上自衛隊と米海兵隊が、現在建設工事中の辺野古新基地に、陸自離島防衛部隊「水陸機動団」を常駐させることで2015年に合意していたと、沖縄タイムス紙が1月25日付で報じた。 これまで、日本政府は辺野古新基地を「米軍用」と説明してきたが、実際には日米が共同使用・一体化する事となり「普天間飛行場の代替」「沖縄の負担軽減」という前提が大きく覆る事態となる。"

43. 2021年2月7日 日本一早い桜祭り&ヤンバルの米軍廃棄物

"沖縄県那覇市から北へ車で1時間半。本部町八重岳の「日本一早い桜祭り」、後半は山原(やんばる)に廃棄され自然を破壊している米軍廃棄物について取り上げた。"

44. 2021年2月14日 「浦添市長選 軍港容認派が勝利」

"那覇軍港の浦添市西海岸沖への移設計画。 浦添市民に、その賛否を問う機会となる市長選挙が2月7日に投開票され、現職で移設容認の松本哲治氏が当選。しかし移設反対の声も多い。選挙結果がもたらす意味、移設阻止の手法は何か。"

45. 2021年2月21日 「日米合同軍事演習実施
    ― 蘇る旧軍の記憶」

"陸上自衛隊が新たに発足させた「水陸機動団」と米海兵隊との日米合同軍事演習が、米軍ブルービーチ訓練場(金武町)にて1月28日から2月6日にかけて実施された。「水陸機動団」は、辺野

古新基地への常駐配備が明らかとなっており、膨張する日米軍事一体化に対して、識者や沖縄戦体験者から懸念の声があがっている。"

46. 2021年2月28日 世界遺産 第5回 玉陵(たまうどぅん)

"1501年、尚真王が父尚円王の遺骨を改葬するために築かれ、その後、第二尚氏王統の陵墓となった。墓室は三つに分かれ、墓域は2.442㎡。沖縄戦で大きな被害を受けたが、1974年から3年余りの歳月をかけ、修復工事が行われ、往時の姿を取り戻した。"

47. 2021年3月7日 【前編】「基地建設に利用される戦没者達」
"名護市辺野古の土砂の沖縄本島南部からの採取計画に対し、沖縄戦遺骨収集ボランティア「ガマフヤー」代表の具志堅隆松さん(67歳)が3月1日から反対・抗議のハンガーストライキに入った。「戦争で命を落とした人々の骨を軍事基地には使わせない」"

48. 2021年3月14日 【後編】「基地建設に利用される戦没者達」
"「ガマフヤー」代表の具志堅隆松さんのハンガーストライキに駆け付ける、多くの市民たち。3月6日ハンスト最終日、玉城デニー知事が姿を見せる。 沖縄戦で最も多く死者を出した本島南部には、未だに多数の遺骨が眠っている。"

49. 2021年3月21日　世界遺産　第6回　識名園（しきなえん）
"識名園(俗にシチナヌウドゥンと呼ぶ)は、琉球王家最大の別邸で、国王一家の保養や外国使臣の接待などに利用された。 1799年に作られ、1800年に尚温王冊封のため訪れた正使　趙文楷、副使　李鼎元を招いている。"

50. 2021年3月28日 「二審も住民敗訴 ─ 石垣市陸自住民投票訴訟」
"2021年3月23日。 陸上自衛隊配備計画の賛否を問う住民投票の実施を巡る訴訟で、福岡高裁那覇支部の控訴審は、市民の訴えを再び退けた。 原告の住民側は、今後再び法廷の場で争う姿勢を見せている。"

51. 2021年4月4日 「那覇港管理組合が民港形状案発表 ─ 那覇軍港移設問題」
"2021年3月31日。 那覇港管理組合は、浦添市西海岸地区に整備する民港の形状案を発表。自然のイノー(礁池)を出来るだけ残すため　埋め立て面積を現行計画より約33ヘクタール縮小させた。「民港形状案」と「軍港移設」の関係に迫る。"

52. 2021年4月11日　「彦山丸　遺骨はどこに」
"2020年2月。沖縄戦時中、朝鮮人2名を含む14名が埋葬された本部町健堅(けんけん)で、日・朝・台の若者を中心とした合同チームによる遺骨発掘作業が行われた。 1945年発行の米紙「LIFE」で、瀬底島を背景にした墓標が14本並んでいる写真が掲載され、健堅に戦没者が埋葬された事実が明らかとなっていた。"

53. 2021年4月18日 「遺骨まじりの南部土砂採取 — 各地でハンスト始まる」
"沖縄戦遺骨収集ボランティア「ガマフヤー」具志堅隆松さん。 6日間にも渡るハンストのインパクトは大きく、沖縄県内はもとより、全国から具志堅さんのもとに共感、応援の声が寄せられた。 沖縄が迎えたひとつの節目に密着した。"

54. 2021.年4月25日 「1954年創業の新垣養蜂園」
"那覇市首里に拠点を置く新垣養蜂園3代目新垣伝さん（1954年創業）を取材。ミツバチの飼育数で沖縄県が2年連続で日本一に。 県内ではハチミツ用ではなく、花粉交配用のミツバチの生産が盛んになっている。 県内生産者は2019年には196人と10年で約2.7倍。"

55. 2021年5月2日 「【コロナ禍】ゴールデンウイーク始まる」
"2021年4月27日。沖縄県は、国への緊急事態宣言要請を見送った。 連休初日の4月29日。那覇空港には、全国各地から観光客がやってきた。「コロナ対策と経済の両立」をとなえてきた国と沖縄県。 果たしてこの施策は上手く機能しているのか。"

56. 2021年5月9日 世界遺産 第7回 勝連城跡
"14世紀初頭に築城されたと考えられているが、 城内からは中国、元代の陶磁器（染付）が出土、『おもろさうし』からも当時の繁栄をみることができる。 最後の城主・阿麻和利 （あまわりー）(10代目勝連按司)は、中山国王の直臣・護佐丸を1458年に滅ぼしたが、のちに王府に大敗した。"

57. 2021年5月16日 「沖縄・奄美」世界自然遺産へ
"国連教育科学文化機関「ユネスコ」の諮問機関「国際自然保護連合(IUCN)」は先日、「奄美大島、徳之島、沖縄島北部および西表島」について、世界遺産への登録が適当と勧告した。 7月16〜31日に開かれるユネスコ世界遺産委員会で正式決定される。ヤンバルの自然と生き物について宮城秋乃さん、花井正光さんなどに聞いた。"

58. 2021年5月23日 49年目の「沖縄復帰の日」
"2021年5月15日。 沖縄は、本土復帰から49年を迎えた。「核抜き・本土並み」という沖縄の要求は実現せず 今もなお在日米軍基地の約7割が県内に集中する。 沖縄が訴える「復帰後も変わらぬ現状」とは、具体的にどんな事例なのか。"

59. 2021年5月30日 「『基地なき平和な沖縄〜医師が沈黙を破るとき〜』徳田安春医師講演会」

"徳田氏が尊敬する故・日野原重明氏（聖路加国際病院院長）が語った「人々の健康のために最も重要なのは、戦争をさせないこと」という教えが、徳田氏の心を今も動かし続けている。「地球規模の危機」に対し「医師は発言し行動すべきだ」と提起。"

---

60. 2021年6月6日　世界遺産　第8回　「中城城跡」
　　"1440年頃に座喜味城主「読谷山按司：護佐丸」が王府の命令により移ってきて、1458年に自刃するまでの間に、北の郭、三の郭を当時の最高の築城技術で増築した。"

---

61. 2021年6月13日「陸自　宮古島に弾薬搬入強行」
　　"2021年6月2日。　陸上自衛隊は、沖縄県宮古島市にある「保良（ぼら）訓練場」への弾薬搬入を開始した。九州にある自衛隊施設から飛び立った「CH-47」大型輸送ヘリ2機が、航空自衛隊宮古島分屯基地に到着。同日夜、抗議のため保良訓練場出入口に集まった市民を警察が排除している間に、大型トラック等で弾薬を搬入した。"

---

62. 2021/6/20「戦争（反対）資料館」
　　"展示物は館長である真嘉比さんが1人で集めた。
戦争で使われた日本軍の武器および物資など、
展示品は赤紙・伝単・千人針・軍刀・サーベル・歩
兵銃・迫撃砲・バルカン砲・五百キロ爆弾・二百五
十キロ爆弾・爆雷・地雷・手榴弾など。"

---

63. 2021年6月27日「『慰霊の日』遺骨交じり土砂採取反対の訴え再び」
　　"遺骨収集ボランティア「ガマフヤー」具志堅　隆松代表が2回目のハンバーストライキを開始。6月23日「慰霊の日」までの5日間、断食に入った。　沖縄戦で、日本軍の組織的戦闘が終わったとされる「慰霊の日」この日の早朝、旧陸軍司令官を祭る「黎明（れいめい）の塔」には、花束を抱えた制服姿の在沖縄陸自トップの姿があった。"

---

64. 2021年7月4日「辺野古土砂搬出急ピッチ　塩川港にベルトコンベア投入」
　　"2021年3月31日。　沖縄県は、米軍普天間飛行場の移設に伴う名護市辺野古の新基地建設に関し、土砂を海上運搬する業者に対して本部港塩川地区内にベルトコンベア設置を許可。　同年5月20日。　大型ベルトコンベア2機が塩川港内に設置され、国は辺野古新基地用の埋め立て土砂搬出作業を加速させようとしている。"

---

65. 2021年7月11日　奄美・琉球の世界自然遺産登録　これでいいの？ノグチゲラの巣の真上でオスプレイが轟音と熱を振りまき飛び立てない！　ウィークリー沖縄スペシャル

（142頁参照）

"予定地の沖縄島北部やんばるの元北部訓練場では米軍の廃棄物が放棄されたまま、すぐ近くの辺野古・大浦湾は埋め立てが進行中。 第一部は、宮城さんが撮ったスクープ映像。第二部は沖縄環境ネットワーク共同代表の桜井国俊さんによる講演。"

66. 2021年7月18日 「電線を使用しないエコな生活」吉井美知子さん
"吉井美知子さんの暮らしぶりを紹介。電力会社の手を借りずに生活するのは可能。しかし家庭菜園と似ていて趣味として楽しむことが大事。どこかに頼めばちゃんと装置がそろい修理もしてくれる、というものではない。自力でエネルギーを作り出す姿勢が重要。"

67. 2021年7月25日 みんなで活かそう琉球弧の世界遺産 ウィークリー沖縄スペシャル
(162頁参照)
"「奄美大島、徳之島、沖縄県北部および西表島」が7月26日に世界自然遺産に登録される。沖縄は、文化遺産と両方の「人類の宝」を持つことになる。 講師は琉球弧世界遺産フォーラムの花井正光代表。やんばるの国頭さばくいなどの民謡や自然の映像と共にお楽しみ下さい。"

68. 2021年8月1日 奄美・やんばる 世界自然遺産登録「不都合な真実」
"奄美大島で建造中の陸自瀬戸内分屯地の山中をくり抜くミサイル弾薬庫をドローン画像が捉えた。流出汚水が嘉徳川を白濁させ、ミサイル部隊配備に反対する住民は「守るべき世界自然遺産の環境を破壊する」と批判した。"

69. 2021年8月8日 「『世界自然遺産登録』奄美大島 ― 自然の多様性と今後の課題」
"2021年7月。 ユネスコによる「世界自然遺産」の登録を受け、活気付く奄美・沖縄の島々。 希少な野鳥、草花、そして昆虫たちは、島を訪れる人々をきっと魅了する事だろう。しかし、リゾート開発やオーバーツーリズムなどの問題に直面することが予想される。"

70. 2021年8月15日 「辺野古埋め立て土砂問題 ― 米退役軍人からも抗議の声あがる」
"2021年7月15日。平和を求める元軍人の会 琉球沖縄・国際支部「VFP―ROCK」は、米国防総省の捕虜・行方不明者調査局宛てに決議文を送付。決議文の内容は「戦争で犠牲になった者たちの遺骨を、再び戦争を行う軍事基地の建設に利用させてはならない」。"

71. 2021年8月22日 「『対馬丸』撃沈から77年 ― 遺族の悲しみ今も」
"1944年8月22日。沖縄から長崎へ向かっていた疎開船「対馬丸」が、アメリカ軍の潜水

艦「ボーフィン号」から魚雷攻撃を受け、学童784人を含む1.484人が犠牲となった。事件から77年の節目となる今年は、新型コロナウイルス感染防止のため一般参拝を中止し、関係者ら約20名で静かに犠牲者の冥福を祈った。”

72. 2021年8月29日　ドローンから見る　辺野古サンゴ移設作業　桜井国俊さん語る
“8月10日に奥間政則さんが辺野古のサンゴ移植をドローンで上空から撮影。県の採捕許可撤回、防衛局の執行停止申し立て、農水相による撤回効力の停止、防衛局が採捕移植作業を再開した経緯と問題点を聞いた。”

〈協力／川上豊・池原修〉

執筆者紹介 （執筆順）

❈ **緒方　修**（おがた おさむ）東アジア共同体研究所　琉球・沖縄センター長。1946年熊本生まれ。文化放送から沖縄大学教授、同地域研究センター長を経て2013年から現職。『シルクロードの未知国』で日本地方新聞協会特別賞。

❈ **鳩山友紀夫（由紀夫）**（はとやま ゆきお）1947年東京生まれ。東京大学工学部計数工学科卒業、米国スタンフォード大学工学部博士課程修了。1986年総選挙で初当選。2009年民主党代表。民主党政権初の第93代内閣総理大臣に就任。2013年一般財団法人東アジア共同体研究所を設立、理事長に就任。公益財団法人友愛理事長、国際アジア共同体学会名誉顧問、日本・ロシア協会最高顧問。

❈ **須川清司**（すがわ きよし）東アジア共同体研究所　上級研究員。1983年早稲田大学政治経済学部卒業。住友銀行勤務後、96年から民主党勤務。ブルッキングス研究所客員研究員、内閣官房専門調査員を経験。2020年4月から現職。

❈ **高野　孟**（たかの はじめ）東アジア共同体研究所理事。ザ・ジャーナル主幹。早稲田大学卒。通信社など勤務後にフリージャーナリスト。2008年、ブログサイト「ザ・ジャーナル」創設。

❈ **山城博治**（やましろ ひろじ）1952年うるま市生まれ。前沖縄平和運動センター議長（2021年9月10日退任）。社民党全国連合常任幹事。

❈ **前泊博盛**（まえどまり ひろもり）1960年沖縄県宮古島生まれ。琉球新報論説委員長を経て沖縄国際大学・大学院教授。専門は沖縄経済論、日米安保論など。

❈ **仲村未央**（なかむら みお）1972年沖縄市生まれ。琉球新報社記者として基地問題、地方自治の現場を取材。沖縄の課題解決を目指し政界へ。沖縄市議を経て県議。

❈ **江上能義**（えがみ たかよし）佐賀県出身。1977年〜2003年、琉球大学法文学部に勤務。2003年〜2017年早稲田大学大学院教授。琉球大学・早稲田大学名誉教授。専門は政治学。

❈ **三上智恵**（みかみ ちえ）ジャーナリスト・映画監督。沖縄の基地問題をテーマにしたドキュメンタリー映画「標的の村」「戦場ぬ止み」、沖縄戦の深部を描いた「沖縄スパイ戦史（共同監督作品）」などを全国公開。書籍『証言　沖縄スパイ戦史』は JCJ 賞、城山三郎賞、早稲田ジャーナリズム大賞を受賞。

❈ **新垣　毅**（あらかき つよし）1971年那覇市生まれ。98年琉球新報社入社。編集局次長兼報道本部長兼論説副委員長。著書に『沖縄の自己決定権』（高文研）など。

❈ **阿部　岳**（あべ たかし）1974年東京都生まれ。97年沖縄タイムス入社。北部報道部長などを経て編集委員。著書に『ルポ沖縄　国家の暴力』（朝日文庫）など。

❈ **猪股　哲**（いのまた てつ）1977年青森生まれ。与那国島へ移住し17年、日本最西端のカフェを経営。自衛隊配備に直面し「南西諸島ピースネット」共同代表。

❈ **藤井幸子**（ふじい さちこ）2005年に大阪から石垣市に。いしがき女性9条の会事務局長。2015年石垣島への自衛隊配備を止める住民の会、16年石垣島に軍事基地をつくらせない市民連絡会事務局。

❈ **須藤義人**（すどう よしひと）1976年神奈川県生まれ。沖縄大学准教授。専攻は宗教

哲学、映像民俗学。ドキュメンタリー映像作家。テーラワーダ仏教僧。東アジア共同体研究所・琉球沖縄センター紀要編集委員。

❋ 桜井国俊（さくらい くにとし）1943年静岡県生まれ。東京大学客員教授を経て沖縄大学教授、同学長、現在同名誉教授。専攻は環境学。沖縄環境ネットワーク世話人

❋ 花井正光（はない まさみつ）1944年生まれ。文化庁調査官、琉球大学教授、沖縄エコツーリズム推進協議会会長歴任の後、琉球弧世界遺産フォーラム代表。生態学専攻。

❋ 小浜 司（こはま つかさ）1959年本部町出身。沖縄音楽プロデューサー。1988年、クリー大城美佐子リサイタルをプロデュース。嘉手苅林昌や津波恒徳らのCDやステージを手掛ける。著書『島唄を歩く1、2』（琉球新報社）他

❋ おおしろ建（おおしろ けん）俳人。「天荒俳句会」事務局。「現代俳句協会」会員。沖縄国際大学非常勤講師。1954年宮古島市伊良部島生まれ。本名・大城健（たけし）。1995年第29回沖縄タイムス芸術選賞奨励賞（文学部門・俳句）、2015年「第52回沖縄タイムス教育賞」〈学校教育部門〉受賞。著書に句集『地球の耳』、詩集『卵舟』。沖縄タイムス紙「タイムス俳壇」選者を務める。

❋ 大城貞俊（おおしろ さだとし）元琉球大学教授、詩人・作家。1949年大宜味村生まれ。1992年小説「椎の川」で具志川市文学賞、1997年「山のサバニ」で沖縄市戯曲大賞、2005年「アトムたちの空」で文の京文芸賞、その他、九州芸術祭文学賞佳作、山之口貘賞、沖縄タイムス芸術選賞大賞（小説）、さきがけ文学賞などの受賞歴がある。近著に小説『海の太陽』『沖縄の祈り』など多数。

❋ 屋良健一郎（やら けんいちろう）歌人。竹柏会「心の花」会員。「澪」同人。名桜大学国際学群上級准教授。1983年沖縄市生まれ。琉球新報「琉球歌壇」選者。

❋ 崎浜 慎（さきはま しん）作家。1976年沖縄市生まれ。新沖縄文学賞等受賞。著書に『梵字碑にザリガニ』。

❋ 比嘉豊光（ひが とよみつ）1950年沖縄県読谷村生。琉球大学美術工芸科卒業。写真家、琉球弧を記録する会、マブニピースプロジェクト、首里城再興研究会、一般社団すでいる代表理事。

❋ 徐 勝（ソ スン）1945年京都生まれ。ソウル大学校大学院留学。韓国又石（ウソク）大学校碩座教授、東アジア平和研究所所長。1994年、多田謡子反権力人権賞受賞。2011年6月「真実の力」第1回人権賞受賞。著書：『威東アジアの国家暴力と人権・平和』（かもがわ出版、2011年）、『獄中19年』）岩波新書、2011年）など。

❋ 孫崎 享（まごさき うける）東アジア共同体研究所所長。外務省国際情報局長、防衛大学校教授など歴任。著書『日米外交　現場からの証言』（中公新書）で山本七平賞。『戦後史の正体』など多数。ソーシャルメディアにも注力しツイッターフォロワー14万人。

❋ 瑞慶覧朝敏（ずけらん ちょうびん）1958年沖縄県南城市出身。2009〜12年衆議院議員。琉球・沖縄センター事務局長を経て2018年1月南城市長に初当選、現職。

❋ 新垣邦雄（あらかき くにお）1956年コザ市生まれ。琉球・沖縄センター事務局長。琉球新報社会部長・論説委員、東京支社長などを経て2020年4月から現職。

編集後記

新垣邦雄（東アジア共同体研究所 琉球・沖縄センター事務局長）

　米バイデン政権はアフガニスタンを撤退、軸足をアジアに移した。「中国を唯一の競争相手」とする世界戦略により「中国包囲」の米・日、豪・欧「同盟強化」が急速に進み、中国周辺で同盟・共同演習が激化している。米政権が重視する「台湾有事」の進展によっては、米・日・中の大国間戦争が危惧される情勢だ。

　米軍が台湾有事に関与すれば「沖縄（在沖米軍基地）は最初の標的」となり、自衛隊が関与すれば「日本も戦争に巻き込まれる」と軍事専門家は指摘している。同盟各国も無関係ではいられない。核を保有する米中の軍事対決は世界存亡の危機となりかねない。沖縄、日本、米国、そして世界はどう向き合うべきか。

　冒頭の論文『米中対立の制御と日本の役割』（鳩山友紀夫・当研究所理事長）は、際限ない軍拡競争の「安全保障のジレンマ」に陥らず、米中ロ・欧州に「積極的な軍備管理外交」を呼び掛ける役割を日本政府に提起した。『台湾有事と日本〜戦争シナリオから見えてくるもの』（須川清司・上級研究員）は、政府に、米中のいずれか一方に組することなく「米中台に緊張緩和と信頼醸成を働きかける」役割を提起する。

　沖縄は戦後、米軍の軍事拠点であり続け、ベトナム、イラク戦争の出撃基地とされた。「台湾有事」は遠い外国ではなく、沖縄周辺を戦場と想定している。逃げ場のない小さな島を敵味方が奪い合い、ミサイルが飛び交う「沖縄戦以上の絶滅戦争」の近未来を県民は予感し、危惧している。琉球・沖縄センターは「基地なき沖縄の展望」を基調テーマに高野孟・研究所理事と県内識者・運動家が連続鼎談を開き、議論と論考を第一特集に収めた。

　第一特集、連続鼎談の毎回のテーマは『偽りの本土復帰・SACO 合意』、『基地返還アクションプログラム』、『オール沖縄の針路』、『メディアはどう闘うか』。沖縄が再び戦争の犠牲となることを拒否する運動の構築、「基地沖縄」からの脱却を目指し、「日米安保の要」から「平和の要」に転換させ、日本・アジアの平和につなげる道筋を提起した。

「沖縄における『エンゲージド・ブッディズム』の萌芽」（須藤義人・沖縄大学准教授）は、辺野古基地埋立に投じられる戦没者遺骨交じり土砂採取に反対する具志堅隆松氏のハンスト行動を報告。宗教者が「社会苦」に向き合い「社会変革」に連帯する意義を説いた。

　第二特集「世界自然遺産　光と影」は沖縄本島北部・やんばるの世界自然遺産登録に視点を当てた。米軍跡地に残る大量の米軍廃棄物。米軍ヘリパッド、辺野古新基地建設による大規模な自然破壊の「不都合な真実」。自然遺産登録はゴールではなく「豊かな海の自然」を含めた新たな世界遺産登録へのスタートであること。首

里城ほかグスク遺産群の文化遺産と自然遺産の「二つの世界遺産」と豊かに共生する方向性を提起した。

第三特集「沖縄の文化力」は「沖縄文学の力」座談会、「アートの力」、「島うたの力」の論考により「歴史と風土」が沖縄「民衆の力」を培い、琉球処分、沖縄戦、米軍統治、日米安保の重圧に抗い、状況に対峙し、世界に開かれた普遍性の獲得を目指す「沖縄の文化力」の源泉を掘り起こした。

第四特集「韓国からの報告」で韓国・又石大学校東アジア平和研究所長・徐勝氏は『朝鮮戦争における民間人虐殺－信川大虐殺を通して見た朝鮮戦争の性格』の貴重な論考を寄せた。終わらない朝鮮戦争の問題は、沖縄と深く結びつき、アジアの冷戦構造と米国、日本の関りについての深い考察を私たちに促している。

編集を終えて「Expendable ＝消耗品」、「不都合な真実」、「死者の声を聞く」が頭に浮かんだ。鼎談や論考の言葉であり、沖縄の歴史と現実の通奏低音として重く響く。

元米軍人の著名な歴史家 G・H・カーは「沖縄は日本の Expendable」と著書に記した（第一特集、前泊博盛沖縄国際大学教授）。消耗品、代替品、軍事用語「戦略のため犠牲に供されるもの」。日米にとって沖縄は、基地以上でも基地以下でもない、「単に基地の島」（山城博治沖縄平和運動センター議長）でしかない。

今年、沖縄は世界自然遺産登録に沸いた。しかし内実は「海も山も」一体の「生態系」の評価ではなく、ヤンバルクイナなど「生物多様性」のみの評価にすぎない。登録地の隣りにある米軍ヘリパッドが「生態系」を脅かし、辺野古大浦湾を埋める辺野古新基地が「生態系」を破壊している。登録地も米軍廃棄物まみれの「不都合な真実」（第二特集・桜井国俊沖縄大学名誉教授）がある。日米安保条約、地位協定の「不都合な真実」が基地の島を覆っている。「不都合な真実」は、実は日本を覆っている。気付かぬふりをしているだけだ。

「死者の声を聞く」は第三特集「沖縄文学の力」座談会の作家・大城貞俊氏、第一特集・須藤義人氏（戦没遺骨土砂採取に反対する具志堅隆松氏の活動）、第三特集・比嘉豊光氏「アートの力」、第五特集・徐勝氏（『朝鮮戦争における民間人虐殺』）らの多くが語った。沖縄戦、アジア、朝鮮の戦争で犠牲となった無数の人々。名もなく、遺骨も拾われず、葬られない人々の声なき声、「無念の言葉を拾う」（大城氏）ことが原点と確認させられた。

「Expendable」、「不都合な真実」、「死者の声を聞く」はネガティブな響きだが、沖縄の歴史と現実に向き合い、困難な状況を反転させる「未来志向」の強い意志の言葉である。それに比べ、未来志向を装う安倍晋三氏や岸田文雄首相の言葉がいかに軽々しいことか。「過去に目を閉ざす者は現在にも盲目となり、同じ過ちを繰り返す」の警句を思い出す。沖縄を消耗品としか見ない「不都合な真実」に向き合わぬ限り、日本の未来は危うい。復帰50年へ、声を上げ続けるしかない。

東アジア共同体研究所 琉球・沖縄センター

一般財団法人東アジア共同体研究所（EACI）は、鳩山由紀夫元首相が政界引退後の2013年3月、アジア太平洋諸国の間に「友愛」の絆を創ることを目的に設立し理事長に就任。翌14年5月、東アジアの結節点である沖縄・那覇市に開設した琉球・沖縄センターは辺野古新基地など基地問題、沖縄の未来構築の議論、政策提言など諸活動を行っている。2020年4月から毎週、「ウイークリー沖縄」ニュース動画を発信。自衛隊南西シフト問題に焦点を当て同年6月に東京、12月に那覇でシンポジウムを開催し、『虚構の新冷戦　日米軍事一体化と敵基地攻撃論』（芙蓉書房出版）、年刊ジャーナル『沖縄を平和の要石に』創刊号（同）を刊行した。21年度は5月から「基地なき沖縄の展望」鼎談を連続開催し、世界自然遺産をオンライン講演、辺野古基地、奄美自衛隊基地のドローン取材を実施。9月から「南西諸島ミサイル要塞化」全国巡回写真展を開始した。

「台湾有事」戦争前夜の危機に抗う
<ruby>台湾有事<rt>たいわんゆうじ</rt></ruby> <ruby>戦争前夜<rt>せんそうぜんや</rt></ruby>の<ruby>危機<rt>きき</rt></ruby>に<ruby>抗<rt>あらが</rt></ruby>う

沖縄を平和の要石に　2

2021年11月10日　第1刷発行

編　者

東アジア共同体研究所 琉球・沖縄センター

発行所

㈱芙蓉書房出版

（代表 平澤公裕）

〒113-0033東京都文京区本郷3-3-13

TEL 03-3813-4466　FAX 03-3813-4615

http://www.fuyoshobo.co.jp

印刷・製本／モリモト印刷

沖縄を平和の要石に　1
地域連合が国境を拓く

東アジア共同体研究所琉球・沖縄センター編集　本体 2,000円

東アジアを二度と戦争の起こることのない「不戦共同体」にする！沖縄を軍事の要石ではなく、再び平和の要石に戻す。国内、国外の多彩な分野の研究者、沖縄の基地問題の当事者などによる論考・記事20本！　年刊ジャーナル創刊号。

- ❖ 積極的平和と友愛
- ❖ 辺野古、南西諸島での基地建設問題
- ❖ 国境を越える社会を造ろう
- ❖ 東アジア共同体研究所琉球・沖縄センターの活動報告

〔執筆者〕ヨハン・ガルトゥング、鳩山友紀夫、木村朗、ブルース・カミングス、孫崎享、北上田毅、桜井国俊、吉川秀樹、奥間政則、高野孟、江上能義、渡辺武達、西原和久、当真嗣清、須藤義人、林立杰、奥住英二、緒方修

虚構の新冷戦
日米軍事一体化と敵基地攻撃論

東アジア共同体研究所 琉球・沖縄センター編　本体 2,500円

「敵基地攻撃論」の破滅的な危険性と、米中軍事対決を煽る米国の「新冷戦」プロパガンダの虚構性を15人の論客が暴く。米軍の対中・アジア戦略、それに呼応する日本・自衛隊の対応、中国の軍事・外交戦略、北朝鮮、韓国、台湾の動向に論及。

第一章❖ "新冷戦"と敵基地攻撃論で高まる「熱戦」の危機
第二章❖ 米国発「新冷戦」の"わな"を暴く
第三章❖ 熱戦の発火点「朝鮮」「台湾」「南西諸島ミサイル要塞化・辺野古・嘉手納」
第四章❖ 奪われた日本の主権—首都東京「横田」の戦争準備訓練
第五章❖ 戦争回避のためにできること

〔執筆者〕前田哲男、末浪靖司、菅沼幹夫、新垣毅、前田佐和子、須川清司、岡田充、朱建榮、小西誠、大久保康裕、五味洋治、吉田敏浩、高橋美枝子、鳩山友紀夫、新垣邦雄